卡耐基人际关系学全集

文轩◎编著

河北出版传媒集团
花山文艺出版社

图书在版编目（CIP）数据

卡耐基：人际关系学全集 / 文轩编著 . —石家庄：花山文艺出版社， 2015.11

ISBN 978-7-5511-2518-5

Ⅰ. ①卡… Ⅱ. ①文… Ⅲ. ①人际关系学－文集 Ⅳ. ① C912.1-53

中国版本图书馆 CIP 数据核字（2015）第 231393 号

书　　名：卡耐基：人际关系学全集
编　　著：文　轩

责任编辑：梁　瑛
责任校对：杨丽英
美术编辑：胡彤亮
出版发行：花山文艺出版社（邮政编码 050061）
　　　　　（河北省石家庄市友谊北大街 330 号）
销售热线：0311-88643221/29/31/32/36
传　　真：0311-88643225
印　　刷：三河市华东印刷有限公司
经　　销：新华书店
开　　本：889×1194　1/32
印　　张：9.5
字　　数：311 千字
版　　次：2016 年 7 月第 1 版
　　　　　2016 年 7 月第 1 次印刷
书　　号：ISBN 978-7-5511-2518-5
定　　价：35.00 元

前　言

知识经济时代，社会竞争日趋激烈，对个人能力的要求越来越高。如何在瞬息万变的社会中更好地生存下去？怎样比别人生存得更有意义？我们生活在社会群体之中，人与人之间发生矛盾、产生误解是常有的事。如何处理好这方面的问题呢？这是每个现代人都必须仔细思考和认真面对的问题。

美国芝加哥大学及青年会联合学校曾举行调查确定成人究竟要研究什么。这项历时两年的调查显示，健康是成人最为注意的；第二种兴趣就是人——人们最感兴趣的是：如何了解人，如何与人相处，如何使人喜欢自己，如何使他人随从自己的意愿。

美国人际关系学家阿尔伯特·爱德华·威根在他的研究报告《探索你的心理世界》一书中指出："在一年内失去工作的4000名职工中，只有400人（即总数的10%）是因不能胜任工作而被开除的，其余90%的人则是因为不能很好地处理人际关系而被解雇。"美国技术协会在对一万人的情况记录作分析研究后，也得出类似的结论：90%的人因为不能成功地交往而失败了。

实际调查发现，人际交往心理问题在现代人所有的心理问题中占有较大的比重，主要表现为：自我为中心、孤僻、孤独、自闭、攻击性和行为异常、害羞、胆怯、社交恐怖等。在现实生活中，有的人一面对人际关系就头疼，无论自己在事业上做得多么出色，都因为人际关系处理不佳，常常会事倍功半。人们不会因为处理不好人际关系本身而苦恼，而是由于人际矛盾激化之后，给自己带来的焦虑、沮丧、凄凉的感受，人们痛苦的是这些方面。

美国著名的教育家和演讲艺术家戴尔·卡耐基，几乎投入毕生的精力，运用心理学知识，对人类共同的心理特点进行探索和分析，开创和发展了一种融演讲术、推销术、做人处世术、智力开发术为一体的独特的成人教育方式。国际卡耐基成人教育机构和它遍布世界的分支机构，目前已多达数千个。接受这种教育的，不仅有明星巨商、各界领袖，也有军政要人、内阁成员，甚至还有几位总统，人数多达几千万，影响了20世纪到现在的几代人。

卡耐基并没有解决宇宙中深奥的秘密。但他源于常理的哲学影响和教育实践，却施惠于千百万人。在帮助人们学习如何处世上；在帮助人们获得自尊、自重、勇气和信心上；在帮助人们克服人性的弱点、发挥人性的优点、开发人类潜在智能，从而获得事业的成功和人生的快乐上，或许他比这一时代其他哲人所做的都多。

卡耐基所著载誉世界的《人性的弱点》《人性的优点》《人性的光辉》《美好的人生》《快乐的人生》《伟大的人物》和《语言的突破》等专著，构成了卡耐基做人处世、走上成功之路全书。它们成为《圣经》之后人类出版史上第二大畅销书。

《卡耐基人际关系学》通过大量贴近生活、极富情趣的故事和精练睿智、启人心智的原则，生动而具体地阐释了戴尔·卡耐基超人的智慧，严谨的思维和处理人际关系的黄金法则。

本书会使你在轻松的阅读中得到有益的启迪，学会从容地面对生活中的各种问题，更深刻地理解和把握人生，从日益增长的自信和热忱中，得到生活的力量；增进沟通意见和成功合作的能力，学会做人处世的技巧；在业务上、在社交上、在私人生活中，都享受到更好的人际关系，获得更大的成功和幸福。

目 录

第五章　欣赏别人，用言行提升你的魅力

第六章　更巧妙地说服，更艺术地批评

第一章　悉心构筑和维护健康有益的人际关系

一个人事业上的成功，只有 15% 是由于他的专业技术，另外的 85% 要依靠人际关系、处世技巧。

——戴尔·卡耐基

人际关系是人与人之间的沟通，是用现代方式表达出《圣经》中“欲人施于己者，必先施于人”的金科玉律。

——戴尔·卡耐基

想交朋友，就要先为别人做些事——那些需要花时间、体力、体贴、奉献才能做到的事。

——戴尔·卡耐基

※　欲成为出类拔萃的人，首先要搞好人际关系

戴尔·卡耐基说：“我们应该重视友情，让友谊之花在自己的生命中绽放。”他认为，人际关系是成功的最重要的因素。一个人事业的成功，只有 15% 是由于他的专业技术，另外的 85% 要靠人际关系、处世技巧。

广泛与人交往是机遇的源泉。交往越广泛，遇到机遇的概率就越高。有许多机遇就是在与朋友的交往中出现的，有时甚至是在漫不经心的时候，朋友的一句话、朋友的帮助、朋友的关心等都可能化作难得的机遇。在很多情况下，就是靠朋友的推荐、朋友提供的信息和其他多方面的帮助，人们才获得了难得的机遇。

每一个伟大的成功者背后都有另外的成功者。没有人是自己一

个人达到事业的顶峰的，假如你决心成为出类拔萃的人，那么千万不能忽视人际关系。

卡耐基对友谊的感受是非常深刻的，同时他对朋友也投入了自己的真诚。我们不难设想，身边连一个知心的朋友都没有的人，他的事业也很难取得成功。卡耐基事业的成功当然首先得归功于他自己艰苦不懈的努力，但也不能否认他的朋友给予的支持与帮助。

一个人不能没有朋友，就像一个人不能没有住所一样。在卡耐基的生活中，有三位极其重要的真挚的朋友，他们是赫蒙·克洛依、法兰克·贝格尔、罗威尔·汤姆斯。

赫蒙·克洛依是来自卡耐基故乡的作家，曾做过记者、编辑。自从他们在一次外出度假时偶然相识后，便结成了终身的挚友。他们经常一起出去游泳，或是去一家酒吧里喝酒聊天。克洛依对许多问题都有独到的见解，和他在一起，总能激起卡耐基的写作欲。在卡耐基的畅销书创作生涯中，克洛依的帮助和支持功不可没。

当卡耐基的第一本著作《影响力的本质》出版时，他在书的扉页上写下了这样一段话赠给克洛依："以我最高的名誉，献给我最尊敬的，我的重要的、诚实的朋友。"

与卡耐基结成挚友的人当中，有些人早已有所成就，而有些人则是他曾教过的学生。法兰克·贝格尔就是其中的一位。

法兰克·贝格尔曾当过棒球队的垒手，后又当了一位保险推销员。在他的工作遇到困难的时候，他报名参加了卡耐基的课程。从卡耐基的课程毕业后，他的事业开始蒸蒸日上、行销利润频频上升，很快就成为保险业的一名巨子。就这样，法兰克·贝格尔成了一个成功的典型，也成了卡耐基家里的一个常客。

后来，这对绝佳的搭档还展开了一次州际旅行演说，并获得了空前的成功。因为人们从法兰克·贝格尔身上看到了从一无所有到拥有财富的希望，同时对卡耐基的课程也更加寄予厚望。法兰克·贝格尔在其所写的畅销书《我如何在行销中反败为胜》中，将自己的成功归功于卡耐基的课程，这无疑是对卡耐基最好的帮助。

卡耐基和他的第三位挚友罗威尔·汤姆斯的友谊出现在两个人事业的困难时期，可谓是一对患难之交。他们积极参与对方的事业，互相帮助，共同发展。当罗威尔·汤姆斯主持由著名杂志《读者文摘》赞助的星期电台节目时，他邀请卡耐基为他准备讲稿。卡耐基的畅销书《影响力的本质》第一版的绪论就是由汤姆斯撰写的，汤姆斯的签名还经常出现在卡耐基的广告上。

当然，卡耐基的朋友绝不止这里提到的三位，但我们可以从中看出他对待友谊的真诚和执着。许多人都有过这样的感受，当我们面对人生的某个关口，需做出选择和决断时，朋友的一句话往往就能使我们坚定信心，起到重要的作用。所以，每一个想获得成功的朋友，千万别忽略友谊的力量。

※　一定要重视团结协作，互相帮助

卡耐基指出，成功者的道路有千千万万，但总有一些共同之处：团结协作是许多成功人士的共同特性。

合作是一件快乐的事情，有些事情人们只有互相合作才能做成，不合作他不能做到，你也不能做到。美国加利福尼亚大学副教授查尔斯·卡费尔德对美国1500名取得了杰出成就的人物进行了调查和研究，发现这些有杰出成就者有一些共同的特点，其中之一就是与自己而不是与他人竞争。他们更注意的是如何提高自己的能力，而不是考虑怎样击败竞争者。事实上，对竞争者的能力（可能是优势）的担心，往往导致自己击败自己。多数成就优秀者关心的是，按照他们自己的标准尽力工作；如果他们的眼睛只盯着竞争者，那就不一定取得好成绩。

帮助别人就是强大自己，帮助别人也就是帮助自己，别人得到的并非是你自己失去的。在一些人的固有的思维模式中，一直认为要帮助别人自己就要有所牺牲；别人得到了自己就一定会失去。比如你帮助别人提了东西，你就可能耗费了自己的体力，耽误了自己的时间。

其实很多时候帮助别人，并不就意味着自己吃亏。如果你帮助其他人获得他们需要的东西，你也因此而得到想要的东西，而且你帮助的人越多，你得到的也越多。

你在个人生活和职业生活中的成功，取决于你与他人合作得如何。“合作”一词指在群体环境中普遍发生的社会关系。群体，一般被定义为一起工作以实现共同目标的一群人。群体的成员互相作用，彼此沟通，在群体中承担不同的角色，并建立群体的同一性。

社会学家指出，群体的成功要涉及一系列复杂的思考和语言能力，而这些能力正是许多人所没有系统掌握或完全拥有的。那些在社交方面很成熟的人，他们极容易适应任何的群体环境，能与许多不同的个体进行友好的交谈，与他人和谐地、富有成效地共事，用清楚的和有说服力的观点影响群体的思考，有效地克服群体的紧张和自我主义，鼓励群体成员守信、创造性地工作，并能使每一个人集中精力，朝着共同的目标前进。就像丹尼尔·戈尔曼在其畅销书《情商》中指出的，这些复杂的思考、沟通和社交技能对于生活中取得成果，常常比传统的智商或职业技能更加重要。你可能对你所熟知的人取得成功感到迷惑不解，因为他们似乎也不是最有知识或最聪明的，他们的成就似乎不是“你所认识的人”所能取得的。但正是因为他们具有良好的社交和沟通技能，再加上他们的学识和才智，他们取得了人们所想象不到的成功。不过，他们具有的社交和沟通的技能，许多人通过观察、实践和批判的思考也能够（而且需要）培养出来。

与他人合作比单独工作有许多好处。首先，群体成员具有不同的背景和兴趣，这可以产生多样化的观点。实际上，与他人合作可以产生出任何个人只靠自己所无法具有的创造性的思想。此外，群体成员互相提供帮助和鼓励，每个人都能贡献出他或她独特的技能，团体的一致性和认同感激励着团体成员为实现共同的目标而努力奋斗，这是一种“团队精神”，它能使每个人最大限度地实现自己。俗语说得好：“人多力量大”“众人拾柴火焰高”。一群人一起工作，如果全力以赴，组织有序，就能在有限的时间里取得引人注目的成就。

当然，与别人合作不等于没有原则的迁就。我们经常说世界上没有两片完全相同的树叶。每个人都是独一无二的，每个人的特殊的遗传基因的组合，决定了他们有不同的生理条件；出身背景不同，所受的教育不同，人生的经历不同等，决定了每个人都会拥有自己不同的思想情感、性格气质、思维方式。在一个文明的社会里，只要个人的行为不妨碍社会的健康发展，不妨碍他人的生活，它就有存在的权利，任何人都没有权利也不能消除这种差异。因此我们不能指望得到每个人的首肯，不能与每一个人都成为知心的朋友，你也不可能喜欢所有的人。你可以不欣赏、不喜欢他，但是你不能轻视他。他只是和你不同而已，你要尊重这种不同。在与别人交往中，也不要一味地迁就别人，从而丢掉自己的个性。

※ 要学会自信和主动地和人去交往

有一个丰富多彩的人际关系世界是每一个正常人的需要。可是，很多人的这个需要都没有得到满足。他们总是慨叹世界上缺少真情，缺少帮助，缺少爱，那种强烈的孤独感困扰着他们，折磨着他们。

如果你与周围的人，关系处得不够好，你可以随便拣几个理由，说明你是如何清白无辜，不是全在他人..或许你的解释很有说服力，不过你应该想到的是，这种不良的人际环境，很大程度上，是你自己制造的。

卡耐基发现，其实，很多人之所以缺少朋友，仅仅是因为他们在人际交往中总是采取消极的、被动的退缩方式，总是期待友谊和爱情从天而降。这样，使他们虽然生活在一个人来人往的世界里，却仍然无法摆脱心灵上的孤寂。这些人，只做交往的响应者，不做交往的始动者。

要知道，别人是没有理由无缘无故对我们感兴趣的。因此，如果想赢得别人，与别人建立良好的人际关系，摆脱孤独的折磨，就必须主动交往。

心理学家研究发现，有两点原因影响人们不能主动交往，而采取被动退缩的交往方式：

一方面是生怕自己的主动交往不会引起别人的积极响应，从而使自己陷入窘迫、尴尬的境地，进而伤及自己脆弱的自尊心。而实际上，在现实生活中，每一个人都有交往的需要，因此，我们主动而别人不采取响应的情况是极其少见的。试想，如果别人主动对你打招呼，你会采取拒绝的态度吗？生活中有一个非常有趣的现象：在硬座火车上，坐在一个“隔间”里面有六个人，如果这六个人里面至少有一个是主动交往的人，那么他们总是谈得热火朝天，一路上充满欢声笑语；如果这六个人没有一个人主动和别人交往，那么，从起点坐到终点，他们会始终处在无聊的气氛中，看书也没劲，对望又很尴尬，所以干脆闭上眼睛养神。与其尴尬地面面相觑，还不如主动打招呼，换得一路不寂寞，不是吗？当你尝试着主动和别人打招呼、攀谈时，你会发现，人际交往是如此容易。

另一方面，人们心里对主动交往有很多误解。比如，有的人会认为：“先同别人打招呼，显得自己低贱”“我这样麻烦别人，人家肯定会烦的”“他又不认识我，怎么会帮我的忙呢？”……其实，这些都是害人不浅的误解。但是，这些观念却实实在在地起着作用，阻碍了人们在交往中采取主动的方式，从而失去了很多结识别人，发展友谊的机会。

尝试是成功的先导。当你因为某种担心而不敢主动同别人交往时，最好去实践一下，用事实去证明你的担心是多余的。不断地尝试，会积累你成功的经验，增强你的自信心，使你的人际关系状况越来越好。

※ 要尽量去结交那些卓越的人士

卡耐基指出："朋友是你的另一个生命。在一个朋友眼里，所有的朋友都是善良而睿智的。当你和他们在一起时，一切都会最终变得顺遂。其他人希望或认为你有多大价值，你就有多大价值；而只有当他们的心里对你有好感时，才会在嘴上说你的好话。没有什么比帮助一个人更能打动他；赢得朋友的最好方式就是像一个朋友那样待人处事。我们所拥有的一切中绝大部分及最好的部分都离不开他人。你或者和朋友相处，或者与敌人为伴，此外别无选择。每天都赢得一个朋友，如果他不能成为你倾吐衷肠的密友，至少也可以成为你的支持者。认真选择朋友，他们中的有些人将是你终生都可以信赖的人。"

当你与适当的人结伴同行时，你通往峰顶的道路一定更为平坦。把不好的同伴扫开。

哪些是有益的同伴呢？就是那些能够帮助你的人，更重要的是，是那些事迹能够给你勇气的人。但千万不要尝试阿谀巴结某些人，你是不会从他们身上得到任何帮助的，因为他们随即就会察觉你的意图。当然，你也不会愿意你的周围有些阿谀奉承的人流连不去。

那么，你该跟谁交往呢？跟那些成功人士，那些已经功成名就或者正朝这个方向前进的人。

寻找那些热情的人、乐观的人、工作勤奋的人，也就是那些卷起袖子，努力攀登有目标的人。

你需要那些自动自发的同伴，那些具有追求成功动机的人，自信的人，自我管理、自我救助的人，那些愿意将所知传授给别人的人，包括教师、教练、主管、同事、家庭成员中的长者和智者、训练员和领袖。所有这些人能够，通常也都乐意使你攀登顶峰的路途更为平坦。他们本身就是成功的人。

卡耐基特别强调结交卓越的人士的重要性，为此，他提出了如下建议：

1. 应尽可能结交优于自己的人，并朝这一目标而努力

结交卓越的人士，便能见贤思齐；反之，若结交程度远逊于自己的朋友，自己难免同流合污。

当然，这里所谓的“卓越的人士”，并非是指家世显赫、地位超绝的人，而是指有内涵、让世人所称道的人物。

“卓越的人士”大体上可分为以下两大类型：首先为立身于社会主导地位的人们，其次则是指那些有着特殊才华的人们，例如长袖善舞，对社会有着杰出的贡献，才能特出，或是学识渊博的学者，才华洋溢的艺术家，等等。此种杰出绝非凭一个人的喜好所界定，而需经由社会上的认同方可获得。当然，其间或许有些例外。总之希望你能结识这些人才。

至于怎样与这些人结交，没有成形的办法，也许是厚着脸皮毛遂自荐，或是经由知名人士的大力引荐，当然也可以加人群英聚会的团体里去寻觅朋友。居于其间，仔细去观察拥有不同人格、不同道德观的人们，不仅是件赏心悦目的乐事，更对你有所助益。

2. 保持判断力，不可不顾一切地全身心投入

几乎所有的年轻人，均渴望能和才华横溢的人物成为知交。总认为假使自己也小有才气，那更是如鱼得水。即使达不到这一目的，也能满足自己与其共荣的心理。然而，即使是和这些才华纵横、魅

力十足的人物交往，也不可不顾一切地全身心投入。不丧失判断力，才是最适当的交往方法。

并非每个人均能心悦诚服地接受才智这种东西。相反，它往往会令人产生恐惧的心理。一般说来，在众目睽睽之下，人们每每对锋锐的才智感到惧怕。这就似妇人女子一见着枪炮便会害怕的道理一样。恐惧对方会突然扣动扳机，子弹便“嗖”的一声朝自己飞了过来。但是，认识这些人，继而亲近、了解这些人，确实是件有意义，令人欢欣的事。只是，不论对方多么有魅力，如果自己就此终止和其他人的交往，单和这群人往来，那将会得不偿失。

3. 别亲近赞扬缺点的人们

卡耐基教导他的儿子：“我之所以要求你避免与程度低的人交往，乃是由于我觉得这些全是必须具备的观念。因为，我看过太多具有判断力，而且社会地位牢固的大人们，在结识了这种人后，信用扫地，沉沦堕落，最后身败名裂。”

最叫人头痛的问题，莫过于虚荣心的作祟。由于虚荣心的蒙蔽，人类往往铤而走险、作奸犯科。因此，无论从何种角度来看，结交程度不如自己的朋友，便是虚荣心作祟的一种表现。人们总希望自己能独占鳌头于群体之中。寄盼能获得同僚的称许、受人尊敬、领导群众。

为了求取这种名实不符的赞扬，他们甚至不惜与不如自己的人们结交。不久你就将变得与他们层次相当，从此再也不愿结交出色的朋友了。人们往往会遭伙伴同化，不管这样做是使自己的层次提高了，或是降低了，其结果必然一样。因此你应该依交往的对象，仔细加以判断。

※ 获得挚友，维持和谐的人际关系

毋庸置疑，做别人的好朋友以及拥有一位好朋友都能使人的生活充满生机和活力，并能使人终生感到满足和享受。

怎样才能获得挚友呢？卡耐基总结的下面几点建议可供我们参考：

1. 挤时间交朋友

有些人常说："我当然愿意交好朋友啦，只是时间不允许。"实践证明：我们要是想真心做一件事情，时间是会充裕的。

为朋友挤出时间，可能意味着不能及时收拾房间，或错过你所喜欢的电视剧。但友谊的乐趣，能弥补这些微不足道的损失。

2. 重视小事情

朋友遇到困难时助一臂之力无疑是至关重要的。但是，给朋友打生日电话等表面看起来是不足挂齿的小事，却是保持友谊必不可少的行为。

3. 敞开心扉

有些人不愿把自己心灵深处的恐惧、失望以及消极的情绪暴露出来。可是，在建立友谊的过程中，有时必须要敞开心扉。

埃琳在学校与两个女同学非常要好。某个星期天，这两个女同学没叫埃琳，就一块逛街去了，这件事使埃琳十分伤心。当她俩回校后，埃琳想装出满不在乎的样子，但还是不由自主地说："我真痛苦啊！"她们知道实情后才突然意识到，友谊对埃琳来说意味着什么。她俩十分诚恳地向她表示了歉意。16 岁的埃琳从自己的经历悟出了这样的哲理：只有让别人充分了解自己，别人才会感到你和他们在心灵上的沟通。

4. 注重人的差异

每个人由于性格、脾气和修养的不同，而为人处世的方式方法也各异。对朋友不必吹毛求疵，更不要把自己的观点强加于人。朋友的某个"缺点"，在某方面来说也许是优点呢。

马萨诸塞大学社会心理学家罗伯特·韦斯说，建立友谊的诀窍之一就是要把共性的东西有机地融为一体，从中了解到许多共性的东西，就能达到相互沟通。

5. 切忌斤斤计较

有的人既要朋友，又不想承担一定的责任和义务，这些人是不可能成功的。

纽约市旅游代理人斯特拉·沃尔夫在外国旅游期间，结识了许多的朋友，诀窍何在？因为她实践了法国小说家亚历山大·杜马的交友艺术：“忘记所付出的，牢记所得到的。”

斯特拉无论何时发现朋友遇到了困难，她都会全力以赴地去帮助。一位朋友被解雇了，她就在自己的代理处给他安排了一份工作；当未婚的朋友抱怨生活孤寂时，她就为其当红娘。她为了朋友放弃了许多自己所喜欢的事情。然而得到的只不过一束鲜花或一封感谢信，但她却感到十分快乐和幸福。

6. 接受帮助

有一次，莱森的汽车出了毛病，可当时他急需到另一城镇去采访。玛丽知道后，主动提出要开车 60 英里专程去送他。为了不给她添麻烦，莱森婉言谢绝了。

挂上电话后莱森才意识到，她肯定很失望。果然不出所料，他们的关系就随之冷淡了。又一次，莱森给她打电话说，他准备外出度假，正愁不知如何安排他家的小猫。“让我来照料吧！”她很高兴地承担了这件事。这一次，他怀着十分感激的心情接受了她的帮助。事后，他们的友谊又恢复如初了。

有人曾说过：“如果你想让人成为你的朋友，就请他帮助你。”付出固然比获得重要，但重要的是要让朋友明白你也需要得到他们的帮助。正如你帮助朋友而感到幸福一样，也要为朋友能帮助自己创造机会。这样，你们之间的友谊才会更为牢固。

※ 设身处地地站在他人的立场上想问题

卡耐基指出，大多数亲密关系——恋人关系、家庭关系和朋友关系的成功，直接与你能否做到设身处地地站在他人的立场上想问题有关。

在交往的过程中，如果两个人都只为自己着想，期望他人能为我做点什么，而不考虑自己应该为对方做点什么，那么，这种关系就不会顺利发展，必然会矛盾重重。健康的人际关系应该建立在利益共享，互相帮助的基础上，而不是一方付出，一方获得的基础上。了解他人，体恤他人，这是你应该具备的能力，这样做可以激发你对他人的爱、同情和理解，而这些情感是形成每一种重要的人际关系的核心。

在此，不妨回顾一下你与关系亲密的某人发生的一次最后的争吵。毫无疑问，你认为你对问题的看法是清楚无误的，而对方的看法是错误的。尽管你努力做到克制和忍让，但对方试图强迫你按照他或她不清楚的思路看问题。自然，对方可能也会与你的想法一样。一旦两个人（或多人）之间的关系建立在这种缺乏移情和利己姿态的基础上，双方的关系肯定会恶化。只有在事态发展到极为严重的情况下，双方可能才会真正地为对方着想。

一旦你与他人的关系出现这种紧张的状况，你可以采取这样一种对策，通过问对方为什么他或她会得出那样的观点，使自己能做到从不同的角度看问题，然后把自己置于对方的位置上。接下来，你可以问对方："如果你处于我的位置，你会如何看问题，你将怎样做？"用这样的方法交换角色，移情地思考，就能使讨论有效地进行下去。这样做的结果必然是避免彼此的交流充满仇恨（如说"你是个白痴""你迟钝得像榆木疙瘩"），双方能够相互了解，和谐相处，愉快合作。

※ “自爱”和“爱他人”不是互相冲突的

为了与他人建立积极的和健康的关系，首先你必须与自己建立一个积极的和健康的关系。如果你不爱你自己，不相信你自己，那么，你也不可能爱他人和相信他人，而爱和信任的情感是健康的人际关系的生命线。许多人始终接受着这样的教育，即“自爱”和“爱他人”是互相冲突的，实际上，这种观点在逻辑上是不成立的。自爱和爱他人并不互相排斥，它们互相联系，协同作用。你给自己的爱越多，你对别人的爱也就越多；反之，你给自己的爱越少，你对他人的爱也就越少。

“自私”与“自爱”并不是一回事。实际上，自私是由缺乏自爱引起的。如果你鄙视你的“自我”，认为它毫无价值可言，那么，很自然，你就会设法通过牺牲他人的利益来大肆攫取，以弥补这些令人绝望的个人空虚感和挫折感——这就是对自私行为的界定。相反，如果你十分珍惜和重视你的“自我”，那么，你的生活就会建立在有内心安全感的基础上，这种安全感会给你自信，使你在行动中能无私助人，乐于奉献，珍惜和重视他人的价值。

这个观点在《圣经》的命令中得到了体现：“像爱你自己一样去爱你的邻人。”人道主义心理学家艾瑞克·弗洛姆也对这个观点有过论述。尊重你自己的正直和独特，爱你自己，不能与对他人的爱和尊重分开。在这个意义上，爱是不可分的：为了你所爱的人的发展和幸福而努力奋斗，反过来也会提高你爱的能力。

为什么发展健康的和持久的亲密关系是一件很困难的事呢？为什么如此多的人一心为自己打算却感到无法排遣的孤独呢？这是今天摆在世人面前的严肃的问题，在当今世界上，科技迅猛发展，信息空前丰富，但是，亲密的人际关系和平静的独处却常常难以见到，个人生活变得苍白、空虚和绝望。在现代文学、哲学和流行文化中，人的异化是一个经久不衰的话题。当人们意识不到他们对亲密和独处的强烈需要时，或者当他们得出结论认为这些需要不能满足时，他们对个人的力量的估计就会大大降低。在当今的社会里，缺少关爱，失去控制，如果没有坚定的自我感和稳定的亲密的关系，就不会产生很强的自信，生活也会因此而变得令人恐惧和抑郁。

正如心理疗法专家斯坦芬妮·德玛克在她的《亲密与孤独》一书中指出的，许多情感问题的核心是没有意识到，我们每个人都需要与他人和自己建立亲密的关系。“我们如何对待我们自己，可以通过我们如何对待他人的方式反映出来：如果我们不了解和信任我们自己，我们就不能很好地了解和信任他人。”

因此，你面临的挑战就是与你自己建立一种良好的关系，这种关系应该充满信任、爱、真诚、尊重、安全、慷慨、灵活、乐观、宽容、敏感和创造，因为这是你建立与他人良好关系的必由之路。

※ 对别人的评价保持审度的态度

两个同在纽约作过短暂停留的朋友，提到他们的观感，一个人说，纽约是世界上最浪漫的地方，他希望能有机会长住些时日；另一个人却说，纽约是人间的地狱，要他多待一天也不愿意。

为什么他们对纽约有这么不同的感觉呢？

喜欢纽约的说，他下飞机之后，朋友先带他到皇后区的自宅歇脚，并叫出租车去大都会美术馆。在美术馆对面用过餐，然后沿着中央公园走到繁华的第五街，看了川普大厦、美丽的竹林庭园，转过洛克菲勒中心的溜冰场，再登上帝国大厦的顶楼欣赏曼哈顿的夜景，而后叫车回家。

痛恨纽约的则说，他下飞机之后，朋友叫出租车送他去四十二街附近的一家旅馆，再带他由中央车站乘地铁到自然历史博物馆，而后坐地铁到下城吃饭，再去世界贸易大楼顶层欣赏曼哈顿夜景，又去时代广场，逛了成人商店，而后送他回旅馆。

他们对纽约的观感为什么有那样大的差异呢？虽然接待的朋友都花了不少钱，也都带他们逛了世界最著名的博物馆和最高的建筑。但是前者住在安宁的住宅区，看到的是幽静的中央公园、豪华的商场和干净的市容；后者却见到了肮脏的地铁、杂乱的下城、藏污纳垢的时代广场，且领教了旅馆附近的嘈杂。

问题是：若非再有机会到纽约，这种观感就可能在他们的心中维持一辈子。由于是他们亲眼所见、亲身所感，所以每当他们提到纽约，那好极了与坏极了的评语，必是斩钉截铁的。

我们不是常听人斩钉截铁地说“某人是好人”或“某人坏透了”一类的话吗？他们也是亲眼所见、亲身所感；但是，如果以纽约的例子来想，你认为他们说得对不对呢？

在与人交往的时候，犯这种以偏概全的毛病的人真是太多了！

这世上有什么十全十美的呢？愈干净的城市，它排污水的系统可能愈庞大；愈见不到垃圾的地方，可能愈有一个堆积如山的垃圾场；连人体都有动脉与静脉，谁能因为觉得那“青筋”看来讨厌而将静脉切除呢？

所以，我们不论看人、看事，甚至听别人论断事情，都要有一种客观审度的态度。

※ 让理性发挥应有的作用，使人际关系重新恢复活力

正如靠理性不能完全揭开一件精美的艺术品、一段感人的音乐、一个超常的精神体验或由幽默引起开怀大笑的奥秘一样，要解开人际关系的奥秘也不能完全依靠理性。你的理性能力是强大的，但是，它也有局限，重要的是要认识这些局限，并尊重它们。人们试图能用逻辑和推理解释清楚人们所经历的一切，这是不可能的。不过，理性有助于你搞清楚你的情感生活的轮廓和模式，以及许多形成人际关系现象的其他因素。

假定和你关系很密切的某人做的一件事深深地伤害了你。当你遇见这位朋友，问他为什么要那样做时，假定他的回答是“我没有任何理由——我只是那样做了”。对此，你会有何感想？相反情况下，我们期望人们——包括我们自己——能了解和解释清楚他们为何要有某种行为举动的意图，这样，他们就能对自己的选择进行某种控制。人们会因许多不同的理由——做事不假思考、自私、愚蠢、无情无义、虐待狂——而伤害与自己关系很密切的人。人们不会无端地表现出某种行为，人是有理性的动物，人们每做一件事都有其自身的考虑，你的自信和对他人的信任就是建立在这种认识的基础上。如果你的朋友对你说：“我伤害了你，我非常抱歉——当时，我只考虑自己，而没有意识到会伤害你，是我错了，今后我不会再犯这样的错误了。”那么，你就有了一个能与你的朋友在未来建立关系的基础。但是，如果你的朋友对你说：“我伤害了你，但我说不出任何理由，我不知道以后是否还会发生类似这样的事。”那么，你就很难继续信任他。继续保持这样的关系，就会伤害你的心。

理性是使人际关系成为可能的框架，人与人之间的关系越亲密，理性在其中发挥的作用也就越大。在与恋人或配偶等亲密的人际关系中，你是最脆弱的，你的感情毫无保留地展示给了对方。理性是一张安全网，它能给你走高空钢丝的勇气。你之所以能建立起对他人的信任，是因为你认为他们的选择是由理性所控制的，或至少受理性的影响，你依靠的就是这个信念。当然，即使最好的意图也会被盲目的激情、难驾驭的感情、预料不到的冲动所制服。虽然感情可能会爆发，暂时地压倒你的理性能力，但是，你的意志和决心能再次把事情调整好，重新把理性放在首位，用理性来指导你的感情，这样，你的选择就能反映你最高的价值观，在处理人际关系方面，就会更得体，更容易被别人所接受。

请回顾一下你最近一次开始与他人建立的一种新的关系。为了培育恋爱关系，给对方留下一个好印象，你很可能动了一番心思，投入了大量的精力。比如，自己动手做卡片、令人惊喜的礼物、独特的活动、与对方进行倾心的交谈。现在，请思考一下你目前与他人拥有的长期关系：你发现你们之间开始有厌烦的感觉或裂痕了吗？你们陷入日常的活动模式中，按照订好的计划做同样的事情了吗？你们的交谈总是离不开那几个话题，发表的见解总是大同小异吗？是不是已经不再动手做卡片，送优雅的礼品，给对方小小的惊喜了？如果答案是肯定的，也不必过分责备自己，因为这是人际关系衰退很常见的征兆。

“亲昵生狎侮”，这句话说明了人们惯常的一个特性，即和我们亲近的人，我们对之会抱以很放心的态度，一切问题都没有了，一切都是老套的习惯常规了，这种情况就会疲耗我们与他人关系的活力。既然人与人之间的关系是有活力，有生机的，那么，若把它们当成机器一样，以为老是靠那一个马达就能运转，那将导致它们生锈，并最终无法运转。然而，在许多情况下，通过给它们注入与你在关系开始时投入的同样精力，鼓励对方意识到他或她创造性的潜力，人际关系能够重新恢复活力。其结果必然是：双方之间创造性的融合，将鼓起你们生活的勇气和力量。

※ 把思考、语言和社交技巧结合在一起进行有效的沟通

卡耐基指出：与其他的因素相比，错误的沟通对人际关系中出现的问题要负更大的责任。你常常听到“我们只是不会沟通”这样悲观的话吗？正如我们发现的，有效地沟通需要把思考、语言和社交技巧结合在一起。例如，人们在交谈时，常常只想着接下来要说什么，因而并未真的用心去听。有的人彼此相识多年，然而对对方的所思所想却缺乏深入的了解，之所以会出现这种情况，就是因为他们不努力去听和了解。

为了参与有效的讨论，你必须清楚地表达自己的观点，认真地聆听他人的反应。在此基础上或做出回答，或进行提问，以便更好地了解对方的观点。当两个人以这种方式进行对话时，他们就处于一个彼此尊重的气氛之中。这样一来，就能进行有意义的沟通。每个人的沟通风格是有差异的，为了避免误解、冲突以及关系破裂，你需要对不同的沟通风格有所了解。

有效沟通的另一个方面是清楚和准确地使用语言。如果某人在沟通中使用的语言很含糊、不准确，那么，对方一般就无法准确地把握说话者的真正意思，而认为他或她是在很精确地表达自己的思想。结果，人们往往会因此而导致沟通不畅，出现麻烦。如“我爱你”是一句极其简单的表述，但由于不同的人物和地点它却能够表达多种不同的意思。对某个人来说，“我爱你”可能意味着：“我认为你是一个可爱的人，对我有很强的性吸引力”；而对另一个人来说，则意味着：“你是我最好的配偶，我希望我们能天长地久”。如果是这样的话，沟通的双方很可能要产生误解，甚至使双方的关系破裂。鉴于此，你自己无论在说话和行为方面，一定要努力做到清楚、准确，这样就能避免误解。误解是良好的人际关系的大敌，它往往在一开始并不显眼，但如果不注意，慢慢就会像滚雪球一样发展成为危害彼此关系的大问题。

※　承担自己的责任，珍视他人的自由

卡耐基指出，健康的关系应该是这样的关系：关系的双方都愿意承担各自的责任，并珍视他人的自由。

责任是自由逻辑的结果，虽然人们珍视他们个人的自由，但当事情没有按照原先的计划发展时，他们倾向于逃避责任。请思考这样的处境：你正与许多同事合作完成一项重要的工程，当客户提出你们研究小组的工作不符合要求时，高级主管想知道谁应该为这件

事负责。依你在其中的处境来说，你该说什么呢？或假定你是一个快要过生日的孩子的家长，你答应孩子要买一场特殊音乐会的门票，但是，你延误了时间，当你赶去买票时，票已经售完。你会给孩子作怎样的解释呢？如果你发现你自己在这些情况下，本能地试图减小你个人的责任（扩大他人的责任），那么，这并不奇怪，通常人们都会这样去做。但是，健康的人际关系应建立在愿意承担责任而不是逃避责任的基础上。通过完全承认你的责任，他人就会被你的道德人格所折服，从而激励他们也为自己的行动承担责任。然而，如果你经常为你的错误和失败逃避责任，那么，你与他人的关系就不会存在信任和善意，你的道德人格就难以得到发展。

承担责任意味着促进自由，追求个人的自由是一件很自然和正当的事情。但是，为了建立与他人健康的关系，促进和尊重他们的自由也是同样重要的。例如，假定你绝对确信你知道怎样做对某人最有利——你的孩子应该选择某所大学，或你的恋人应该同意与你结婚。如果为了使他们做出“正确的”决定，你很巧妙地操纵了他们的思想和感情，你这样做是正当的吗？从长远来看，这样与对方作对，或对于维护人与人之间的关系不是最有利的。健康的关系重视他人自己作决策的自主权，而不能把我们的意志强加于他人。一旦他们发现你在试图对他们施压，或在操纵他们，你与他人之间关系得以建立的基础——互相信任——就会受到损害。

※ 不要成为屈服和诱惑的牺牲品

许多人的最高目标是希望受到别人的欢迎，不仅仅是在亲属、朋友或是在上下级那里，甚至是在全世界。它意味着一个人愿意表现得可亲、可爱和乐于助人，而不对别人构成任何危害。事实上，它容易受到控制，也容易被吓倒。对于捍卫领土这样的事情，它更愿意做出让步。这意味着有人宁愿受欢迎，也不愿意说出“不”字，当然，它就甘愿成了屈服、瓦解和诱惑的牺牲品。

几个星期前，马丽准备在一家女性时装店买一条裤子，她已经想好了裤子的式样，她在一大堆裤子里寻找适合自己的裤子。这时，一个店员向她走来，这位店员显然已发现马丽长时间翻寻而毫无结果。他找出一条裤子，对马丽说："我想，这一条对您很合适。"马丽穿上试了试，说："确实很合身。只是，裤腿有些偏肥。"这纯粹是个人喜好了。

售货员针对马丽的挑剔提醒她说："你这样说，只是因为你还不太习惯。但是，这的确是时下最流行的服装，每个人都喜欢穿它。"

每个人都经历过这样的事例。有人试图用诱惑法侵入我们自己想法的领地。也许这完全是毫无伤害的做法，但事实上，这种日常情形却能显示出我们是否自愿成为"大众化"里的一员，或者是我们成为捍卫自己想法的一族。售货员当然希望我们按他的喜好去做，并且希望我们说："是啊，这是时下最流行的款式，那么，我买下这条裤子。"售货员很快做成了一笔交易，这类事情不久在我们身上会再次发生。至于这条裤子事后是否真的令我们感到舒适，对售货员来讲，是完全无所谓的。这正是问题所在。因为我们穿着这条裤子，在今后几个月或几年中就必须面对它的舒适问题。

这也许只是我们的个人问题。又比如，上司把我们派到他正需要有人担负的一个位置上，面对这样的问题，如果我们被说服了，接受职位，上司便会感到轻松愉快。也许，几年后我们在做这个工作时，既不觉得快乐，也不感到满足，有的只是失望。尽管我们清楚，这种工作会给我们带来困难，对我们不好，但为了让别人高兴，我们还是去做了。所以你要记住，每一次对进攻者的让步，都是鼓励进攻者下一次从我们这里再多拿走一些东西。

与此相反，如果你对他示意："你所要的对你很适合。但是，我有自己完全不同的看法。"如此一来，他便知道了你领地的界线是划在什么地方的。

如果有人想促使你做一些你认为不利的事情，并且是与你所谓的荣誉、公正、诚实相符，你应该毫不犹豫地放弃在他人眼里所谓的“正直、公正和诚实”的形象。这与放弃短期的、表面的好处有关，以便确保长期的利益。长期的利益就是你的领地安全。这一利益应该表明，每次必要的放弃都是正确的。

※ 处理好依赖和独立的关系

健康的人际关系能把依赖和独立调整到最佳的平衡状态；当这个平衡被打破时，即有的人依赖性太强或过分独立时，就会出现这样或那样的问题。在你的生活中，你可能经历过这种失衡的情况。在有的关系中，你可能对对方有很大的依赖性，而对方却较独立；而在另外的关系中，你可能感到对方不能很好地尽责，过分依赖你。

在你的生活中，你可能对不同的人扮演着这两种角色，有时候，你并不是故意这样去做，完全是一种自发的行为。例如，你可能在情感上非常依赖你的父母；但是，在与朋友的关系中，你则较为独立。或者在工作中，你可能发现你自己事事要征得老板的同意，过分依赖上司的指导；但是，在与恋人的相处过程中则能做到独立。此外，在相同的关系中，也可能有不同的发展阶段，有时较为独立，有时则表现出较多的依赖性。例如，在你的恋爱关系中，一开始可能较为独立；但是，随着关系的发展，你变得越来越依赖对方，最终无法控制你的情感。或者你与他人的友谊最初可能表现为你过分地依靠这种友谊以满足自己的许多需要；但是，随着时间的推移，你逐渐地成为较独立的角色。独立和依赖在人际关系的双方之间是可以互相转化的角色，它反映了双方关系发展的不同阶段。父母和子女之间的关系尤其如此，因为在亲子关系中不同的生活阶段，依赖和独立是常常互换的。

如果你发现某种关系失去了平衡，例如，你或是过分地依赖或是过分地独立，那么，你该怎样做才能使两者达到平衡呢？健康的关系需要一个强大和安全的“自我感”。当你感到在关系中过分地依赖时，这是你的自我感软弱，你从外界寻求稳定、力量和完整的征兆。既然你不能全身心地爱你自己，那么，你就希望其他人能填补这个空隙，而这是不现实的期望。有的人总爱说“我不知道如果你离开我，我该怎么办”这样的话，这表明他或她缺乏独立感。实际上，其他人的爱抚并不能弥补你自己自爱的缺乏，既然你都看不起自己，不认为自己有值得别人爱的地方，那么，你就不会完全地去接受他们的爱。因此，在依赖的关系中是没有安全感的，处于这种关系的人常常爱问：“你真的爱我吗？你能再说一遍吗？你能对我证明这一点吗？”但是，在依赖的关系中，你越渴望和急迫，对方就可能离你的期望越远。克服依赖思想要在自爱和自尊的基础上，从培养你强有力的自我感做起。

有趣的是，在人际关系中，过分的独立来自于与过分的依赖一样的人格动力，即软弱的自我感，缺乏足够的自爱和自尊。因为这种内心的脆弱和较低的自尊使你很难与他人建立亲密的关系，而要与他人建立亲密的关系，必须有不怕被排斥和受伤害的勇气。过分的独立常常会逃避亲密，因为他们害怕情感的亲密有朝一日会被冷酷的分离所取代。克服这种由过分独立而引起的疏远的办法，与对待过分依赖的办法完全一样：培养你强大的充满活力的自我感，因为这种自我感是建立在自爱和自尊的基础之上的。

※ 别人希望你怎么对待他们，你就怎么对待他们

美国最有影响的演说人之一和最受欢迎的商业广播讲座撰稿人托尼·亚历山德拉博士与人力资源顾问、训导专家迈克尔·J·奥

康纳博士在他们合作的《白金法则》中，向人们展示了一项最新的研究成果：“白金法则”——“别人希望你怎么对待他们，你就怎么对待他们。”

卡耐基指出：“你希望别人怎么待你，你就怎么待别人”是一条“黄金定律”。“白金法则”是在本着尊重“黄金定律”的主旨的原则下对这一古老的信条进行修正。对于现代人来说，有助于改善人际关系的诀窍，就在于遵循“白金法则”：“别人希望你怎么对待他们，你就怎么对待他们。”

简单地说，就是学会真正了解别人，然后以他们认为最好的方式对待他们，而不是我们中意的方式。这一点还意味着，要善于花些时间去观察和分析我们身边的人，然后调整我们自己的行为，以便让他们觉得更称心和自在；它还意味着，要运用我们的知识和才能去使别人过得轻松、舒畅，这才是“黄金定律”的精髓所在。所以，“白金法则”并不是游离于“黄金定律”之外独树一帜的东西。相反，你可以称它为后者的一个更新的、更富有人情味的版本。与“黄金定律”相比，“白金法则”更进了一步。

在高度竞争和变化无常的环境里，以你一厢情愿的方式去对待你的服务对象、合作伙伴和下属显然是远远不够的。你还不得不去了解他们的需求——而且有能力满足他们物质和精神的需求才行。你的成功，在很大程度上就取决于你如何应对他们的个人需要。

为了赢得别人的合作，我们必须有能力根据不同人的个性品格类型的特征，用“白金法则”去相应地迎合不同类型的不同需要，投其所好，在双赢策略中获取最大的成功。

“白金法则”在几乎任何人际关系的问题上都能助你一臂之力。“白金法则”是心理学理论和社会实践经验的总结，是照亮和谐人际关系的一座灯塔，是打开人生凯旋之门的一把金钥匙。

※ 树立在人际交往方面的积极心态

卡耐基指出："人们都希望获得成功，都在探索成功的奥秘，其实，这也许比你想象的要简单，因为，我发现那些成功的人们——奥林匹克的运动员、商业界的总经理、宇航员、政府领导等人和其他人们中间有着一条明显的界线。我称其为成功者的边缘。这个边缘并非特殊环境或具有高智商的结果，也不是优等教育或超人天赋的产物，更不是靠时来运转。成功者的关键，我认为是态度。"

如果此时你正为自己处于情绪的低谷而悲哀，如果你还为自己的胆小卑怯而烦恼，那么你不如将这些让人恼怒的性格丢到一旁，重新培养自己在人际交往方面的积极心态。积极的心态可以通过以下七个步骤培养起来。

1. 重塑心中的偶像，使自己的言行像你心目中所希望的那样

积极心态的培养与行动密切相关。没有行动，任何想法都是空谈。你心目中的偶像可以是一个人，也可以是一类人。可以是具体的，也可以是抽象的。在你的头脑中树立一个积极乐观的形象，在做任何行动的时候，告诉自己，所做的行动必须与心目中的形象相一致。

2. 把自己看成胜利者

大多数人遇到令人沮丧的事情时，整个身心都沉浸在痛苦之中。如果此时你对自己大声地叫一声：我不是失败者，我是以后的胜利者，你的精神将为之一振，立即兴奋起来。

3. 学会用美好的心情去感染别人

每个人都希望得到灿烂的阳光，一旦你带着快乐的心情去和别人交往，快乐也能传递给别人，这样的连锁反应既能让自己感觉到快乐，也能让别人变得快乐。没有人愿意成天和"苦菜花"待在一块儿。尝试着改变自己的心情，当你用微笑告诉别人你的心情时，别人同样会以微笑回报你。

4. 学会给予和奉献

给予和奉献是人类的一种美德，但你想到过给予和奉献会激发你的热情吗？给予和奉献能够体现一个人的道德品质，也能体现一个人的社会价值。同时，给予和奉献能带给人愉快的心情。不知道你有没有这样的体会：每当你帮助别人时，自己的心情也会变得愉快。

5. 心怀感激

生活中多一份抱怨就多一份烦恼，当我们以一种感激的心情环视我们周围的人和事，心也放得很宽。有一位哲人曾说过：在这个世上，没有任何人应该为你做什么事。不要因为别人的过失指责别人，宽恕别人也等于安慰自己。

6. 不要经常说消极词语

经常抱怨的人总喜欢说一些“我真累”“我真痛苦”“我好郁闷”之类的话，这种消极词语会磨损你的自信和激情。

7. 学会自我激励

当你胆怯的时候，学会给自己打气，“别害怕，一定会冲过去”；当你遭遇失败的时候，告诉自己，“别灰心，胜利最终属于我”；当你犹豫不决时，给自己强行下一个命令，“拿出你的魄力，别再磨磨蹭蹭的”。自我激励是一个持续性的过程，它必须要坚持到心态完全转变。

※ 培养合作精神的五大要领

合作是增加成功机会，获得更多幸运的积极处世态度。具有合作精神的人，是聪明的。那么，该怎样培养自己的合作精神呢？卡耐基为我们提供了如下建议：

1. 认识到你需要别人去帮助你前进和感到成功

你不是生活在真空中，你不能在与世隔绝、孤立无援中完成自我实现。接受你作为个人和作为你在社会中界定一个位置二者之间的平衡，始于你跨进校门之时的社会化过程的完成。如果你不能实现这一平衡，你也许就会要么在你死我活的竞争中迷失自我，要么在你对外部成功的追求中使自己与世隔绝。把健康的竞争和合作紧密结合起来，将有助你实现理想的平衡。

2. 把合作接受为一个成功的策略

如果你被竞争性的抱负所驱使，那么你也许会顽固地抵制别人的建议。或者你也许随意地接受它们，但拒绝与人分享见解，唯恐你会失去荣誉。如果你把合作接受为一个成功的策略，你就能分享别人的信息和反馈的好处。并非每一次竞赛都产生失败者，最好的结果就是双赢。通过从合作的优点中受益，你就能成功地实现你所选择的目标，并帮助你周围的那些人也成功地实现他们的目标。

3. 学会重视别人

不一定要做到认为每个人都比自己重要，但至少要认为别人和自己一样重要。最有影响力的人往往是那些认为别人重要的人。

4. 要有一种为别人的成功而高兴、为别人的喜事而高兴的心理

只有试着去欣赏别人的成功，去欣赏别人的快乐，你才会去成人之美。在欣赏别人成功的同时，能感受到其中有自己的一份功劳，那种高兴会更加实在。

5. 学会欣赏别人

人都有一种强烈的愿望——被人欣赏，欣赏就是发现价值或提高价值，我们每个人总是在寻找那些能发现和提高我们价值的人。

欣赏能给人以信心，能让对方充满自信地面对生活。欣赏能使对方感到满足，使对方兴奋，而且会有一种做得更好，以讨对方欢心的心理。如果一个员工得到经理的欣赏，他肯定会尽力表现得更好；而如果是一个小孩，得到别人的欣赏，那他的表现会令人大吃一惊。

要尽量去欣赏别人一些他自己不自信或不被众人所知的优点，

如果一个国家级运动员和你第一次见面，你表示欣赏他的运动成绩，除了让他一笑以外，不会产生什么特别的感觉，而如果你表示欣赏他的风度和气质，他会非常高兴。

※ 扩大你的社交活动，提高你的知名度

你的进步，无论是职位的升迁或是工作的变动，得益于你各方面的社会关系。调查表明，通过朋友和亲戚的帮助得到好职位的人，较之于通过其他社会关系，成功的概率要高得多。为了发展，你需要社会的帮助。你的聪明、才智、受教育的状况、工作上的勤勉、鲜明的个性特征还不足以使你为社会所承认，你还必须让更多的人了解你。

要使别人了解你，并不是一件十分困难的事情，你所需要知道的是一些方法，这些方法在你爬上成功的阶梯时会对你有所帮助，你必须懂得怎样寻找让别人了解你的机会，同时设法使别人了解自己。

首先让朋友、亲属、俱乐部的伙伴知道，你正在设法找新的工作，你需要一个人际关系的联系网，无论你的名声如何，权势多么显赫，你的老关系总会通过这样或那样的途径对你有所帮助。这种途径的最重要的经纬线是由权力和信息的聚合物产生的。不过在这种关系网中，还应考虑到一些相互作用的方法。这种关系网的作用涉及你自身素养之外的领域。这种关系网，不是各种乱七八糟的社会关系的大杂烩，而是同你的目标相联系的，一种由各种社会关系组成的媒介，这种媒介的作用有时是非常大的。

为了充分发挥关系网的作用，你应很好地记住这样一些重要的原则。

1. 列出一张人名表，表上列出同你所希望接触的社交领域有联系的人。挑出最有可能助你一臂之力的人。

2. 为了建立关系网，你应善于把自己同别人联系起来，你可以通过公司的同行，建立同别人的联系。

3. 让更多的人了解你。不论你想向哪一个方面发展，你必须让自己和自己的成就为别人所了解。最重要的是使决定你命运的人了解你。当然，让他们知道你的存在是你自己的事，但你必须让别人发现。因为不论你工作如何勤勉，长得怎样漂亮，你抱负有多大，如果你从上午 9 点到下午 5 点，一直待在办公室里埋头傻干，那么，你就根本无法实现你的目标。记住人缘好也会帮助你实现自己的目标，如果你一天到晚黏在办公桌边，只会使你的发展最终停止。

4. 显得更忙碌些。在工作一两个星期后，抽出时间把你在公司每天的日常工作分析、研究一下，你会吃惊地发现，你活动的范围很小，每天都是一样周而复始地循环。现在你要首先考虑的问题就是使这些白白浪费的时间为你所用，今后不论你走到哪里都带上点东西，文件、表格、信件，等等。你应把这些事先准备好的东西，放在你办公桌的抽屉里，没人会注意到自己每天重复做的事。久而久之就养成了习惯，这样带着东西到处走都是有目的的，是为了使每个人都看到你非常忙碌。

你应比你的同事早上班，晚下班，许多高级管理人员都是在这一时间上下班，他们会看到你，并注意到你手里拿的东西，这些都足以表现出你的抱负和进取心，例如研究生的教科书（如果你在研究生院读书）是最好的，或是同你专业有关的杂志。

5. 找机会与高层领导接触。尽量避免公司内部的邮件来往，把需要报送的材料亲自送去，这样做有两个目的：首先，这会提高你在别的部门的知名度，最终将把自己同那部门工作的人联系起来，建立起自己的信息渠道。其次，你将接触到一些高层领导人。尽力设法不让你的文件被秘书在接待室里留下来，找理由由你亲自将东西交到副总经理手里。不要只是把文件交给他，而要表现出自己对情况很了解："史密斯先生，这是你要的有关包装工场的材料。"而且要表现出你办事很有效率："我已根据货物的种类分类，标出标签名，我希望会对您查阅带来方便，如果你有什么问题请告诉我。"

你经常同经理保持接触是必要的，这样做一方面可为经理当助手；另一方面可表现你的知识和才华。

6. 把自己同组织、团体联系起来。记住，你现在的工作不是你非得要干一生的岗位，除此之外可能还有更理想的岗位。因此，你应把自己同组织、团体联系起来。在你力所能及的范围内试着参加产品的设计和制作，结交更多的同行，大多数协会办有月刊和协会动态，不论何时，只要你取得了一点成就，应争取在这些刊物上登出来。你的文章并不一定要同本专业和工作有关。相反，你可提到你协助当地法警办了件什么事，或是你被邀请参加某个讨论会或座谈会。其目的在于提高你的知名度。

的确，上面这些活动都要花费大量的时间和精力，而且这些活动一时不会看到什么实际的成效。

直到在自己的专业方面达到一定的水平，并取得了一定的成就，你应靠写文章、交谈、演讲来表现你的成就。这些活动可增加你自身的素质，扩大你的社交活动，提高你的知名度，给别人一种向上追求的印象。

第二章　用真情和爱心去诚待朋友和身边的人

如果你要别人喜欢你，或是改善你的人际关系；如果你想帮助自己也帮助别人，请记住这个原则：真诚地关心别人。

——戴尔·卡耐基

寻求快乐的一个很好的途径是不要期望他人的感恩，付出是一种享受施与的快乐。

——戴尔·卡耐基

在人际关系中，最能表现心理的语言是敬语。它是心理上的一种润滑剂。打动人心的最佳方式是：跟他谈论他最珍贵的事物。当你这么做时，不但会受到欢迎，也会使生命获得扩展……

——戴尔·卡耐基

※　真正关心和喜欢别人的人会无往不利

作家荷马·克洛维，十分懂得交友之道。凡是碰到他的人，无论是清道夫、百万富翁、妇孺老幼，都会在与他相处十五分钟之内，对他产生好感。为什么呢？他既不年轻，又不英俊，更不是百万富翁，他有什么魔力可以吸引人呢？很简单，因为他一点也不矫揉造作，并且能让别人感受到他真的喜欢、关心他们。

小孩会爬到他的膝上，朋友家的仆人会特别用心为他准备餐点。而且，假若有人宣布：“今晚荷马·克洛维会到这里来！”则当天的宴会一定没有人缺席。除了朋友间深厚的感情之外，荷马·克洛维的家人也都十分敬爱他。他的妻子、女儿，还有好几个孙女，全都对他称赞不已。

究竟这位作家是如何赢得这种幸福的呢？说来也很简单——就是待人诚恳、热爱人类而已。对他来说，对方是什么人，或做什么事，他都不会在意。只要是身为一个人，对他便意义重大，值得付出关爱。每次他遇见陌生人，很快就能像老朋友一样交谈起来——并不是专谈自己的事，而是尽量谈对方的事。他借由问问题，可以知道对方是从哪里来，做什么事，家里有什么人，等等。他也不会啰里啰嗦谈个不停，只是向对方表示自己的兴趣和关心，借以建立起友谊。这种做法，连最爱嘲笑人生的人，都会像阳光下的花朵一样吐露芬芳。正像一位资深外交家所说："外交的秘诀仅在五个字：我要喜欢你。"

卡耐基指出：待人诚恳、热爱人类的人将无往不利！觉得自己被人爱的感觉，比其他任何东西都更能提高人的热情。

在生活中缺乏热情的主要原因之一是感到自己不被人爱。一个人感到自己不被人爱有多种原因。他也许认为自己是个可怕的人，因而没有一个人会喜欢；他也许从孩提时代起便不得不习惯于得到比其他孩子更少的爱；或者事实上他就是一个谁也不爱的人。但是在最后这种情况下，其原因很可能在于早期不幸引起的自信心的缺乏。

感到自己不被人爱的人会因此而采取不同的态度。为了赢得别人的喜爱，他也许会不遗余力，做出种种出人意料的亲昵举动。在这种情况下，他很可能不会成功，因为这种亲昵举动的动机很容易被对方识破，而人类天性却偏偏容易将爱给予那些对此要求最低的人。因此，那种试图通过乐善好施的行为追逐爱的人，最终会因人们的忘恩负义而生幻灭之感。他从来没有想过，他试图去购买的爱，其价值远远大于他给予的物质恩惠，因为实际上两者的价格是不平等的，他反而以这种错觉作为自己行动的基础。

绝大多数的人，不论男女，如果感到自己不被人爱，只能陷入怯弱的失望之中，仅仅在偶然的一丝羡慕和怨恨之中叹吁一番，于是这些人的生活变得极端的自私自利，爱的缺失使他们缺乏一种安全感，而本能地回避这一感觉，结果造成了他们任凭习惯来左右自己的生活。对于那些使自己成为单调生活的奴隶的人来说，他们的行为大多由对冷酷的外在世界的恐惧所激起，他们以为如果他们沿着早已走过的路走下去，就能避免撞上这个世界。

比起那些在生活中总感到不安全的人来，那些带着安全感面对生活的人要幸福得多。在绝大多数情况下，安全感本身有助于一个人逃脱危险。如果你要走过一块狭窄的木板，而底下是万丈深渊，如果你这时害怕了，反而比你不怕时更容易失足。生活之路也是如此。一个无所畏惧的人当然也会遭遇到突发的灾难，但在经过了一番艰苦的拼搏之后，他可能会安全无恙、毫发未损，而另一个人则可能在荆棘之中暗自悲伤。不言而喻，这种有益的自信心具有无数的形式，有的人对高山充满信心，有的人对大海不屑一顾，也有人在蓝天上翱翔自如。然而对生活的一般自信，更多地来自人们需要多少爱就接受多少爱的习惯。

是接受的爱，而不是给予的爱，才产生了这一安全感——虽然它主要来自于相互的爱。严格说来，不仅爱，而且敬仰也有同样的效果。一些职业本身就能够保证人们的敬仰，因而从事这一职业的人，如演员、牧师、演说家和政治家，越来越依赖于别人的喝彩。当他们从大众那儿获得了他们应得的那份赞誉，他们的生活便充满了热情，否则，他们便会感到不快，甚至独处一隅、自我封闭起来。大众的热情对于他们来说，犹如少数人的盛情厚意之于别人。父母喜欢孩子，而孩子则将他们的爱当作自然法则来接受。虽然这种爱对于孩子的幸福至关重要，但他并不看重它。他想象着大千世界，想象着他的历程中的冒险，想象着他长大后将碰上的奇遇。不过，总有这么一种感觉存在于所有这些对外界关注的背后，这种感觉是：一旦灾难临头，父母就会尽其爱心来保护他。不管出于何种原因，一个缺乏父母之爱的孩子，很可能胆小怯弱，不爱冒险，他总感到惧怕，不敢再以欢快的心情去探究外部世界。这样的孩子可能在令人吃惊的小小年纪里就开始了对生与死、人类的命运等问题沉思默想。他变得性格内向，郁郁寡欢，以至于最后便从一种哲学或神学中寻求虚假的慰藉。

完美的爱给彼此以生命的活力。在爱中，每个人都愉快地接受爱，又自然而然地奉献爱；由于这种相互幸福的存在，每个人便会觉得世界其乐无穷。但在一种并不少见的爱中，一个人汲取着他人的生命之精华，接受别人奉献出的爱却毫无回报。有些生命力极强的人就属于这一类型，他们从一个又一个牺牲品那儿榨取生命，使自己壮实起来、得意非凡，而那些他们赖以生存的人则日见消瘦、颓废、意气沉沉。这类人把别人当作达到自己目的的手段，而从不认为他们是目的本身。在某一时刻，或许他们认为自己是爱那些人的，但从根本上说，他们对那些人毫无兴致，而只关心能鼓动其活动的，也许是毫无人格的刺激物。不言而喻，这是由他们本性中的某种缺陷造成的。但要对此做出诊断或医治，并不是一件容易的事。这通常是与极大的野心相伴随的一种特征。我认为，这种特征源自于这么一种观点，这种观点对什么使人幸福具有极其片面的认识。彼此真正关怀的爱是真正幸福的最重要的因素之一，它不仅是彼此幸福的手段，也是共同幸福的接合点。一个人，无论他在事业上的成就有多大，如果他把自己封闭在铁墙之内而无法扩展这种彼此关怀的爱，那么他便失去了生活的最大快乐。将爱排斥于自身之外的念头，一般来说是某种愤怒或对人类仇恨的结果，这种愤怒和仇恨产生的原因不外乎青年时代的不幸遭遇，或成年生活中的不公正待遇，或其他任何导致迫害狂的因素。过分膨胀的自我好比一座监狱，如果你想享受充分的生活乐趣，就必须从中逃脱出去。拥有真正的爱是逃脱自我樊篱的标志之一。

仅仅接受别人的爱是不够的，还应该把这接受到的爱释放出去，给予别人以爱。只有当这二者平等时，爱才能发挥它最佳的作用。

※ 用真情和爱心创造朋友之爱

人际关系是每个人都应该重视的事，它可以成为我们一生的阻力或助力。因此，每一个人都在寻找和创造自己的最佳形象，希望成为一个魅力十足的人，受人欢迎，并令人信服。

形象是表，实质内涵是里。人际关系也是一样，博取好感建立初步关系只是一个开始，而维持一项良好深刻的关系，则得靠爱心经营来做实质的运转了。

在人际关系上，恐怕最大的障碍，就是每一个人都具有深重的内在恐惧。其实，这也很正常，所谓的防人之心不可无嘛！许多恐惧都是来自我们的思想、感情和行为的信念。可以说是对他人、对不完美和痛苦所产生的本能畏惧。

但是，有时却也正是由于我们对他人的设防心理，使得我们对自己的保护行为阻碍了真实的交流。

在我们的生活之中，不但说真情难，听真情也难。一个人总怕吐露真情会有风险，但是长期的掩藏自己却无异于囚禁，并会对自己产生厌恶。不但我们自己要说真话，同时也允许别人说实话，并且不会惩罚和审判别人。

爱的行为，便是勇敢地面对他人。交往之中怀有戒惧，便会产生防御性的反应。如果能够采取诚实、温厚开放的态度与他人打交道，自然能够收到良好的回应。由于你的爱心，你可以期待你的生活和人际关系可以获得改善。

生活中的每一个人和处境都是一份礼物，都在帮助我们超越设限，让我们得以学习，并促进精神上更高自我的成长。

如果每个人都能够用真情化解疑惑、猜忌、冲突的话，人际关系便也畅顺，工作也就无碍了。卡耐基指出：如果你希望在人际关系上化除敌意和抵制，有以下几个准则可循。

1. 积极表达善意，语言和行为均要如此。不管别人的言语行为如何，都不受其影响。

2. 任何姻缘都是共修的机会，困难和痛苦都是我们增加爱心、增加智慧的机会。

3. 创造人际关系经历的是自己，不是别人，主动采取行动和反应。

4. 接受我们的生活伙伴，无论配偶、子女、父母、朋友、同事都有他们独特的行事方式和爱。

5. 以诚待人，随时随地都是我们体验和创造爱的善缘，将所有的际遇皆视为难能可贵的事。

维持一项良好的人际关系，得靠爱心经营。

※ 努力用行动去表达你的爱

在生活中可以见到这样一种人，他们总是讲：“我心中充满了爱，我对爱笃信不移。”可是当他们问女服务员“哪儿有水”的时候，态度却是那样蛮横，毫不客气。这样的人怎么会让别人相信“充满爱”呢？

那么，到底什么样的人才算得上是充满爱的呢？卡耐基建议我们从以下几个方面去努力。

1. 热爱自己

事实上，如果你不爱自己，你将永远不会去爱他人。一个人不可能完美无缺，但这并不等于说他无足轻重。每个人都有一些别人所不具备的东西。

犹太作家爱拉·威索尔曾这样写道：当我们告别人世去见上帝

时，他不会问："你为什么没有成为救世主？你怎么没有发现解决某某难题的办法？"而他将会问："你为什么没成为'你'？"

一天，一位姑娘说："现在我知道了，自己为什么总是闷闷不乐，精神上感到很痛苦，因为我希望每个人都爱我，而这是不可能的。尽管我可以使自己成为世界上最鲜美的李子，可还是难免有对李子过敏的人！"这话讲得多么深刻！接下去她又说："如果别人想要香蕉，我也可以使自己变成一个香蕉，但我将永远是个二等品，而事实上，我本来可以成为最出色的李子。如果我耐心地等待，那么喜欢李子的人就一定会出现。"这是因为，假如你为了满足别人的需要不做李子，而把自己变成香蕉，那么，他们又会说，应该把这个香蕉一掰两半。这时候，你就会进退两难，不知自己何许人了。如果你面对你内心的"自我"，握握手说："喂，这些年你究竟到哪儿去了？现在我们又来到一起了，让我们一块向前走吧。"那么，你将会发现你身上蕴藏的潜能是无限的。

2. 先施与，后收获

受人欢迎往往是在一个慷慨施舍以后所必然会有的附带产物。那些肯大力布施、肯慷慨奉献、肯广结善缘的人物，往往会获益无穷、受益匪浅。

有一位很成功的房地产商人就是这样做的，他同时拥有三幢办公大楼。

一般的房地产商人都会在圣诞节即将来临时，送一些礼物给他们的房客，通常是五分之一或五分之二加仑的酒类，表示一点意思。

这位商人却有一种与众不同的做法。他认为每一位房客都是有不同身份、不同背景的人物。他总会不时地送上一些极不寻常的礼物，这些礼物花费不多，可是却颇具功效。

有人曾为此向他请教："山姆！你认为送的礼物能抵回租金吗？"山姆不假思索地回答说："这些房客的确是本镇最忠实的房

客了。他们一旦租了我的办公室，就舍不得退租，我的办公室永远也不会有空下来的时候。我的租金要比别人高出一些，然而还是一直供不应求，一切只因为我很喜欢他们的缘故。”

可能有人会挑剔说：“喔！山姆先生是一位百万富翁啊！当然负担得起这种慷慨施与的。”但是，山姆先生的慷慨，并不是他有了财富以后的结果，而是他所以能获得财富的原因。

几个月以前，大卫·史华兹的时间表上排定，仅有90分钟之隔，要分别到亚特兰大市与田纳西州的度假地演讲，这简直让他分身无术。但他未能及早发现这项错误，直到时间已经很紧迫了，只得接洽一架包机才能赶到。他当即决定去拜访他的朋友约翰先生，因为他拥有私人飞机，而且跟两家包机公司很熟。

大卫·史华兹开门见山地问约翰先生：“两家包机公司之中，要推荐哪一家？”他毫不犹豫地说：“约翰·古恩航线。”这真是一项非常大的人情负债，因此大卫·史华兹试图推辞。但是不管怎样，约翰先生就是不听，一直坚持要帮忙。他真的驾驶自己的飞机，把大卫·史华兹很顺利地载到目的地，而且没有要史华兹一分钱。

古恩先生一直在做这种“很难得”的傻事。他会把非常热门的足球比赛入场券赠给想看球赛的人；他经常从老远的地方搜购别致、特殊的礼品来馈赠朋友。

他这样做是否值得呢？回答是肯定的。约翰先生在他所从事的行业中赫赫有名，他的企业是全国最佳企业之一；而慷慨馈赠的做法，正是他所以能获得成功的关键因素之一。

想要多得到一些收获是人类本性的自然现象，而且也是很正常的。但是如果能采取倒向式的做法——像大部分有成就的人所遵循的“先施与，后收获”的做法，那就更为难能可贵了。

爱意味着风险和付出，而不是索取。当然，在真心付出之后，你一定会得到丰厚的回报。

3. 把爱献给他人

有一次，安东尼·罗宾乘飞机时坐在一个大学生旁边。那个大学生看上去似乎无所不知，可是在他们的交谈中，他每句话都带着“我”。

最后罗宾说：“你知道在这五百英里的空中旅程中，你讲了多少次‘我’吗？为什么不谈谈‘我们’呢？”

和他形成鲜明对比的是罗宾在芝加哥机场遇到的一个人。当时，大雪漫天，他们被困在那里已有两天了。有的人一天到晚地叫：“我要离开这里！我要去辛辛那提！”然而，就在这群人中间有一位妇女，她挨个走到带孩子的母亲面前说：“来，把孩子交给我吧！我要搞个幼儿园，给孩子讲个有趣的故事，您可以借这个机会喝口水、上厕所或是买些东西吃。”

共处一个场合，同被风雪所困，可人们为什么会有两种截然不同的态度呢？答案在于：是否有一个强烈的意识，一个为他人着想，努力使他人生活得更美好的意识。当你这样做了以后，你将会从中得到一种幸福和快乐。

在开始一天生活的时候应该提醒自己去爱他人，应该努力去发现世间美好的事物。那么，从外界的反映中，你将发现一个可爱的自我。假如在你即将离开人世的时候，身边没有一个人紧紧握着你的手，这说明你在一生中未曾伸出友爱之手去帮助他人。

学生们常来问牧师：“你总是讲要为他人做些什么，这到底是什么意思？”

有一次，一个叫吉尔的男孩子问牧师：“有什么可做的呢？”于是牧师把他带到离南加州大学不远的一个疗养院。面对那些躺在床上，两眼直视天花板的病人们，吉尔说：“我对老年医学一无所知，到这里来做什么？”

牧师对他讲：“你看见那边有位太太吗？走过去说‘你好吗’！”

于是，他坐下来和她谈了起来。吉尔惊讶地发现，她的学识是那样的渊博，灵魂是那样的高尚。她对生活、对爱、对于痛苦和不幸谈起来滔滔不绝，她甚至还谈到怎样努力以平静的心情去迎接死亡的来临。从此以后，吉尔向那位老太太及疗养院的其他人伸出了友爱的手，他们之间不断发生着感人的事情。一天，牧师看见吉尔带着三十多个老人从校园里走过——他们是去看足球赛的。难道还有什么比这更令人激动的吗?

有什么可做的呢？看看你的周围吧！在你身旁就有一个孤独的人需要得到爱的温暖，还有个态度不好的女售货员需要引导和鼓励。这些不都是可以去做的吗？这些虽然不是惊天动地之举，可是做与不做大不一样。

生活本身不是一个目标，而只是你走向某个目标的过程。目标的实现要靠一步一步地走，如果每一步都迈得扎实而有意义，这就意味着生活。

如果给爱下一个定义的话，唯一能够概括其全部含义的字就是生活。你一旦失去了爱，也就失去了生活。请加倍珍视自己的爱，用行动去表达自己的爱吧！

4. 充分信任是最好的爱

有一天，罗纳在一个不大熟悉的城市开车。他到达一个路口想往右转，可是交通灯却亮着红色，于是他停了下来。他还不大清楚那条可以在红灯时往右转的法律。况且例外的规定又太多，因此每逢在陌生地方开车，他总是弄不清楚在这种情形下是否可以往右转。

这时有辆车在他后面停下，闪着右转的指挥灯，罗纳从后视镜观望，正好和后面那驾驶人的目光相接。他用右手做出一个手势，然后点了两下头。

他用的不是什么标准手势，但罗纳完全明白他的意思。他绝没有暴躁的表示。他只是知道罗纳无所适从，指示罗纳可以往右转而已。

这并不是一件什么大不了的事情，但是很令罗纳感动。两个陌生人碰头，互相信任，然后又各走各路。善意和信任是互相牵连的，虽然我们也许可以没有善意，但却不能没有信任。坏人从我们身上偷走的最宝贵的东西，并不是金钱，而是信任，因此我们常常都互相猜疑。

罗纳在里面工作了20年的那幢大厦，现在门口有个守卫员，谁进去都要出示身份证明文件。这种情形在办公室和工厂中已越来越普遍。

罗纳讨厌这种新的不信任态度。这种态度无异假定人人都是坏人。在许多商店，你要将带来的购物袋暂时留下。你还没有进去，他们就先怀疑你是个小偷。

虽然确实有人顺手牵羊，可是许多人不愿去那些要顾客先把袋子留下的店铺。罗纳不信任他们，也不喜欢到那些以为别人是去偷东西的商店里逛。

最近，罗纳到一家五金店后面的房间里挑选了一些螺栓。“你要了几个螺栓？”坐柜台的老板问道。

“20个。”罗纳说。

“20乘以0.33美元，一共6.6美元。”老板说。他没有数那些螺栓，因为他信任罗纳。

罗纳相信，他店里失窃的东西，要比那些在门口要你把购物袋留下的店铺少。

充分的信任能提升人的自尊，对陌生人的信任是最基本的爱，也是最好的爱。

※ 用爱激发生活的热情、智慧和勇气

你如果要能“快乐地”去迎接每个日子，精神就必须有所寄托。你要将你的心灵寄托在一种事物上、一项工作上，从它们那儿，你

获得了生命的保证，知道了生命的定义，明白了你在这世界上不是空空地白走一趟，你的心中乃感到无限的快乐。

一位哲人指出："爱是尘世的幸福，或是创造尘世幸福的力量。如果你的心灵枯萎了、死亡了，那么医治它的唯一药剂便是爱。爱的奇妙和伟大之处就在于它能激发人们生活的热情、智慧和勇气。"

约翰·肯尼迪竞选参议员时，有一天坐车到波士顿。他看到一位老妇人准备独自过街，就叫司机停车，下车向她自我介绍，又亲切地牵着她的手把她送过街。有人问他说："你真想囊括全部的选票吗？"肯尼迪回答说："选战如此激烈，要是以一票之差落选，然后回想，因懒得下车去帮助这位老妇人，你会觉得是什么滋味？"

肯尼迪帮助这位老妇人固然是出于多拉选票的目的，但是如果他心中没有温暖的爱心，也很难做出如此举动，或许，他竞选总统的成功正有赖于此。

人是渺小的，但爱的力量却无与伦比，强大时可以支配一切，改变一切。

它能够使苦变甜，使忧变乐，使无为变有为，使弱者敢于藐视强者，使孤独者乐于拥抱世界。

有所爱的人是有福的，因为他们的生活是有激情的，因为他们的心灵是有寄托的。怎么才能做到这一点呢？奥格·曼狄诺推崇的本杰明·J. 斯泰因的一篇文章《就试这么一天》，可供我们借鉴：

下一次出门去上班，不知这一天怎么过时，先别担忧。下定决心，采用一种全新的方式去处事待人，就试这么一天。积极乐观一点，你也许会使自己的所作所为有所改观。

就试这么一天，对同事尽量友善。把他们当作恩人来看待，好像你能留在这个岗位上工作全该归功于他们，因此幸得有他们做同事。

就试这么一天，不再吹毛求疵，挑剔别人。设法找出每一件事物的优点，并且找出每一个跟你一起工作的人值得称赞的优点。

就试这么一天，如果要纠正别人，就尽量以幽默示之，不要出言伤人；设身处地，就像要被纠正的人是自己。

就试这么一天，不要求自己所做的事都尽善尽美，也不再尝试打破纪录。称职地做好眼前的工作，不强自己所难。

就试这么一天，如果自己对工作胜任有余，那就不再不停地反躬自问：我的表现跟职位和酬薪是否相称？

就试这么一天，心存感激，庆幸自己活在这个社会和时代，无须在恶劣环境下做劳累讨厌的工作。为能在自由国度里工作而感恩不尽：“在这个国家里没有人强迫我工作。”

就试这么一天，为自己有工作做，活得好而满心欣喜，庆幸自己不是在战壕里躲避枪弹，或是在医院里等待动手术。

就试这么一天，不去预期别人会如何对待你，不拿自己的酬薪地位跟别人比较——就因为你是你，所以你很高兴。

就试这么一天，不计较事情“对我有什么好处”，只想到在每件事情上你帮得了什么忙。

就试这么一天，下班后不再想今天做了些什么，还有什么没有做。反之，盼望傍晚到来，不管完成了什么都感到欣慰。

这些建议和想法都不复杂，更非天方夜谭。它们的好处是可以令你活得更有意义、更快乐。最重要的是，它们能使你心境平静，而这是你最珍贵的东西。如果你觉得自己的爱心和激情不够的话，就按上述建议去实践吧！

※ 对他人感兴趣就能够和别人愉快相处

卡耐基指出：“通常我们说某某是一个注意力散漫的人，一般说来，就是指一个没有将心思放在这件事情上的人。染上这种毛病的人，一定无法与人很愉快地相处。因为这种人很可能昨天还对你表现得很亲切，今天见到你却已形同陌生人。或者是大家都在谈天的时候，他一句话也插不进来，但有时候却会突然想到一件事情，硬要将它插入大家的话题之中，这些都是精神不集中的表现。除此之外，还有一种可能就是，某件更重要的事情占据了他的心思，使他处于着魔状态。世界上确实有这样的人，例如牛顿就是一个明显的例子，但是，从天地造人到今天，像牛顿这样的天才毕竟只是极少数中的少数，因为大家都承认他是天才，所以他这么做还情有可原。但是，对我们常人来说，如果你不管四周有多少人，仍依旧沉溺在自己的思绪当中，不顾周围的人的情绪和需要，那么很快地，你就会被视为是一个动作迟缓的大笨蛋，到最后将因为你的不合群而被团体抛在外面了。”

维也纳著名心理学家亚佛·亚德勒，写过一本叫作《人生对你的意识》的书。在那本书中，他说：“不对别人感兴趣的人，他一生中的困难最多，对别人的伤害也最大。所有人类的失败，都出自于这种人。”

你也许读过几十本有关心理学的书籍，还没见到一句对你我来说更有意义的话，亚德勒这句话意义太深长了。

豪华·哲斯顿最后一次在百老汇上台的时候，卡耐基花了一个晚上待在他的化妆室里。哲斯顿，被公认为魔术师中的魔术师，前后 40 年，他到世界各地，一再地创造幻象，迷惑观众，使大家吃惊得喘不过气来。共有 6 千万人买票去看过他的表演，而他赚了几乎 200 万美元的利润。

卡耐基请哲斯顿先生告诉他成功的秘诀。哲斯顿的成功与学校教育没有什么关系，因为他很小的时候就离家出走，成为一名流浪者，搭货车，睡谷堆，沿门求乞，坐在车中向外看着铁道沿线上的标志，因而认识了字。

他的魔术知识是否特别优越？他告诉卡耐基，关于魔术手法的书已经有好几百本，而且有几十个人跟他懂得一样多。

但他有两样东西，其他人则没有。第一，他能在舞台上把他的个性显现出来。他是一个表演大师，了解人类天性。他的所作所为，每一个手势、每一个语气、每一个眉毛上扬的动作，都在事先很仔细地预习过，而他的动作也配合得分秒不差。除此之外，哲斯顿对别人真诚地感兴趣。他告诉卡耐基，许多魔术师会看着观众，对自己说："坐在底下的那些人是一群傻子，一群笨蛋，我可以把他们骗得团团转。"但哲斯顿的方式完全不同。他每次一走上台，就对自己说："我很感激，因为这些人来看我表演，他们使我能够过一种很舒适的生活。我要把我最高明的手法，表演给他们看看。"

他宣称，他没有一次在走上台时，不是一再地对自己说：

"我爱我的观众，我爱我的观众。"

卡耐基认为，哲斯顿的成功秘诀就是如此简单，那就是对他人感兴趣，这就是一位有史以来最著名的魔术师所采用的秘诀。

※ 请别人给你帮忙，使对方觉得自己重要

这是一个激烈竞争的世界，人们往往只想到自己的需要——而不会想到别人。尽力摆脱这种情况，并且多多替别人设想，那你将成为一个受人珍重的朋友。

卡耐基指出："请求对方帮一个忙，不但能使对方觉得自己重要，而且也能使你赢得友谊与合作。"他讲述了自己的一次经历：

初到一个海滨城市，有一次在暮色苍茫时，我要去一个自己没到过的郊区。前半截的路线我知道怎么走，可是下了公共汽车换乘另一路车时，我怎么也找不到另一路车的车站。

于是我走到一群下棋的本地老头面前，请教他们该怎么换车到我想去的地方。

没想到这么一问效果惊人。他们听出我是外地口音，而且是在快要天黑时往郊区走，就感到事关重大，于是就七嘴八舌地向我指点路线，连我下车后该怎么走都告诉了我。有一位老者为了这难得的机会而兴奋不已，站起来让所有的人都不要讲话了，他要独自享受这指示方向的快乐。

因为我要去的地方是一个军事基地，这些人听说我和这样的地方有关联，倍感能够有机会给我这样的人指路非常重要。那位站起来的老者还放下手中未下完的棋，专门把我送上了末班公交车。

建议你也试试这种方式，到一个陌生城市后，向一个地位低于你的人请教："不知道能不能请你帮我一个小忙，告诉我怎样才能到某个地方？"相信你会有一个良好的收获。

本杰明·富兰克林曾经运用这项原则，把一个刻薄的敌人变成了他一生的朋友。那时，富兰克林凭着自己的年轻才干，不但建立了一个小印刷厂，还当选为费城州议会的文书办事员。

可是，他的能干却招致了议会中另一位同样有钱又能干的议员的敌对。这位议员不但不喜欢富兰克林，还公开斥责他。

富兰克林觉得这样的一种情况非常不利于自己发展，他决心使对方喜欢自己，他听说对方图书室里存有一本非常稀奇而特殊的书，就写给他一封便笺，表示自己非常希望借来一阅。

这位议员马上叫人把那本书送了过来。过了大约一周，富兰克林把那本书还给议员，并附上一封信，表示非常感谢。

以后在议会里相遇的时候，这位议员居然一反常态，跟富兰克林打起了招呼，并且很有礼貌。自那以后，他随时都很乐意帮一帮富兰克林。他们二人成了很好的朋友，一直到他去世为止。

富兰克林是两百多年前的人了，而他所运用的心理方法，也即请求别人帮你忙的心理方法，对我们今时今世都还非常有效。

※ 牢记他人的名字是获得好感的简单方法

卡耐基发现，记住对方的名字，并把它叫出来，等于给对方一个很巧妙的赞美。而若是把他的名字忘了，或写错了，你就会处于非常不利的境地。

安德鲁·卡耐基被称为钢铁大王，但他自己对钢铁的制造懂得很少。他手下有好几百个人，都比他了解钢铁。可是他知道怎样为人处世，这就是他发大财的原因。他小时候，就表现出很强的组织才华和领导才能。当他 10 岁的时候，他就发现人们对自己的姓名看得很重要。而他正是利用这个发现，去赢得了别人的合作。

他孩提时代住在苏格兰，有一次，他抓到一只兔子，那是一只母兔。他很快又发现了一整窝的小兔子，但没有东西喂它们。可是他有一个很妙的办法。他对附近的那些孩子们说，如果他们找到足够的苜蓿和蒲公英喂饱那些兔子，他就以他们的名字来替那些兔子命名。

这个方法太灵验了，卡耐基一直忘不了。

好几年之后，他在商业界利用这一同样的人性的弱点，赚了好几百万美元。

当卡耐基和乔治·普尔门为卧车生意而互相竞争的时候，这位钢铁大王又想起了那个兔子的故事。

卡耐基控制的中央交通公司，正在跟普尔门所控制的那家公司争生意。双方都拼命想得到联合太平洋铁路公司的生意，你争我夺，大杀其价，以致毫无利润可言。卡耐基和普尔门都到纽约去见联合太平洋的董事长。有一天晚上，两个人在圣尼可斯饭店碰头了，卡耐基说：“晚安，普尔门先生，我们岂不是在出自己的洋相吗？”

“你这句话怎么讲？”普尔门想知道。

于是卡耐基把他心中的话说出来——把他们两家公司合并起来。他把合作而不互相竞争的好处说得天花乱坠。普尔门专注地倾听着，但是他并没有完全接受。最后他问：“这个新公司要叫什么呢？”“以你的名字命名怎么样？”结果，他们达成了协议。

卡耐基这种记住并重视自己朋友和商业人士名字的方法，是他领导才能的秘密之一。他以能够叫出公司许多员工的名字为骄傲。他很得意地说，当他亲任主管的时候，他的钢铁厂未曾发生过罢工事件。

获得别人好感的既简单又重要的方法，就是牢记别人的姓名。善于记住别人的姓名，既是一种礼貌，又是一种情感投资。姓名是一个人的标志，人们由于自尊的需要，总是最珍爱它，同时也希望别人能尊重它。在人际交往中，记住别人的姓名可谓小事一桩，但往往能收到始料未及的效果。

※ 倾听对方的心声是诚待别人的一个重要方面

卡耐基说：“如果希望成为一个善于谈话的人，那就先做一个专注倾听的人。”善于倾听别人的心声，也是诚待别人的一个重要方面。

一说到口才，人们往往会说：口若悬河、滔滔不绝。当然，这是一种口才，但口才绝不止这些。有时倾听对方讲话也是口才的体现。

但你却随处可见，许多人没有耐心听别人讲话，因为他们是“事业家”，是“大忙人”，生活节奏很快。不能否认，现代社会竞争激烈，一个想成功的人要做的事太多，整天往往是疲于奔波。因而时间一久，性情也变得急躁，对“倾听”显得腻烦，甚至别人刚一启齿，还未等到对方把话说到正题上，就会予以否定，一口咬定不行，然后以十分武断的口气阐述自己的观点。这类人往往是想通过“短、平、快”的方式，以雄辩的口才显示自己的能力，在公开场合打下根基。但这样做的结果，表面看目的好像达到了，事实上却得不到别人认同，无法建立真正的友谊，达到心灵的沟通。

卡耐基发现，在事业上有成就的杰出人物，往往善于倾听他人的意见。如果有人当真忙得无暇顾及倾听他人的意见，那么至少可以肯定地说，这个人不会合理安排时间；或者说是这个人心胸狭窄，听不进他人的意见，到头来反而只能落得孤家寡人的处境。事实上，那些善于倾听别人意见的人，总是宾客盈门、朋友众多。因为人们总是喜欢与尊重别人、平易近人的人交往。假如你想成为一位善于交谈的人，那就应当先成为一位善于专心听别人讲话、鼓励别人多谈他自己成就的人。

你认真地去倾听对方的讲话，就会使对方知道，你是把他们当做你感兴趣的人来看待的，向他们传递了这种信息，或许这就是你能赋予对方的最珍贵的礼物了。当对方因为你的倾听而得到鼓励时，不仅讲述了他所高兴的事，同时也接受了你的情感。倾听对方谈话这一行为，与雄辩的高谈阔论相比，可谓朴实无华，然而它的效果却很神奇。并且，你在认真倾听对方讲话时，也可以从对方讲话中得到知识，可以集中更多的人的智慧。

卡耐基曾讲述过一个有趣的故事。有一次，卡耐基在纽约书籍出版商齐·马·格林伯格举行的晚宴上结识了一位著名的植物学家。他以前从来没有和植物学家交谈过。后来，卡耐基写下了这次交谈的经历：

“我发现此人非常有魅力。老实说，我是恭恭敬敬地坐在椅子上听他讲述印度大麻和室内园艺的事。他还跟我讲了关于那些不屑一顾的土豆的事。我自己也有一个小小的家庭苗圃——他还善意地指导我如何解决我遇到的一些问题。正如我所说的，我们是在参加一个晚宴，那里当然有几十位客人，但是我违背了所有的客套礼俗，对其他客人好像视而不见，只是一个劲地同那位植物学家一连谈了好几个小时。

“午夜来临，我同所有的客人道了晚安之后就离开了。那位植物学家转过身去对主人说了几句恭维我的话，说我‘最富于魅力’，说我如此如此，这般这般。最后，他说今晚和我聊得很带劲，度过了一个愉快的晚上。”

卡耐基后来回忆说：“天哪！我几乎什么都没有说。”

一个在三个小时内几乎什么话都没有说，竟然会成为很投机的交谈伙伴，实在出人意料，但事实上又在情理之中。从植物学家来看，卡耐基是把他作为意气相投的话友；而从卡耐基来看，他本人只是一名忠实的听众，只是不断地鼓励他说话。卡耐基告诉那位植物学家，他受到了极好的款待和极大的收益——事实上也是这样，他希望从植物学家那里获得所有的那些知识。

倾听对方谈话，有时会很容易得到对方的信任和好感。善于倾听会使对方心情愉快，会换来对方的理解、信任和欢乐，会使对方吐露出内心的苦恼或喜悦，最重要的，它还能使说话者感觉到自身价值的存在。俗话说：“会说的不如会听的。”只有善于倾听他人谈话，才能更准确地把握谈话者的意思、流露出的情绪、传播出的信息，更好地促使对方继续谈下去。

※ 让你的朋友表现得比你更优越

安德鲁·卡耐基是美国的钢铁大王，他白手起家，既无资本，又无钢铁专业知识和技术，却成为举世闻名的钢铁巨子，这当中充满着神奇的色彩，使许多人迷惑不解。

有一位记者好不容易才令卡耐基接受采访，他迫不及待地劈头问：“您的钢铁事业成就是公认的，您一定是世界上最伟大的炼钢专家吧？”

卡耐基哈哈大笑地回答：“记者先生，您错了。炼钢学识比我强的，光是我们公司，就有两百多位呢！”

记者诧异道：“那为什么您是钢铁大王？您有什么特殊的本领？”

卡耐基说："因为我知道如何鼓励他们，使他们能发挥所长为公司效力。"

确实，卡耐基创办的钢铁业是靠其一套有效发挥员工所长的办法取得发展的：卡耐基的钢铁厂因产量上不去，效益甚差。卡耐基果断地以 100 万美元年薪，聘请查理·斯瓦伯为其钢铁厂的总裁。

斯瓦伯走马上任后，激励日夜班工人进行竞赛，这座工厂的生产情况迅速得到改善，产量大大提高，卡耐基也从此逐步走上钢铁大王的宝座了。

可见，卡耐基是十分聪明的，如果他自命是最伟大的炼钢专家，那么，至少会导致一些水平与其不相上下的专家不肯为其效力，即使是斯瓦伯这样的管理专家，也不会被看重使用，而人们也不会如此敬仰卡耐基了。

法国哲学家罗西法古说："如果你要得到仇人，就表现得比你的朋友优越吧；如果你要得到朋友，就要让你的朋友表现得比你优越。"

为什么这句话是事实？因为当我们的朋友表现得比我们优越，他们就有了一种重要人物的感觉；但是当我们表现得比他们还优越，他们就会产生一种自卑感，造成羡慕和嫉妒。

纽约市中区人事局最得人缘的工作介绍顾问是亨丽塔，但是过去的情形并不是这样。在她初到人事局的头几个月当中，亨丽塔在她的同事之中连一个朋友都没有。为什么呢？因为每天她都使劲吹嘘她在工作介绍方面的成绩、她新开的存款户头，以及她所做的每一件事情。

"我工作做得不错，并且深以为傲，"亨丽塔对卡耐基说，"但是我的同事不但不分享我的成就，而且还极不高兴。我渴望这些人能够喜欢我，我真的很希望他们成为我的朋友。在听了你提出来的一些建议后，我开始少谈我自己而多听同事说话。他们也有很多事情要吹嘘，把他们的成就告诉我，比听我吹嘘更令他们兴奋。现在当我们有时间在一起闲聊的时候，我就请他们把他们的欢乐告诉我，好让我分享；而只在他们问我的时候，我才说一下我自己的成就。”

苏格拉底也在雅典一再地告诫他的门徒：“你只知道一件事，就是你一无所知。”

无论你采取什么方式指出别人的错误：一个蔑视的眼神，一种不满的腔调，一个不耐烦的手势，都有可能带来难堪的后果。你以为他会同意你所指出的吗？绝对不会！因为你否定了他的智慧和判断力，打击了他的荣耀和自尊心，同时还伤害了他的感情。他非但不会改变自己的看法，还要进行反击，这时，你即使搬出所有柏拉图或康德的逻辑也无济于事。

永远不要说这样的话：“看着吧！你会知道谁是谁非的。”这等于说：“我会使你改变看法，我比你更聪明。”——这实际上是一种挑战，在你还没有开始证明对方的错误之前，他已经准备迎战了。为什么要给自己增加困难呢？

有一位年轻的纽约律师，他参加了一个重要案子的辩论。这个案子牵涉到一大笔钱和一项重要的法律问题。在辩论中，一位最高法院的法官对年轻的律师说：“海事法追诉期限是 6 年，对吗？”

律师愣了一下，看看法官，然后率直地说：“不。庭长，海事法没有追诉期限。”

这位律师后来说：“当时，法庭内立刻静默下来。似乎连气温也降到了冰点。虽然我是对的，他错了，我也如实地指了出来。但他却没有因此而高兴，反而脸色铁青，令人望而生畏。尽管法律站在我这边，但我却铸成了一个大错，居然当众指出一位声望卓著、学识丰富的人的错误。”

这位律师确实犯了一个“比别人正确的错误”。在指出别人错了的时候，为什么不能做得更高明一些呢？

德国人有一句谚语，大意是这样的："最纯粹的快乐，是我们从那些我们的羡慕者的不幸中所得到的那种恶意的快乐。"或者，换句话说："最纯粹的快乐，是我们从别人的麻烦中所得到的快乐。"

是的，你的一些朋友，从你的麻烦中得到的快乐，极可能比从你的胜利中得到的快乐大得多。因此，我们对于自己的成就要轻描淡写。我们要谦虚，这样的话，永远会受到欢迎。

※ 在职场一定要努力控制好自己的情绪

卡耐基说："每个人的情绪都会时好时坏。学会控制情绪是我们成功和快乐的要诀。"

托尼在美国中部一个大制造公司做了四年的人事官员，他有一个体面的心理学学位。他自称适度自信，性格外向，对自己的生活道路大体上是乐观的，工作顺利，婚姻幸福。然而他却常常陷入一种莫名的不快中。他承认："我总觉得自己失去了什么。我在工作中并不很受欢迎，因为我对同事们从没有真正的亲密感。或许在内心深处我不相信任何人。即便跟妻子琼在一起，我大多数时候也是小心谨慎。当有人直截了当地问有关我自己的问题，我通常闪烁其词。作为人事官员，我需要人们的支持和信任。但我感觉他们有点儿躲着我，甚至提防我。或许他们是在回报平日里我对他们的喜怒无常和神经质吧。"

托尼的想法没有错，恰恰是因为他不善于控制自己的情绪，喜怒无常，让人觉得他有神经质，同事们才躲着他。

类似的例子在生活中并不乏见：

安娜是一个办公室的管理人员，具有丰富的工作经验，为其组织中相当数量的办公室成员承担着广泛的责任。她同丈夫离婚了，与十多岁的儿子和女儿住在一起。她的烦恼是："我总是无法克制地经常向别人发脾气，虽然事后常常后悔，但又总也控制不了自己的恶劣情绪。我们办公室的职员流动相当快，所以对大多数的人很难有真正的了解，而我周期性地与这样或那样的人发生口角。我试图强硬些，也试图亲切愉快些，可什么都不管用。如果我粗暴强硬，他们就怨恨不满并予以回击；而如果我态度可亲，他们又觉得我软弱可欺，想趁机利用我。我在家里的问题也无法解决，我的孩子们都怨我把时间和精力放在工作上，这使我感到我令他们失望了。但更令我自己失望的是，我即便付出这么多的代价，却仍然得不到同事们的理解和拥戴。我曾失落至极，认真考虑过辞职。可是我在个人生活上已感觉失败，如果现在辞职，那么我在职业上也失败了。”

那么错在哪里呢？托尼与安娜显然都是成功的职业人员，他们的工作涉及操纵其他同事并又离不开他们的支持和拥护，他们要么有不错的学位和职位（像托尼），要么有长期的工作经验（像安娜），可显然他们却都不觉得对工作驾轻就熟。而他们的共同症结就在于不能信任同事、尊重同事，无法良好地管理、控制自己的情绪，结果既伤害了自己，又得罪了他人。

这个世界上类似的人物并不少见。许多职业人员都容易有这样的感觉：所以如果事情搞糟了，那就一定是别人的过失。不过托尼和安娜有一点比许多具有同样问题的人胜过一筹，那就是他们认识到事情并不如意，而过失或许在他们自己。

人与人之间的情绪是会互相感染的，有时自己控制得还不错的情绪，一下子就被别人破坏了，而别人的情绪也常常被自己“染污”。问题是谁都讨厌无故伤害别人情绪的人。哪怕他是为了工作，为了“正事”。控制好自己的情绪，专心配合领导、同事的工作要求，从而制造了一个轻松、合宜的气氛，既有利于同事也表现合理的情绪，也无疑会令自己受欢迎，实在是聪明者不可不为的行为。

※ 在生活里左右逢源，需要不同层次的人的支持

曾有一位百万富翁的办公室，设在第一国家银行大厦的二楼。当他要上二楼时，他会乘坐电梯；下楼时，则利用楼梯。

他是个傲慢的人，过去曾经贫穷，后来白手起家；他是个自力更生的人，也为自己的成功感到骄傲。

他每月按时缴房租，但对于那些管理升降机、高吊在行人道上擦窗户以及烧锅炉的人，根本不屑一顾。在过圣诞节的时候，也不会给他们一只火鸡，或一点小费。

大厦有一位打扫楼梯和大厅的穷妇人，他常常从她身边经过，但直到最近才意识到她的存在。他的头向来抬得很高，心里想的尽是怎样赚更多的钱。

有一天他从办公室出来，要走下楼梯。

清洁女工正站在楼梯中央，她从最上面开始检查楼梯是否干净。在最上面的一级阶梯有一处地方被水弄湿了，而且放着一大块肥皂，百万富翁正巧踩在上面。

富翁踩在肥皂上面的那只脚向东方日出的地方滑过去，另一只脚则快速向日落的方向滑过去。后来他跌坐在楼梯的最上一级，却没有停止在那里，他开始往下滑，但滑下的方式却非他所预料，每滑一级，楼梯便发出如同打鼓般的一声闷响。

清洁妇礼貌地站在一旁，任他往下滑。

最后他由底层站起来，自忖是否应当走回大厦办公室，要求开除该名清洁女工；但他想到一旦把要求开除她的理由说出来，必会在这大厦的其他人中间传为笑谈。于是他没有说话。

但从那天起，他开始注意那位清洁女工，带着慎重的态度走过她身旁。

没有人高贵或威严到可以忽略周围的任何人的地步。因为一位卑微的清洁女工和一块普通的肥皂，就能令一位大人物的心思立即

脱离他的事业而产生烦恼。

《圣经》上说，有个人招待了一群客人，等客人离去，才发现他们原来是上帝派来的使者。从此做父母的就教导孩子们说，碰到衣衫破烂或长相丑陋的人，切不可怠慢，而要帮助他，因为他可能是天上的仙人。

卡耐基经常讲述这样一个故事：

那是一个刮风的雨夜，一家旅店来了一对上了年纪的夫妇。他们行李简陋身无长物。那男的对旅店伙计说："别的旅店全客满了，我俩在贵处借住行吗？"

年轻的伙计解释说："城里同时在开三个会，所以全城到处客满。不过我也不忍心看你们二位没个落脚处。这样吧，我把自己的床让给你们——我自己？不碍事，在柜上搭个铺。"

第二天早上，老人付房钱时，对伙计说："年轻人，你当得了美国第一流旅馆的经理，兴许过些日子我要给你盖个大旅馆。"

伙计听了，开怀大笑。

两年过去了。一天，年轻人收到了一封信，信里附着一张到纽约去的双程飞机票，约请他回访他两年前那个雨夜里的客人。

年轻人来到了车水马龙的纽约，老人把他带到第五大街和三十四街交会处，指着一幢巍然大观的高楼说："年轻人，这就是为你盖的旅馆，请你当经理。"

这位当年的年轻人就是现今纽约首屈一指的奥斯多利亚大饭店的经理乔治·波尔特，那位老人则是威廉·奥斯多先生。

所以你瞧，我们该好生帮助那些向我们求助的陌生人，因为褴褛衣衫的后边可能有一对天使的翅膀呢！而且，退一步说，即使他们真是落魄的穷苦人，又有什么关系呢？不要忘了，要想在生活里左右逢源，需要不同层次的人的支持。

※ 冷淡和不显露感情不是成熟的标志

著名作家哲斯特顿说过，最无聊的畏惧是怕伤感多情。我们因为怕人批评自己脆弱，就用一副老于世故的外表来掩饰我们的感情。心里想说的是“感激万分”，口头上却只是轻轻一声“谢谢”；心中的感想是“此时一别，思君为劳”，但是表现出来的只是挥手“再见”。

许多人以为冷淡和不显露感情为成熟的标志。实际上，压抑着情怀，就像是生活在一个没有花，没有音乐，或是没有炉火温暖的世界中。因为我们有感情，所以向朋友和邻居伸出友谊的手，扩大我们认识和友谊的圈子；因为有感情，才能成功地建立婚姻和家庭。婚姻必须有感情，就像是做生意必须有信誉。那是一种不可捉摸的因素，却比任何实际条件更有价值。温情从不会破坏婚姻。与之相反，平实淡漠很容易使婚姻瓦解。

差不多每种有益于人类的进步，都有某一个人的感情力量为推动力。发现胰岛素的班亭医生，出身加拿大农家，小时候有个亲密朋友名叫珍妮，和他一起打球、爬树、溜冰、赛跑。有年夏天，珍妮忽然不能和他玩了。她的“血中有糖”，竟至不起。班亭始终耿耿于怀。后来他学成行医，立志济人。因为他对她有那一份情感，今日千百万糖尿病患者才得以生存。

只有小人才怕暴露真实的感情。而有所作为的人对内心的温情毫不掩饰，恰似对美好的事物或美好的生活一样。诗人爱默生的娇妻去世，他每天到她坟上去凭吊，两年如一日。他是一代文坛伟人，可是听他讲演的人都有亲切无拘之感。一个村妇在听他讲演之后说：“我们都是思想简单的人，可是我们听得懂爱默生先生的话，因为他直接对我们的心说话。”

大人物都不怕真情流露，我们为什么要怕？之所以怕，是因为我们从小就局限在生活的框框里长大。我们说：在事业上不宜动感情；科学没有感情；甚至对自己也不可温柔多情。我们一定要把自身中最温暖最好的一部分压住藏起，这做法实在是太没有价值了。

我们怎样才能使感情蓬勃？怎样才能恢复似已消失的深情？

首先要问问自己。下次你再要抑制温暖和蔼的情绪时，应该反躬自问：我为什么要压制真情？我怕的是什么？这样做，是出于真诚，是故作老于世故，还是怕人误会？当然，过分的流露感情并不可取，但更重要的是排除猜忌怀疑，不故作老辣，应对生活中亲切感人之事有所反应。

也许我们的最大困难是没有空闲。分秒必争的紧张气氛与温柔的情怀格格不入。实际上，抽出一些时间来做那些“看来没有实际价值”的小事，却往往能够美化我们的生活。例如给昨天刚见过面的朋友写一封问候道谢的信，或是送人一点小礼物表示“怀念你”。

第三章　得体处世，用思想的力量塑造自己

要想生活得自如，就必须有一种深入学习的欲望，一种强烈的提高你的为人处世和社会交际能力的渴望。

——戴尔·卡耐基

在你过去的生活中，你伤害过谁，也早已忘记了，可是被你伤害的那个人却永远不会忘记你。他绝不会记住你的优点，而是记住你对他的伤害。

——戴尔·卡耐基

天下悲哀的人莫过于本身没有足以炫耀的优点，却又将其可怜的自卑感，以令人生厌的自大、自夸来掩饰。

——戴尔·卡耐基

※　处世之道是后天可以学习的技巧

卡耐基认为，处世之道是后天养成的技巧，可以越练越精。就像有礼貌一样，是可以学的。

哈蒙·蕾莉指出：“任何事情的失败，常常都可以归结为与他人打交道的失败。”缺乏交际能力的人，注定将与成功无缘。那么，怎样与人愉快相处，维系良好的人际关系呢？

1. 爱是无技巧的技巧

卡耐基在他的《交际成功奥秘》一书中写道：“不管是屠夫，或是面包师乃至宝座上的皇帝，统统都喜欢别人对我们表示好意。拿德国皇帝来说，当第一次世界大战结束时，他成了万恶不赦的罪人。在愤怒的人民中，却有个寡妇的小孩子写了一封非常单纯的信

给他。这个小孩说，不管别人怎么样想，他会爱戴他的皇上。德皇深受感动，邀请这个孩子去做客。小孩去了，她母亲也同行，德皇与孩子的母亲竟然成婚。”

俗话说：爱人者，人恒爱之。一个爱人的人，必能得到他人的爱。广施爱心，必能广得爱的回报，人际交往就会非常成功。法国画家夏尔丹说：“人类在探索太空，征服自然后，终将会发现自己还有一股更大的力量，那就是爱的力量，当这天来临时，人类文明将迈向一个新纪元。”爱，是无技巧的技巧，是开发交际能力的根本技巧，其他的技巧都派生于“爱”这一根本技巧。

2. 人情是一张支票

每一个人的成功，都是以帮助他人为基础建立起来的。养成乐助人、广助人的习惯，会给自己带来更多的机遇和发展的空间。偶然中帮助一个人，有时候很可能会给你带来难以想象的回报。美国有一本很畅销的小说《教父》，其中有这样一个故事：

一位殡仪馆老板的女儿受到流氓的欺侮和殴打，法庭的判决对流氓毫发无损。在求助无门的情况下，殡仪馆老板硬着头皮去请求黑社会老大“考利昂老头”的帮助。考利昂毫不犹豫地出面替他们出了气，而不求回报。在日后的紧要关头，殡仪馆老板帮了他的大忙。

可见，助人，就是助己。人情是一张支票，储蓄越多，收获越大。要充分开发交际能力，就必须做到乐于助人。

3. 对别人抱以亲切、友善的态度

态度，是人对某事物的心理倾向，它是内心世界的核心。没有内在态度的改变，外在的改变是不可能发生的。就算外在可以改变，改变得也不会理想。改变他人态度的奥秘，就在于首先改变自己的态度。

态度是互动的。《圣经》上说：“你如何待人，人如何待你。”人们总是根据对方的态度来采取相应的态度。你对别人抱以亲切、友善的态度，那么对方就会回敬你同样亲切、友善的态度。态度的体现不过是一个微笑、一个眼神、一个动作、一句话……然而，它却有着极大的魔力。

※ 在生活中要避免犯自毁前途的错误

史蒂芬·马克是个有成就的人。毕业于哈佛大学的他，36岁时已成为福克斯电视台和福克斯新闻处的总裁。但去年夏天，马克的事业忽然翻船。因为抢了上司的风头，使上司大失面子，他突然被通知“下岗”了。

为什么像史蒂芬·马克这样的聪明人会干这样的蠢事？搞清聪明人为什么会犯自毁前途的错误，有助我们避免重蹈覆辙。以下是卡耐基总结的聪明人干蠢事的几点缘由：

1. 骄傲自大

聪明人总是比一般人多知道些事情。因此，很容易就会以为自己无所不知。

数年前，有人揭发名校斯坦福大学要纳税人负担一些与政府研究工作无关的开支，例如买了一艘22米长的游艇，以及为大学校长唐纳德·肯尼迪的新夫人举行了一个欢迎酒会。可是肯尼迪不认错。他承认曾用公费支付一些“间接研究费用”，包括购买餐巾、桌布以及在他住宅里举行一次晚宴的开支。他还说：“我甚至可以理直气壮地说，这屋里每一朵花都应该用间接研究费用来购买。”

肯尼迪用这种狂妄态度处理这宗引起公愤的事，结果是自掘坟墓。“他似乎认为他做的每一件事都是完全正当的——因为是他做的。”斯坦福大学里一个熟悉内幕的人说。不到几个月，肯尼迪宣布辞去校长职务。

2. 孤立无援

一个人如果特别聪明，那么他会从小就容易离群孤立。聪明的少年会觉得自己和其他儿童格格不入，于是很自然地会物以类聚，只和别的聪明少年交往。这种现象也会在公司里发生。

聪明人多半只喜欢和其他聪明人在一起，那本来是好事；可是，当这些人开始倚靠聪明，排斥经验，大事就不妙了。

危险之一就是不愿意承认有改变的需要。当一班聪明人一致同意了一个计划，他们会对这个计划坚持到底，即使其他人都已看到方向错误，他们也不会回头。

要和别人合作顺利，听取别人的意见是非常重要的。可是，有些聪明人因为对思想比他们慢的人不耐烦，不愿听取别人的意见。而这种不耐烦，可能是危险的陷阱。

某规模庞大的饮品制造公司的市场推广主管聪明又能干，但是他负责推销的一种新饮品在市场上反应冷淡。后来，他的上司发现他的下属曾向他提出许多忠告，但他一概置之不理。他的解释是："无能的主管才会听下属的意见。"他的事业不久之后就走了下坡路。

3. 不顾后果

聪明人脑子里总是在想："我的下一个高招……"由于他们老是觉得自己无所不知，这些聪明人都喜欢行险招，结果往往是聪明反被聪明害。

4. 过分好胜

许多聪明人都不了解一个简单的事实：在这方面胜人一筹，并不等于在另一方面也一定能成功。

许多有杰出成就的聪明人都会从别人的一些因骄傲而铸成的大错中取得教训。他们愿听别人的意见，不会目空一切。他们积极征求下属的建议，知道自己的弱点在哪里。

美国的萨姆·沃尔顿是一位商界奇才，把一家卖廉价商品的铺子发展成为有 550 亿美元资产的沃尔玛集团。他的成功之道是不把自己关在总部里面。他常常坐他自己的飞机到全国各地巡视各分店，听取“合作者”的意见，甚至向顾客赠送巧克力花生糖。沃尔顿的谦虚是他成功的一个重要因素。

哈罗德·丁克尔在39年的教书生涯中注意到一件事。他说，进入社会后取得杰出成就的学生，几乎没有一个是从前在学校里成绩最优异的学生。其中一个原因是那些聪明学生会犯愚蠢的错误而自毁前程。但更重要的原因是：那些成功的人知道，如果你只是第二名，就要加倍努力。

※ 有可能造成不必要的分歧时就该保持沉默

卡耐基说：“尽管大多数人直言不讳的时候太少而不是太多，但有时候还是不说为妙。”

有些问题根本就不值得提出来，你也不希望大动干戈地把小分歧变成大冲突。花费时间和精力纠缠于非常小的分歧是不明智的，特别是那些不大可能会影响人们工作质量或者那些你很可能在一周或一月后就忘记的分歧。如果冲突只涉及不重要的关系，或者不会持续很久，那就不一定非讲出来不可。尽管你可能错过因为表示不同意见而带来的创造力和学习的机会，但你不必担心制造出悬而未决的分歧把关系破坏掉，从而造成额外的损失。

即使分歧非提出来解决不可，也有个时机问题。例如，如果你在面临迫在眉睫的截止时限时向你的老板提出新的棘手的问题，可能就会徒劳无益；非提出来的问题对手头的工作非常重要，并且确实有足够的时间来解决这个问题。因此，等到过了这段紧张时间，人们能集中精力研究你必须说出来的问题时再提出问题，也许是最佳的选择方案。

此外，当你自己或他人的情绪正在火头上的时候，最好对分歧闭口不谈，从长远来说这是有益的。如果你跟同事刚发生争吵，你们两个人的情绪都很激动，那就等以后你们都冷静下来、能够心平气和地讨论问题的时候，再安排时间交谈。只有在那个时候，你们才能进行有实质意义的讨论，而不是相互指责。但是，如果你推迟难度很大的交谈，一定不要无限期地推迟。否则，那些没有解决的分歧一定会重新找到你头上。

什么问题必须讨论，或者最好在什么时候讨论，并没有一成不变的规则，而是必须依靠自己的判断。重要的是，你的心态应当转变：从问“现在是不是难得的应当实话实说的时候”，转变为问“现在是不是难得的应当保持沉默的时候”。

※ 不掩饰自己的真情，更真实地生活

天性开朗、热情、奔放的人根本就没有必要去追求少年老成的效果，以至于制造出一副扭曲的性格，它比肢体的残疾更要令人悲哀。装出一副老于世故的外表和麻木不仁的面孔去迎合某种观念和大众化的口味，是脆弱、怯懦的表现。走出自我封闭的圈子，注意倾听自己心灵的声音并大胆表现它是美好和幸福的。当我们要压抑自己的感情，想把它封闭起来时，我们有必要反躬自问：我怕的是什么？我为什么不能更自由、更真实地生活在世界上，而不是在面具里？

有所作为的人从不掩饰自己的真情。罗斯福会发出孩子般爽朗的笑声；丘吉尔会为了区区小事就大失身份地和自己的男仆争吵起来；列夫·托尔斯泰听柴可夫斯基弹琴时当众流出了泪水；大书法家米芾给友人写信写到“芾再拜”时，竟恭恭敬敬地站起身来，向桌子拜了下去。用世俗、功利的眼睛又怎么可能解释心中的热情？

美国总统罗斯福的夫人艾莲娜有一次犹豫不决，下不了决心是否去做某件事，她向经济学家巴鲁克请教：“我的头脑叫我去做，

可我的心叫我不要做。”巴鲁克的忠告是：“有疑问时，遵从你的心。如果因为遵从你的心而做错了事，不会觉得太难过。”

卡耐基说：“为了你生活得更快乐、更有意义，请你摘下成年人的脸谱，重新审视你的内心吧。”具体可参考如下建议：

1. 信任他人

如果你对新结识的人表现冷淡，这往往意味着你对人的信任感和孩子般天真的直觉已被自我封闭的重压毁灭了。那么，你就不会从你周围的人们中获得乐趣。这时，你应该放松自己紧张的生活节奏，不妨和初次见面的人打招呼；或者在你常去买东西的小店里和售货员聊聊；或者和刚结识的新朋友一道参加郊游。努力寻找童年时交友的感觉，信任他人和你自己，而不要每时每刻都疑窦丛生。

2. 学会对自己说“没关系”

孩子们经常发出无缘无故的笑声，他们的烦恼从不闷在心里。我们常常会被生活中各种各样伤脑筋的事压得两腿打战。其实，生活中果真有那么多的烦恼吗？许多事并没有什么大不了的，只是我们把它放大了而已。我们要学会对自己说“这没关系”，这样，我们的生活里就会常常充满开怀的笑声。

3. 顺其自然地去生活

不要为一件事没按计划进行而烦恼，不要为某一次待人接物礼貌不够周全而自怨自艾。如果你对每一件事都精心策划，以求万无一失的话，你就不知不觉地把自己的感情紧紧封闭起来了。你已经忘记了自己小时候是一副什么样子。应该重视生活中偶然的灵感和乐趣，快乐是人生的一个重要的价值标准，有时能让自己高兴一下就行，不要整日为了一个明确的目的、为解决某一项难题而奔忙。

4. 不要为真实的感情梳妆打扮

如果你和你的挚友分离在即，你就让即将涌出的泪水流下来，而不要躲到盥洗室去。为了怕人说长道短而把自己身上最有价值的一部分掩饰起来，这种做法没有任何道理。生活中许许多多的事都是这样，遵从你的心，听取你心灵的声音，正如巴鲁克教授所说，这样即使做错了事，我们也不会太难过。

※ 主动认错，更巧妙地解决问题

卡耐基常常带着他的爱犬雷斯到附近的森林公园去散步。

有一天，他们在公园遇见一位骑马的警察，这位警察好像迫不及待地要表现出他的权威："你为什么让你的狗跑来跑去，不给它系上链子或戴上口罩？"他呵斥卡耐基，"难道你不知道这是违法的吗？它可能在这里咬死松鼠，或咬伤小孩。这次我不追究，但假如下回在公园里我看到这只狗还没有系上链子或套上口罩的话，你就必须跟法官解释啦。"

卡耐基客客气气地答应照办。

卡耐基的确想照办，可是雷斯不肯戴口罩。一天下午，雷斯和卡耐基在一座小山坡上赛跑，突然卡耐基看到那位执法大人，骑在一匹红棕色的马上。雷斯跑在前头，直向那位警察冲去。

卡耐基这下栽了。他知道这点，所以他决定不等警察开口就先发制人。

卡耐基说："警察先生，这下你当场逮到我了。我有罪。我没有托词，没有借口了。你上星期警告过我，若是再带小狗出来而不替它戴口罩你就要罚我。"

"好说，好说，"警察回答的声调很柔和，"我知道在没有人的时候，谁都忍不住要带这么一条小狗出来溜达。"

"的确是忍不住，"卡耐基回答，"但是这是违法的。"

"像这样的小狗大概不会咬伤别人吧？"警察反而为卡耐基开脱。

"不，它可能会咬死松鼠。"卡耐基说。

“哦，你大概把事情看得太严重了，”他告诉卡耐基，“我们这样办吧，你只要让它跑过小山，到我看不到的地方，事情就算了。”

人，很多时候都是善良的。面对一些矛盾和问题，只要我们巧妙地进行处理，自主地去解决问题，就能获得别人对你的同情、理解和帮助。

“你要是知道有某人想要或准备责备你，就自己先把对方要责备你的话说出来，那他就拿你没有办法了。在这种情况下，十之八九他会以宽大、谅解的态度对待你，忽视你的错误。”

费丁南·华伦，一位商业艺术家，他使用这个技巧，赢得了一位暴躁易怒的艺术品顾主的好印象。

“精确，一丝不苟，是绘制商业广告和出版品的最重要项目。”华伦先生事后说。

“有些艺术编辑要求我们立刻完成他们所交下来的任务，在这种情形下，难免会发生一些小错误。我知道，某一位艺术组长总是喜欢从鸡蛋里挑骨头。我离开他的办公室时，总觉得心里不舒服，不是因为他的批评，而是因为他攻击我的方法。最近我交了一件很急的完稿给他，后来他打电话给我，要我立刻到他办公室去，说是出了问题。当我到他办公室之后，正如我所料——麻烦来了。他满怀敌意，终于有了挑剔的机会。在他恶意地责备我一顿之后，正好是我运用所学自我批评的机会。因此我说：‘某某先生，如果你的话不错，我的失误一定不可原谅。我为你工作了这么多年，实在该知道怎么画才对。我觉得惭愧。’他立刻开始为我辩护起来，‘是的，你的话并没有错，不过毕竟这不是一个严重的错误。只是——’我打断了他说：‘任何错误，代价可能都很大，叫人不舒服。’他开始插嘴，但我不让他插嘴。我很满意，有生以来我第一次在批评自己——我真喜欢这样做。

“我接着说：‘我应该更小心一点才对，你给我的工作很多，照理应该使你满意，因此我打算重新再来。’‘不！不！’他反对起来，‘我不想那样麻烦你。’他赞扬我的作品，告诉我只需要稍微修改一点就行了，又说一点小错不会花他公司多少钱，毕竟，这只是小节——不值得担心。

“我急切地批评自己，使他怒气全消。结果他邀我同进午餐，分手之前他开给我一张支票，又交代给我另一件工作。”

一个人有勇气承认自己的错误，也可以获得某种程度的满足感。这不仅可以消除罪恶感和自我卫护的气氛，而且有助于解决这项错误所制造的问题。正如戴尔·卡耐基所说：如果你是对的，就要试着温和地、有技巧地让对方同意你；而如果你错了，就要迅速而热诚地承认。这样做，要比为自己争辩有效和有趣得多。

如果你做错了事，又想把事情圆满地解决，请记住：如果你错了，就立即承认。

※ 强调彼此的共同点，寻求双赢的解决之道

卡耐基说：“与别人交谈，不要先讨论你们观点不同的事，要先强调，而且不断地强调你们观点相同的事。因为你们都在为同一结论而努力，所以你们的差异之处是方法，而不是目的。”

人与人交往的过程中，不管双方的分歧有多大、矛盾有多深，总会有一些共同的语言、利益以及愿望，等等。要会利用这些共同点，创造出“是”的局面，能心平气和地与人讨论，就可以改变对方的态度。在一个人说“是”的时候，整个人就处于一种放松的状态中，这种状态可以让这个人能冷静地权衡事实，接受他人的意见，不会为自己的错误进行任何“防卫”。而且一个人说的“是”越多，越能接受对方的意见。

与说“是”相反的表达就是说“不”，因为当一个人说“不”的时候，这个人整个的肉体和精神都处于一种明显的紧张状态，一

旦出现这种状态，就有可能什么意见都听不进去。所以如果可能的话，最好让对方没有说“不”的机会，这样才有可能营造双赢的氛围。一个人说出“不”很容易，可是却不好再表示后悔，自尊心的作祟很有可能让他坚持自己的观点，哪怕他自己已经知道自己表达出的观点是错误的，他也不愿意再反悔，反而继续坚持自己哪怕是错误的观点，为了这个观点，他可能不惜与人发生冲突。如果出现这样的局面，事情就不容易解决了，双方的关系也会因此而变得尴尬。所以在人际交往中，要尽可能地引人说“是”，用肯定的效应来接受正确的影响，毕竟没有人会在一直表示“是”的观点上，再表示“不”的观点。这样，也就为人际沟通中的“双赢”营造了良好的氛围。

一家化妆品公司的推销员遇到过这样的一件事。这个推销员拜访她的一位新客户，没想到对方的主管见面第一句话就是：“你怎么还好意思来推销你们的产品？”原来，这个主管认为他们刚进的那批化妆品并不适合北方人的肤质。推销员很快镇定下来，微笑着说：“其实我和您的观点一样，如果这批化妆品不适合北方人保湿的要求，那你们就会退货，对不对？”

“是的。”

“按照北方的气候，化妆品保湿效果应该在12小时左右，对不对？”

“是的，但是在使用你们的化妆品后，不到10个小时，负责实验的模特脸就有紧绷的感觉了。”

推销员没有马上为自己辩解，她认真地问了一个问题：“这个房间的温度是多少度？”

“我们的空调设定在24℃。”

“房间因为加装了空调又没有开窗，几乎处于全封闭环境中，所以空调房间的湿度比一般室外的湿度还要低，是这样吗？”

主管点点头。

推销员继续说道："我们这一款产品，所设定的保湿度是在常温的状态下对皮肤所起的保湿作用。不同的湿度环境下肯定有一点差别，但并不代表我们的产品没有做到12小时的保湿。"

那个主管听完推销员的话后说："你说得没错。"

最后，他们的合作不但没有终止，还因为推销员巧妙的"解释"，对方又追加了订单。

其实，这个推销员清楚对方只是在找终止合作的借口而已；如果她用强调自己产品的方法解决这个问题，肯定是不可行的，一定会引起对方的反对。相反的，她通过引导的方法，让对方"主动"承认自己的观点，这就能顺利地引导对话向良性的方向发展。这样做也使得对方在不知不觉的情况下，成了自己观点的支持者。这种双赢的方法，也是一种沟通中的技巧，是为对方找了一个"台阶"。在知道对方的观点是错误的，或者是为了别的目的的情况下，如果你再自以为是地强调自己的正确，只能让对方为了面子问题，而拒绝说"是的"，也就成了沟通中最失败的一笔。这时就需要用巧妙的方式给对方一个"台阶"下，让对方既能说出"是的"，又不会觉得失了面子。

让对方说"是的"，其实并不是多复杂的事情，只要首先做到避开矛盾或分歧的焦点，求同存异地从双方都能接受的方面入手，让沟通一开始就能避开火药味。然后再延续这种方式，指出一些大家都能接受的事实，在双方都能接受的基础上，阐述自己所掌握的观点，用确实的证据，让对方能真的信服和接受，还可以穿插一些赞美等方式，让对方能更容易接受。尤其是在对方已经表明一种立场的时候，要想改变对方不同于自己的想法，又不能触及对方敏感的地方，使对方因为面子问题固执己见，不如巧妙地给对方一个"台阶"下，让你们双方得到双赢。比如说以"是的，我和你一样也遇到过这样的问题，因为我也不知道自己错哪里了"或者"在这种情况下，任何人都可能这么做，我能理解你”等话语做开头，让对方能被你的话所引导，从而说不出“不”字。因为一般人即使在知道自己犯错误的情况下，也缺乏承认自己错误的勇气，如果你毫不客气地指出对方的错误，只能让对方因为不满而无法接受你的意见，冲突也就在所难免。所以要在不知不觉的情况下给对方一个“台阶”下，让对方自己说“是的”，自己反驳自己错误的观点，他还会对你心悦诚服。这样，即使出现分歧，也会让对方忽略分歧，而注意到共同点的存在，从而创造出沟通中所最希望的“双赢”效果。

※ 成功时保持清醒的头脑与判断力

1920 年的 9 万美元，相当于现在的 80 万美元，实在是一个惊人的数目。由此可见，戴尔·卡耐基的第一本书《影响力的本质》是多么受欢迎了。

出版商送来的这张巨额支票在戴尔·卡耐基的办公桌上放了整整一周，他的秘书问他：“你不觉得你该把它存进银行里吗？”

他存了支票，他知道，自己的生活将不会再同以往一样了。他再也不是以前那个贫穷的养猪户的儿子，他终于走出了属于自己的成功之路。

可是，卡耐基写作这本书的过程是非常艰难的，他为此付出了大量的心血。可以说，他的每一次成功都是来之不易的。在两年多的时间里，他每天早上用过早餐后，便来到自己的办公室，坐在一张宽大而舒适的椅子上从事写作，膝上则放着一块黄色的垫子。写作对卡耐基来说是一件痛苦的事，而他似乎也缺乏快速写作的能力，有时甚至于连那些早已熟悉的资料也进行得相当慢。他常常陷入写作的困顿，有的部分甚至重写过数十次之多。

一分耕耘，一分收获，卡耐基终于成功了。他的课程大受欢迎，他的著作销量惊人，他成为一个名人，一个百万富翁。更难能可贵的是，这个来自密苏里农场的男人并没有被金钱和盛名所累，而是保持了一份平常心。

一旦步下讲台，他就不再是那个为别人传授人际关系的大师，而是显得安静而寡言。另外，他也不能完全按照自己所说的那样记住别人的姓名，而是有时还显得有点好与人争辩。有时，为了避开热情的读者，他会在餐厅里找一个不起眼的角落坐下来。

他曾这样对他的一位朋友说："当陌生人认识我之后，他们会发现我就像他们的邻居，而不是某个具有戏剧性格的人。"

一个人获得成功是很不易的，然而，一个成功的人能保持清醒的头脑与判断力则更难。正因为卡耐基具有这种优秀的品质，才使他的事业保持了蒸蒸日上的活力。

※ 让你的生活和事业因感恩而变得更美好

卡耐基说："生而为人，我们要感谢父母的恩惠，感谢国家的培养，感谢师长的教导，感谢大众的热忱帮助。没有了这些条件，我们能够在社会上生存下去吗？""感恩不仅仅是一种美德，感恩是一个人之所以为人的基本条件！"

许多成功人士在谈到自己的成功经历时，往往过分强调个人努力的因素。事实上，每个登峰造极的人，都获得过别人的许多帮助。一旦你订出成功目标并且付诸行动之后，你就会发现自己在不断获得许多意料之外的支持。你应该时刻感谢这些帮助过你的人，感谢上天的眷顾。

人们可以为一个陌路人的点滴帮助而感激不尽，却无视朝夕相处的老板的种种恩惠，将一切视之为理所当然。

但是员工和公司老板之间的关系不仅仅是雇用和被雇用的契约关系。我们是否想过：在这种契约关系背后，有一些同情和感恩的成分？

每一位老板和员工之间并非是对立的，从商业的角度，是一种合作共赢的关系；从情感的角度，也有一份感情和友谊。

我们要学会感恩，感激给我们提供工作舞台的人。这是我们获得职位，取得成就必须具备的一种心态！

时常怀有感恩的心情，你会变得更谦和、可敬且高尚。每天都用几分钟时间，为自己能有幸成为公司的一员而感恩，为自己能遇到这样一位老板而感恩。所有的事情都是相对的，不论你遭遇多么恶劣的情况。

当你准备辞职调换一份工作时，同样也要心怀感激之情。在辞职前仔细想一想，自己曾经从事过的每一份工作，所带给自己的每一点收获和教益，这些都是你走向人生未知旅途的能力储备。

与溜须拍马不同，感恩是自然的情感流露，是不求回报的。一些人从内心深处感激自己的老板，但是由于惧怕流言蜚语，而将感激之情隐藏在心中，甚至刻意地疏离老板，以表自己的清白。这种想法是何等幼稚啊！如果我们能从内心深处意识到，正是因为老板费尽心力地工作，公司才有今天的发展，正是因为老板的谆谆教诲，我们才有所进步，才会心中坦荡，又何必去担心他人的流言蜚语呢？

真正的感恩是真诚的，发自内心的，不是为了某种目的，迎合他人而表现出的虚情假意。

感恩并不仅仅有利于公司和老板。对于个人来说，感恩是富裕的人生。它是一种深刻的感受，能够增强个人的魅力，开启神奇的力量之门，发掘出无穷的智能。感恩也像其他受人欢迎的特质一样，是一种习惯和态度。

你是否曾经想过写一张字条给上司，告诉他你是多么热爱自己的工作，多么感谢工作中获得的机会？这种深具创意的感谢方式，一定会让他注意到你——甚至可能提拔你。感恩是会传染的，老板也同样会以具体的方式来表达他的谢意，感谢你所提供的服务。

感恩没有成本付出，却是一项重大的投资，对于未来极有助益！永远都需要感恩。推销员遭到拒绝时，应该感谢顾客耐心听完自己的解说。这样才有下一次惠顾的机会！老板批评你时，应该感谢他给予的种种教诲。

同时，我们也不要忘了感谢周遭的人——我们的朋友和同事，因为他们了解你、支持你。大声向他们说出你的感谢，让他们知道你感激他们的信任和帮助。

很快地，你将会发现，生活和事业因感恩而变得更美好！

※　在听取别人的意见之后，一定要经过自己的认定和理解

《牛津格言》中说：“如果我们仅仅想获得幸福，那很容易实现。但，我们希望比别人更幸福，就会感到很难实现，因为我们对于别人幸福的想象总是超过实际情形。”

我们为人处世经常按别人的反应来决定，而不是按照自己的意愿去行动。尤其是在向“成功”“幸福”之类美丽的字眼跋涉的路上，一切似乎已经有了约定俗成的标准。弗洛伊德说：“简直不可能不得出这样的印象：人们常常运用错误的判断标准——他们为自己追求权利、成功和财富，并羡慕别人拥有这些东西。他们低估了生活的真正价值。”可是已经没有什么能够使我们停留了——除了目的。每一个人都像童话里那个被老巫婆套上了红舞鞋的姑娘，只有不停地跳舞。

47 岁的南希在众人的眼中是一个成功的职业女性，可是她说：“虽然我的一些成就让人刮目相看，我却想不透大家夸赞我什么。我这辈子一直都在努力成就这样或那样的事，可是现在我却怀疑‘成就’究竟是指什么了。我永远在压力下生活，没有时间结交真正的朋友。就算我有时间也不知道该如何结识朋友了。我一直在用工作来逃避必须解决的个人问题，所以我一个任务接一个任务地去完成，

不给自己时间去想一想我为什么要工作。这真是疯狂。假如时间可以退回去十年，我会早一些放慢脚步考虑一下，那就不会像现在这样感觉匮乏了。”

在我们周围可以看到许许多多匆匆忙忙的人。可是想找到真正的生活却要大费周章。文明中的男女都不得不发挥才能，并且在各自不相上下却又彼此矛盾的价值中做出选择：既希望保持人际间的感受，又不能放弃积极进取、事业有成；既希望自己感觉机敏，同时又要不失坚忍自若。丽莎·茵·普兰特指出：“是不是所有忙碌的人都不想体验简单生活呢？我想也许他们试过，但是他们发现别人的想法和自己的不同就放弃了尝试。”他人对我们的期望使我们受到约束。

社会生活就是一出戏，每个人都扮演其中一个角色。扮演者的行为举止应和角色相符。但他们往往做不到，因为他们常常会遭到排斥，受到旁人的讥笑。你可能并不乐意扮演你所分配到的角色，剧组又不同意你更换，你应该意识到你有离开剧组，选择另一出戏的自由。

朋友和同事将会抵制你的任何行为变化，或自我意识的改变。每个人总乐于待在熟悉的环境中，他们懂得如何反应。此外，试图提高自己的地位可能会招人嫉妒。

然而，你一生就这么一次机会。如果你要的是金子，你不妨就去捞钱。要不然，你就总处于失望之中。因此，如有必要，就得准备置身于“角色”之外，这可能会让你不舒服，但自由了。不要考虑剧情的压力，决定你所需要的，必要时换一个角色，但要始终如一。没有人会接受一个变化无常的人，或一个变来变去又变成老样子的人。

一位哲人指出：我们此生不一定要成大名，立大功。可是，我们一定要明白自己的梦想；并把它具体起来，使它成为可能，然后去追求它，去实现它。追寻一个梦想是一种绝大的幸福和快乐。你也曾体会过这种幸福和快乐吗？

有人放弃了自己的梦想，从前进的行列中败退下来，是因为他失去了自己的意志。

我们时常会看到，有些人好像不在自己意志指挥之下过活，而是在别人给他划定的范围之内兜圈子。他们所奉为圭臬、所赖以决定自己动向的，是“别人认为怎样怎样”“我如不这样做，别人会怎样说”，或“假如我这样做，别人会怎样批评”。不幸的是，别人的批评又是那么不一致：张三认为应该向东，李四认为应该向西，赵五认为应该向南，王六认为应该向北。你如选择其一，其他三人总会指责你。

于是，时常顾虑到“别人怎样说”的人，他就只好一年到头在“不知究竟怎样才好”的为难紧张之中团团转，总也走不出一条路来。

这种人，即使侥幸由于他天生的善于应付，而能做到“不受批评”的地步，他最大的成就也不过是个不被讨厌之类的人物。别人所给他的最大的敬意，也不过是说他一句圆滑周到而已，而在他自己本身来说，因为他终生被驱策在“别人”的意见之下，一定感到头晕眼花，疲于奔命，把精力全部消耗在应付环境、讨好别人上，以致没有余力去追求自己的梦想。

当然，我们并不是说，一个人应该独断专行，不顾是非黑白。而是说，我们在听取别人的意见之后，一定要经过自己的认定和理解。我们应该自己有定见，用足够的理智去认清事实，在决定方向之后，就不再受别人意见的左右。

※ 你可以让自己以欢悦的态度微笑着对待生活

卡耐基指出：乐观的思想会驱除悲观，愉快会赶走悲愁，希望会消灭失望。

一位闻名遐迩的老人被电视台节目主持人作为特约嘉宾邀请来参加活动。他确实是一个非常杰出的老人。他的讲话完全没有经过特别的准备，更没有经过任何排练。这些讲话与他的个性是完全一致的，他精神矍铄，容光焕发，充满快乐。无论他想说什么，他都毫不掩饰，而且思维敏捷。他的机智幽默，让听众捧腹大笑，大家都非常喜爱他。这次节目，他给人以深刻印象，他也和其他人一样感到特别的兴奋。

最后，节目主持人问这位老人为什么总是这样高兴：“你一定有什么特别的让自己快乐的秘密。”

“不，没有，”老人回答说，“我没有什么特别的秘密。这只不过和你脸上的鼻子一样普通。每天早上起床的时候，我有两种可能的选择：要么高兴，要么不高兴，你想我会选择什么呢？当然，我会选择快乐，这就是全部的秘密所在。”

这似乎也太过于简单，而且这个老人的思想也好像是太肤浅。但是，这让我们想到了林肯，林肯曾经说过境由心造，你的心里有多快活，你也就会得到多少快活。如果你想让自己不开心，那你时时刻刻都可以不开心。而且，这也是世界上最容易做到的事情，只要选择不开心就可以了。你可以告诉自己什么事情都不顺利，没有什么事情可以让自己满意，那么，你肯定就开心不起来。但是，如果你对自己说：“事情进展良好，生活也不错，所以，我选择开心。”那么，你肯定就会快乐。

“人们本来是可以生活得更快活一些的，但是五个人中有四个放弃了本应有的快乐，”卡耐基说，“不快乐是人们心境的普遍状况。人们的生活境况是否像这样，我不敢妄下结论，但我发现，生活不幸福的人比我想象的要多得多。因为生活幸福，是人们对生存状态的最基本的要求，所以，我们必须改变这种状况。幸福是可望而且可即的，获得幸福也绝不是一件很复杂的工作。任何人只要渴望幸福，只要愿意为此努力，只要把握和实践正确的方法，他就一定能成为一个幸福的人。”

我们快乐与否在很大程度上取决于我们的心灵所养成的习惯。培养欢畅的心境，养成快乐的习惯，生活就会变成持续不断的盛筵。

当你在生活中遭遇不幸的时候，你改变不了环境，但你可以改变自己；你改变不了事实，但你可以改变态度；你改变不了过去，但你可以改变现在；你不能控制他人，但你可以掌握自己；你不能预知明天，但你可以把握今天；你不可以样样顺利，但你可以事事尽心；你不能延伸生命的长度，但你可以决定生命的宽度；你不能左右天气，但你可以改变心情；你不能选择容貌，但你可以展现笑容。

事实上，人的注意力是有限的。当你在注意一件事情的时候，你注意不到其他事情。所以，从抑郁中摆脱出来的方法并不复杂。只要你脑海中的“电影”改变了，你不要再在脑海里放你不喜欢的电影了，去放一部新的、喜欢的电影，就很容易改变这种情况。

英国作家萨克雷有句名言：“生活是一面镜子，你对它笑，它就对你笑；你对它哭，它也对你哭。”确实，不管你生活中有哪些不幸和挫折，你都应以欢悦的态度微笑着对待生活。下面介绍几条原则，只要你反复地认真施行，就可能减轻或者消除你的烦恼。

1. 要朝好的方向想

有时，人们变得焦躁不安是由于碰到自己所无法控制的局面。此时，你应承认现实，然后设法创造条件，使之向着有利的方向转化。此外，还可以把思路转向别的什么事上，诸如回忆一段令人愉快的往事。

2. 不要把眼睛盯在“伤口”上

如果某些烦恼的事已经发生，你就应正视它，并努力寻找解决的办法。如果这件事已经过去，那就抛弃它，不要把它留在记忆里，尤其是别人对你的不友好态度，千万不要念念不忘，更不要说：“我总是被人曲解和欺负。”当然，有些不顺心的事，适当地向亲人或朋友吐露，可以减轻烦恼造成的压力，这样心情会好受一些。

3. 放弃不切合实际的希望

做事情总要按实际情况循序渐进，不要总想一口吃个胖子。有人为金钱、权力、荣誉奋斗，可是，这类东西你获得越多，你的欲望也就会越大。这是一种无止境的追求。一个人发财、出名似乎是一下子的事情，而实际上并不然。因此，你应在怀着远大抱负和理想的同时，随时树立短期目标，一步步地实现你的理想。

4. 要意识到自己是幸福的

有些想不开的人，在烦恼袭来时，总觉得自己是天底下最不幸的人，谁都比自己强。其实，事情并不完全是这样，也许你在某方面是不幸的，在其他方面依然是很幸运的。如上帝把某人塑造成矮子，但却给他一个十分聪颖的大脑。请记住一句风趣的话：“我在遇到没有双足的人之前，一直为自己没有鞋穿而感到不幸。”生活就是这样捉弄人，但又充满着幽默之味，想到这些，你也许会感到轻松和愉快。

5. 悉心享受生活中的每一次小小的喜悦

人是需要享受生命的。无论你多忙，你总有时间选择两件事：快乐还是不快乐。早上你起床的时候，也许你自己还不知道，不过你的确已选择了让自己快乐还是不快乐。

有一位老师教小学生写作文，题目是：快乐是什么。一个小女孩写道：“快乐就是在寒冷的夜晚钻进厚厚的被子里去。快乐就是让自己快乐。”是的，快乐就是让自己快乐。

历史学家维尔·杜兰特希望在知识中寻找快乐，却只找到幻灭；他在旅行中寻找快乐，却只找到疲倦；他在财富中寻找快乐，却只找到纷乱忧虑；他在写作中寻找快乐，却只找到身心疲惫。有一天他看见一个女人坐在车里等人，怀中抱着一个熟睡的婴儿。一个男人从火车上走下来，走到那对母子身边，温柔地亲吻女人和她怀中的婴儿，小心翼翼地不敢惊醒他。这一家人然后开车走了，留下杜兰特深思地望着他们离去的方向。他猛然惊觉，原来日常生活的一点一滴都蕴藏着快乐。

我们大多数人一生中不见得有机会可以赢得大奖，如诺贝尔奖或奥斯卡奖，大奖总是保留给少数精英分子的。理论上来说，每个自由地区出生的孩子都有当上总统的机会，但是实际上，我们大多数人都会失去这个机会。不过，我们都有机会得到生活的小奖。每一个人都有机会得到一个拥抱，一个亲吻，或者只是一个就在大门口的停车位！生活中到处都有小小的喜悦，也许只是一杯冰茶，一碗热汤，或是一轮美丽的落日。更大一点的单纯乐趣也不是没有，生而自由的喜悦就够我们感激一生的了。这许许多多点点滴滴都值得我们细细去品味，去咀嚼。也就是这些小小的快乐，让我们的生命更可亲，更可眷恋。

如果生命的大奖落到你头上，务必心怀感激。但即使它们与你失之交臂，也无须嗟叹。尽情去享受生命的小奖吧！昨日的英雄只是今日的尘土，生命的大奖只是雪泥鸿爪，瞬间消逝，但是那些小小的喜悦却是日常生活中俯拾即是，不虞匮乏的。人生的大喜毕竟少有，可是只要你睁大眼睛与心灵，到处都可以发现，那些小小的喜悦。

※ 快乐大部分并不是享受，而是胜利

在生活中，我们常常会碰到自卑的情形。自卑对自己的成长和发展是不利的，也有碍于与别人的正常交往。卡耐基的处世艺术中，对自卑心理作了较为精辟的说明。

卡耐基曾到芝加哥大学请教罗勃·海南·罗吉斯校长如何获得快乐的问题。罗吉斯回答说：“我一直试着遵照一个小的忠告去做，

这是已故的西尔斯公司董事长西利亚斯·罗山沃告诉我的。他说：‘如果有个柠檬，就把它做成柠檬水。’”

这是一名伟大教育家的做法；而傻子的做法正好相反。要是他发现生命给他的只是一个柠檬，他就会自暴自弃地说：“我垮了。这就是命运，我连一点机会也没有。”然后他就开始诅咒这个世界，让自己沉溺在自怜之中。

可是当聪明人拿到一个柠檬的时候，他就会说：“从这件不幸的事件中，我可以学到什么呢？我怎样才能改善我的情况，怎样才能把这个柠檬做成一杯柠檬水？”

耗费整整一生的时间来研究人类和人们所隐藏的潜在能力之后，伟大的心理学家阿佛瑞德·安德尔说，人类最奇妙的特性之一就是“具有把负变为正的力量”。

耶稣基督降生前五百年希腊人就说过一个真理：“最好的那些东西都是最难得到的。”

在20世纪，哈瑞·艾默生·福斯狄克把这句话又重说了一遍：“快乐大部分并不是享受，而是胜利。”这种胜利来自于一种成就感，一种得意，也来自于我们能把柠檬做成柠檬水。

一位住在佛罗里达州的快乐农夫，他甚至把一个毒柠檬做成了柠檬水。当他买下那片农场的时候，他觉得非常颓丧。那块地坏得使他既不能种水果，也不能养猪，能生长的只有白杨树及响尾蛇。然而他想到了一个好主意，要把他所能拥有的变成一种资产——他要利用那些响尾蛇。他的做法曾使每一个人都很吃惊，因为他正开始做响尾蛇肉罐头。

几年以后，每年来参观他的响尾蛇农场的游客差不多有两万人。他的生意做得非常大，从他养的响尾蛇身上取出来的蛇毒，运送到各大药厂做蛇毒的血清；响尾蛇皮，以很高的价钱卖出去做女人的鞋子和皮包；装着响尾蛇肉的罐头，被送到全世界各地的顾客手里。

这个村子现在已改名为佛州响尾蛇村，以纪念这位先生把有毒的柠檬做成了甜美的柠檬水。

卡耐基推崇的学者威廉·波里索，也就是《十二个以人力胜天的人》一书的作者，曾经这样说过："生命中最重要的一件事就是，不要把你的收入拿来算做资本，因为这是任何一个傻子都会做的；但真正重要的事，是资本要从你的损失里获得。这就需要有才智才行，而这一点也正是一个聪明人和一个傻子的实在区别。"

※ 充满自信可以使我们产生出伟大的力量和勇气来

据说拿破仑一上战场，士兵的力量可增加一倍。军队的战斗力，大半寓于士兵对将帅的信仰之中。将帅显露出疑惧张皇，全军必然要陷于混乱、动摇；将帅的自信，则可以加强他部下健儿的勇气。

人的各部分的精神能力，像军队一样，也应该信赖其主帅——意志。

有坚强的意志，有坚强的自信，往往使得平庸的男女也能够成就神奇的事业，成就那些虽则天分高、能力强，但是多疑虑与胆小的人所不敢染指尝试的事业。

你的成就的大小，往往不会超出你自信心的大小。假如拿破仑自己以为太难的话，他的军队绝不会爬过阿尔卑斯山。同样，在你的一生中，绝不能成就重大的事业，假使你对自己的能力存着重大怀疑的话。

不热烈地坚强地希求成功、期待成功，而能取得成功，天下绝无此理。成功的先决条件，就是自信。

在这世界上，有许多人，他们以为别人所有的种种幸福，是不属于他们的；以为他们是无法得到的；以为他们是不能与那些鸿运高照的人相提并论的。然而，他们不明白，这样的缺乏自信，是会大大减弱自己的生命的。

“假使他想他能够，他就能够；假使他想他不能够，他就不能够。”当然，这一“想”，这一“信心”是要建立在客观规律的基础上，胡思乱想是不行的。

自信心是比金钱、势力、家世、亲友，更有用的条件。它是人生可靠的资本，能使人努力克服困难，排除障碍，去争取胜利。对于事业的成功，它比什么东西都更有效。

假使我们去研究、分析一些有成就的人的奋斗史，我们可以看到，他们在起步时，一定是先有一个充分信任自己能力的坚强自信心。他们的心情意志，坚定到任何困难险阻都不足以使他们怀疑、恐惧。这样，他们就能所向无敌了。

我们应该觉悟到：“天生我材必有用”；觉悟到造物育我，必有伟大的目的或意志，寄于我的生命中；万一我不能充分表现我的生命于至善的境地、至高的程度，对于世界，将会是一个损失——这种意识，一定可以使我们产生出伟大的力量和勇气来。

※ 积极的自我暗示能够提升自己

许多具有真才实学的人终其一生却少有所成，其原因在于他们深为令人泄气的自我暗示所害。无论他们开始想做什么事，总是胡思乱想着可能招致的失败，他们总是想象着失败之后随之而来的羞辱，一直到完全丧失创新精神或创造力时为止。

对一个人来说，可能发生的最坏的事情莫过于他的脑子里总认为自己生来就是不幸之人，命运女神总是跟他过不去。在我们自己的思想王国之外，根本就没有什么命运女神。我们是自己的命运女神。我们自己控制、主宰着自己的命运。

在每个地方，尽管有一些人抱怨他们的环境这也不行，那也不行，没有机会施展自己的才华；但是，就是在这种相同的条件下，也有一些人却设法取得了成功，使自己脱颖而出，天下闻名。

对一个自认为天生就是失败者的人，他能做什么呢？成功是不可能来自于这种失败的思想的，就好像玫瑰是不可能来自于长满杂草的土壤一样。当一个人非常担心失败或贫困时，当他总是想着可能会失败或贫困时，他的潜意识里就会形成这种失败思想的印象，因而，就会使自己越来越处于不利地位。换句话说，他的思想与心态使得他正试图做成功的事情变得不可能了。

我们的幸运或是那种属于我们思想的所谓残酷的命运与我们自己有莫大的关系。我们经常看到我们中间那些能力并不十分突出的人却干得非常不错，而我们自己却与他们有很大的不同，甚或招致大败。我们往往认为有某种神秘的命运在帮他们，而在我们身外有某种东西总是在拖我们的后腿。但是，很可能的事实却是我们的思想和心态有毛病。

可以这么说，我们面临的问题便是根本不知道该如何提高自己。我们对自己不够严格，对自己的要求不够高。我们应当希望自己有更加光辉灿烂的未来，应当认为自己是具有辉煌、超凡潜质的了不起的人物。要敢于很高地评价你自己。因为，如果你是上帝创造的，那么，你必定会继承那些超凡的、全能的潜质，必定会具有上帝的那些特质。

你要全心全意希望自己健康。绝不能容许自己去想可能会有另外的事情落到你头上。一定要拥有健康的心态，你的所思所谈都是健康。一定要对自己说，健康是你生来就该享有的权利。

你也该以同样的态度对待成功。除了成功之外，你绝不应该再想别的事。一定要有成功的心态、思想和行为举止。一定要像一个成功的、先进的人士一样行动，穿着打扮和思想都要表现得像一个成功的、先进人士的样子。务必相信，你心中的图景，你的心态，便是你将可能使之变为现实的图案。

如果你希望自己成为勇敢、豪气干云之士，你一定要坚定地拥有无所畏惧的思想，绝不能害怕任何事情，绝不能使自己成为一个懦夫、一个胆小鬼。

如果你卑怯胆小，容易害羞，那就不妨断言你将再也不会害怕任何人或任何事，你将昂起头来，挺起胸来，你不妨宣示你的男子汉气概或你的巾帼不让须眉的气概，一定要痛下决心加强你品格中的薄弱环节。对畏缩、胆怯和害羞的人来说，如果能展现出另外的神态，如果能表现出自信的样子，对他们往往大有裨益。胆怯、害羞的人不妨对自己说："其他人太忙，不会来操心我或看着我、观察我，即使他们看着我、观察我，对我来说也没什么大不了的。我将按自己的方式行事和生活。"

如果一个人显得孤僻、畏缩和害羞，那么，这种不断地断言"我是"的哲学，这种不断地宣称"我是生来就要有所成就的人，我是将会有所成就的人"，那么，一点点的日常练习，即培植自己承担责任、义务的勇气和自信心的练习，这些无疑能使一个卑怯胆小的人令人惊讶不已地迅速成长为一个坚强勇敢的人。

如果你的父母和教师说你是一个笨蛋，是一个傻瓜，那么，每当你想到这一说法时，你要坚决否认。你要不断地宣称，你并不愚蠢，你有能力，你将向那些不相信你的人们表明，其他人能做的事，你也能做。

你将发现，当你的自信心因为你经常断言你能成为你希冀成为的人而增强的时候，你的能力相应地也会增强。无论其他人如何评价你的能力，你绝不能容许自己怀疑你能做你渴望做的事情的能力，你绝不能对自己能否成为你渴望成为的那种人心存怀疑。尽可能地增强你的信心，在很大程度上，运用自我暗示能使你成功地做到这一点。

个人的自我暗示中有一笔很大的财富，有一笔极大的资本。你在立身行事时，要不断地暗示自己一定会成功，会获得发展、提高。

光是这种发展的声名，光是这种积极进取的声名，光是这种能有所成就的声名，光是这种在社会中举足轻重的声名，就足以抵得上任何事情。

绝不要自轻自贱，绝不要把自己视作一个软弱无能的、不健康的人，而应该把自己视作是完整、完美、完全的化身。绝不能容许自己有可能会一生失败或一生部分失败的念头。

要坚定地宣称自己在世界上将占有一席之地，自己将在这一席之地上像一个真正的人一样生活。一定要训练自己期待成就伟业。在你的行为举止中，绝不要表现出你似乎认为自己一生不会有什么作为的样子。如果你躬行践履并坚定地坚持这种积极的、建设性的、丰富的思想，那么，有朝一日，你的这种心态会使你获得一席之地，并会创造出你所希冀的东西来。一定要相信，没有任何东西无缘无故地发生，这种缘故便是一定的心态或思想。

思想就是力量，正是通过这种思想的力量，我们塑造了我们自己，也塑造了我们的环境。这些细小的力量正不断地雕刻、塑造人的品格，不断地塑造人生。我们不可能摆脱我们的思想，我们必定会实现我们的思想。

※ 我们可以通过思想的力量塑造我们自己

如果不断地肯定自己极其合格，极具力量，极富才干和功效——这些思想和理想能塑造强者，那么，你的精神动力就会得到惊人的发展。

在这种情况下，较之你总是想着那些不愉快的经历的情况，你肯定能更好地利用和发挥你的脑力。不管人们能否正确地了解你，你一定要对自己说："我太伟大了，不可能和那些极端堕落、卑鄙无耻的小人们狼狈为奸、沆瀣一气，我不可能只有他们的那种水平和见识。无论他人怎么待我，我都要像个人样儿。生命实在太丰富了，我没有必要去让那些无关紧要的小事搅乱我平静的心态或破坏我的功效。我必须极其诚实正直地向世人展示我生来就被赋予的品格，展示我与众不同的素质，展示我的真正本质。因为其他人拒绝展示他们真正的自我或不愿转向他们真正的自我，因为他们将他们的时间耗费在那些损害他们的才干和破坏他们的功效的事情上去了，因此，我不敢展示我真正的自我便是毫无道理的。”

如果你的心绪不佳和混乱，如果你感到烦躁不安，如果你与每个人都不和，如果一些小事情就使你气恼不已，那么，你就应该多想一想那些美好的、和谐的事儿，多想一想那些令人高兴的事儿。一定要下定决心，即无论你发生什么事，你都会保持欢愉和平静的心情，你都不会让那些鸡毛蒜皮的小事来愚弄你，你都会努力使你的心理器官保持和谐与协调。

换句话说，你要决心做一个超然于生活琐碎之事之外的人。你要不断地对自己说：“对一个伟大的强者来说，对一个生来就有主宰世界的力量的人来说，被一些琐碎、愚蠢和不足挂齿的小事弄得如此难过，弄得六神无主、方寸全乱是一件多么荒唐的事啊！”你要决心使自己以平静的、泰然自若的、自尊的心情回到你的工作岗位，你要决心使自己善始善终地干完你的工作。如果可能的话，不妨在户外实践一下这种方法，深呼吸几口新鲜空气，你会精神抖擞地、活脱脱像个新人般重又回到你的工作岗位。

你将会发现，花一点时间使自己保持协调将会有多么丰厚的回报。无论你什么时候失去协调，你都要终止手中的工作，你都要坚决拒绝做任何其他的事情，直到你是你自己，你找回了你失去的自我时为止，直到你重又坐在你心灵王国的宝座上时为止。

如果想最充分地施展自己的才华，你就应该使一切事情恢复正常，你就应该严厉对待自己或严格要求自己，你就应该好好地和自己谈谈，就像你希望你的儿子成才时你苦口婆心地和他谈话一样。

一旦你开始从事一件事情时，你就不妨对自己说："现在，我做这件事是最恰当不过了。我必定会取得成功。在这件事情上，我或者表现出我的勇气，或者表现出我的懦弱。我没有任何退路。"

要不断地对自己说一些催人奋发、鼓舞人心的，使人勇敢、坚毅起来的词句或者话语，诸如："给予我面对我必须面对的勇气吧！"

你就会惊异地发现，这种自我暗示多么迅速地就使你重新鼓起了勇气，就使你重新振作起来了。

卡尔就是通过和自己诚心诚意地探讨他的行为举止而获益匪浅的。当他感到自己没有做他应该做的事情时，当他感到自己犯了一些低级、愚蠢的错误时，当他感到在任何交易中没有利用好自己的良好感觉经验和敏锐的判断时，当他感到他的精力和抱负日益颓废时，他就会独自一人去乡村。如果可能的话，他会独自一人去森林，他会按照此种方式和自己开展心与心的交流：

"小伙子，现在你需要全面地和自己谈谈，你需要全面地振作起来。你正在变得退步了，你的标准开始下降了，你的理想变得麻木了。最坏的事情便是，当你的工作干得很糟糕的时候，或者说，当你对你的着装打扮和行为举止异常一点也不在意，表现出一副无所谓态度的时候，你却不像过去那样感到事态严重了。你没有尽心尽力，如果你不严加警惕，你的懒散，你的惰性，你的这些异常行为表现，将会严重地毁了你一生。你正让许多好机会白白地从你的身边溜走，因为你没有你应该有的那种积极进取、紧跟时代发展潮流的精神。

"你的理想需要擦拭。因为它们业已变得灰暗。总之，你开始变得慵懒。你开始喜欢放松自己了。到目前为止，还没有哪个让自己的精力萎靡不振、让自己的标准下降、让自己的抱负烟消云散的人，取得了什么骄人的成就的。小伙子，现在，我打算紧跟在你的身后监督你，直到你公正对待自己时为止。这种放松自己的哲学绝不可能使你达到你起程前往的目的地。你必须认真地检点你自己，否则，你会成为时代的落伍者，你会被时代远远地抛在后面。

“你一定能比现在干得更好。从今天开始，你就应该有这种坚强的决心，即从今晚开始，你就要从你的工作中得到比以前更大的回报，你就要比以前更好地干你的工作。你必定是一个胜利者，要使这成为一个值得纪念的特殊喜庆日子。振奋起来，清除你头脑中的各种陈腐观念，扫掉积在你大脑中的思想尘灰。思考，思考，思考你心中的理想吧！不要像这样稀里糊涂，没精打采地过日子。你只是半醒半活。你赶紧开始行动吧！”

年轻的卡尔每天早晨起来，如果他发现他的标准下降了，如果他感觉到自己有点慵懒和平庸，那么，为了迫使他自己达到一个更高的标准，为了使自己每一天都保持和谐，他会像他所说的那样“责备自己”。这是他最为关心的一件事情。

他不断地责备自己的慵懒、平庸、懒散和缺乏精力。“卡尔，”他对自己说，“现在请振作起来。使今天成为一个重要的日子。不要让任何机会溜走，紧紧抓住，尽量利用今天的每一种可能的机会。尽管承担非常艰难或非常令人不快的责任，如果这种责任中有宝贵的教导，如果这种责任使你更具功效，使你更加自信的话，那么，不要逃避责任。不要逃避任何对你有帮助的事情，不要逃避任何使你变得更为强大的事情。”

他总是迫使自己第一个承担最令人不快的任务，他绝不允许自己逃避困难。“现在，你绝不能怯弱。”他对他自己说，“如果其他人能做的事，你也能做。”

经过数年的这种严格的训练，卡尔取得了了不起的成就。他开始时只不过是一个生活在纽约贫民窟中一户穷苦人家的孩子，没有人对他感兴趣，也没有人鼓励他或抬举他。虽然在孩提时代时他没有多少机会接受学校教育，但是，从他 21 岁开始，他就使自己受到了良好的教育。多年以来，他利用他闲暇的夜晚，利用他的假日，利用他的闲暇零星时间，苦苦钻研一个又一个问题，并依次征服了这些问题，精通了这些问题，一直到他成为一个知识渊博、学富五车的人。

如果你是一个习惯性的担忧者，或多年遭受不幸的经历和忧郁恶魔折磨的人，不妨停下来歇一歇，并对自己说："难道我非得花费我生命中的这么多年的时间，去担忧和焦虑吗？不，绝不！满意或满足是具有神性的每一个人生来就该享有的权利。"

每当你感到恐惧袭上心头时，一定要尽可能迅速地将它排除在心灵之外，并运用无所畏惧和沉着自信这剂良药。想象你自己是绝对无所畏惧的。不妨对你自己说："我不是懦夫。懦夫恐惧、畏缩、怯懦，但我是勇士。恐惧是孩童脆弱的表现。成人是不会恐惧的。我坚决拒绝屈就这一件丢脸的事情。恐惧是一种不正常的心理过程，但我是一个正常人。恐惧不可能影响到我，因为我没有恐惧的思想。我将绝不容许恐惧毁了我的一生。"

并没有主宰人们浮浮沉沉的命运。"我们并不听从命运的安排，我们只听命于我们自己。"人若败之，人必自败。承认自己是低人一等的人，自愿充当低等角色的人，真的是低等的人，因为他认为所有好事都归于别人。世界属于能征服它的人。好事也属于那些能凭借理想的力量和坚强的决心而获得它们的人。根本不存在什么力量将好事分配给它喜欢的少数几个人，而将坏事分配给你我。

要努力去做一个能使自己充满奋发向上、积极进取思想的人，能使自己充满乐观、欢快思想的人，满怀希望的人，唯有这种人才可以说是解决了人生的一大疑团的人。

※　一定要努力克服社交恐惧症

生活当中，你不可避免地要与各种各样的人打交道。社交是展示风采的重要方面，可能需要和重要人物交谈，在公众场合发表你的观点，出现在谈判、酒会、晚宴等各种社交场所。但是，或许你总是不由自主地退却，或硬着头皮去了，却因表现失态而让好机会白白溜走。你懊恼、后悔，可当下一个机会出现的时候，你又开始胆怯、犹豫、心慌、手颤，久而久之，自信心在一次次窘态中消耗殆尽。

在生活中，有些人不仅仅只是面对别人觉得害羞、不好意思，而是对自己以外的世界有着强烈的不安感和排斥感。这种对社交生活和群体的不适应而产生的恐惧和社交障碍在医学领域上被称为一种精神上的疾病——社交恐惧症，也叫社交焦虑症。

不要小看了社交恐惧症，社交恐惧症已是继抑郁症和酗酒之后排名第三的心理疾病。

很多人，特别是女性多数内敛、含蓄，不轻易表达自己的感情。这在很大程度上，影响了社交焦虑症的判定。多半以为这只是性格上的弱点，而不是病态，或者不认为这是一种疾病，或者根本就非常忌讳说这是一种精神疾病。

社交恐惧症的表现形式不仅仅是面对陌生人而手足无措，而且还表现为不能在公众场合打电话，不能在公众场合和人共饮，不能单独和陌生人见面，不能在有人注视下工作等较为极端的行为。在这种恐惧、焦虑的情绪出现时，还常伴有心慌、颤抖、出汗、呼吸困难等症状。

据统计，平均每十人中就有一人为社交恐惧症所苦，但就诊者寥寥无几。不及时治疗的后果是什么呢？许多患者因长期处于人际关系障碍及社交功能丧失的情况下并发了酒瘾、毒瘾或抑郁症等精神疾病。我们每天都要同人打交道，怎能将自己孤立起来呢？

为了赶走社交恐惧症，首先要弄清楚自己的发病原因。专家指出，心理、生理两方面的因素会共同导致社交恐惧症，它的发病是因为人体内一种叫“5-羟色胺”的化学物质失调所致。这种物质负责向大脑神经细胞传递信息。这种物质过多或过少都可引起人们的恐惧情绪。

社交焦虑症还可能是家庭背景所致：从小性格受到压抑或者是父母没有教会他们社交的技能，要么就是搬家过多。或者是心理上的原因所致：自尊心太弱，害怕被别人拒绝；或者就是对自己的外貌没有信心，过分肥胖或长有严重痤疮等。

针对这些原因，专家对社交焦虑症的治疗方法主要有以下几种：

1. 催眠疗法

精神分析师将你催眠，挖掘你心灵或记忆深处的东西，看你是否经历过某种窘迫的事件，试图寻找到你发病的根源。这种疗法时间长，花费也比较大。

2. 强迫疗法

医生让你站在车水马龙的大街上，或者让你站在自己很惧怕的异性面前，利用巨大的心理刺激对你进行强迫治疗。

3. 情景治疗

让你在一个假想的空间里，不断地令你产生发生社交恐惧的场景，不断重复发生症状的情节，精神分析师会不断地鼓励你面对这种场面，让你从假想中适应这种产生焦虑紧张的环境。

4. 认知疗法

这是一种不断灌输观念的治疗方法。医生不断地告诉你，这种恐惧是非正常的，让你正确认识人与人交往的程序，教你一些与人交往的方法。

5. 药物疗法

这是目前被认为是最有效的治疗方法。主要是针对你的发病是因为你体内某种化学物质的失调所致，所以运用某类药物调节平衡。

除了求助于专家，我们还可以通过自身的努力来战胜社交恐惧症。以下方法可供借鉴：

1. 不否定自己，而是积极肯定自己。你可以不断地告诫自己："我是最好的""天生我材必有用"。

2. 不苛求自己。能做到什么地步就做到什么地步，只要尽力了，不成功也没关系。

3. 不回忆不愉快的过去。过去的就让他过去，没有什么比现在更重要的了。

4. 友善地对待别人。助人为快乐之本，在帮助他人时能忘却自己的烦恼，同时也可以证明自己的价值存在。

5. 找个倾诉对象。有烦恼是一定要说出来的，找个可信赖的人说出自己的烦恼。可能他人无法帮你解决问题，但至少可以让你发泄一下。

6. 每天给自己几分钟的思考时间，不断总结自己才能够不断面对新的问题和挑战。

7. 到人多的地方去，让不断过往的人流在眼前经过，试图给人们以微笑。

※ 战胜当众说话的畏惧和胆怯心理

要想获得自信心、勇气以及能力，以便在向人们发表谈话的同时能够冷静而清晰地思考，这并不像大多数人所想象的那般困难。这就如同你打高尔夫球一样，任何人都可以发展出他潜在的能力，只要他有想要如此做的充分欲望就行。

卡耐基的一生几乎都在致力于帮助人们克服谈话和演讲中畏惧和胆怯的心理，培养勇气和信心。在"戴尔·卡耐基课程"开课之前，他曾作过一个调查，即让人们说说来上课的原因，以及希望从这种口才演讲训练课中获得什么。调查的结果令人吃惊，大多数人的中心愿望与基本需要都是基本一样的，他们是这样回答的：“当人们要我站起来讲话时，我觉得很不自在，很害怕，使我不能清晰地思考，不能集中精力，不知道自己要说的是什么。所以，我想获得自信，能泰然自若，当众站起并能随心所欲地思考，能依逻辑次序归纳自己的思想，在公共场所或社交人士的面前侃侃而谈，富有哲理且又让人信服。”

卡耐基认为，要达到这种效果，获得当众演讲的技巧，我们不妨借别人的经验鼓起勇气。不论是处在任何情况、任何状态之下，绝没有哪个人是天生的大众演说家。历史上有些时期，当众讲演是一门精致的艺术，必须谨遵修辞法与优雅的演说方式。因而，要想做个天生的大众演说家那是极其困难的，是经过艰苦努力才能达到的。现在我们却把当众演说看成一种扩大的交谈。以前那种说话、动作俱佳的方式，如雷贯耳的声音已经永远过去。我们与人共进晚餐、在教堂中做礼拜，或看电视、听收音机时，喜欢听到的是率直的言语，依常理而构思，专注地和我们谈论问题，而不是对着我们空空而谈。

当众演说不是一门闭锁的艺术，并不是容易学的知识，必须经过多年的美化声音训练，以及苦学修辞学多年以后才能成功。平常说话轻而易举，只要遵循一些简单的规则就行。

对于这一点，卡耐基有深刻的体验。1912 年，他在纽约市青年基督协会开始教授学生时，讲授那些低年级的方法，同他在密苏里州的华伦堡上大学时受教的方式大同小异。但是他很快发现，把商界中的大人当成大学新生来教是一种很大的失误，对演说家韦伯斯特、柏克匹特和欧康内尔等一味模仿也毫无裨益。因为学生们所需要的并不是这些，而是在下回的商务会议里能有足够的勇气直起腰来，作一番明确、连贯的报告。于是他就把教科书一股脑儿全抛掉，用一些简单的概念和那些学生互相交流和切磋，直到他们的报告词达意尽、深得人心为止。这一招果然奏效，因为此后他们一再回来，还想学得更多。

在卡耐基的一生中，所收到的感谢信可以堆积如山。它们有的来自工业领袖们，有的来自州长、国会议员、大学校长和娱乐圈中的名人们，有的来自家庭主妇、牧师、老师、青年男女们，有的则来自各级主管人员、技术纯熟或生疏的劳工、工会会员、大学生和商业妇女等。所有这些人都感到需要自信，需要有在公开场合中表达自己的能力，好让别人接纳自己的意见。他们在达到目的之后，就满怀感激地抽空给卡耐基写信，以表示谢意。

根特先生是费城一位成功的生意人，有一次下课以后，他邀请卡耐基共进午餐。餐桌上，他倾身向前说："卡耐基先生，我曾避开各种聚会中说话的机会，但是如今我当选为大学里董事会的主席，必须主持会议。你觉得，我在这半百之年，是否还可能学会当众演说？"卡耐基说："先生，你一定会成功的。"

三年以后，他们又在那个地方共进午餐。卡耐基提起从前的谈话，问他当初的预言是否已经实现。他微微一笑，从口袋中拿出一本小小的红色笔记本，给卡耐基大师看他往后数月里排定的演说日程表。"有能力作这些讲演，讲演时所获得的快乐，以及我对社会能够提供的额外的服务——这一切都是我一生当中最高兴的事。"他承认道。接着，根特先生又得意洋洋地亮出王牌。他那教堂里的人，邀请英国首相前来费城，在一次宗教会议上演说。英国首相很少到美国来，而负责介绍这位政治家的不是别人，正是根特先生。就是这位先生，三年前还在这张桌边倾身问卡耐基，他是否有朝一日能够当众讲话呢？他的演讲能力进步如此神速，在卡耐基看来，就同他的心理素质及自我认识的改变密切相关。

有一位叫寇蒂斯的医生，是位热心的棒球迷，经常去看球员们练球。不久，他就和球员成为好朋友，并被邀请参加一次为球队举行的宴会。在侍者送上咖啡与糖果之后，有几位著名的宾客被请上台“说几句话”。突然之间，在事先没有通知的情况下，他听到宴会主持人宣布说：“今晚有一位医学界的朋友在座，我特别请寇蒂斯大夫上来向我们谈谈棒球队员的健康问题。”他对这个问题是否有准备呢？当然有，而且可以说他是对这个问题准备最充分的人，因为他是研究卫生保健的，已经行医30余年。他可以坐在椅子里向坐在两旁的人侃侃而谈这个问题，可以谈一整个晚上。但是，要他站起来讲这些问题，而且对象只是眼前的一小部分人，那却是另外一个问题了。这个问题令他不知所措，他心跳的速度加快了一倍，而他每一沉思，心脏就立即停止跳动。他一生中从未作过演讲，而他脑海中的记忆，现在仿佛全长着翅膀飞走了。他该怎么办呢？宴会上的人全在鼓掌，大家都望着他，他摇摇头，表示谢绝。但他这样做反而引来了更热烈的掌声，纷纷要求他上台演讲。“寇蒂斯大夫！请讲！请讲！”的呼声愈来愈大，也更坚决。他处在极为悲怯的情况下。他知道，如果他站起来演讲一定会失败，他将无法讲出完整的五六个句子。因此，他站起身来，一句话也没说，转身背对着他的朋友，默默地走了出去，深感难堪，更觉得是莫大的耻辱。

他回到布鲁克林的第一件事就是报名参加卡耐基的演讲训练课程。他不愿再度陷入脸红及哑口无言的困境了。像他这样的学生，是老师最高兴碰到的，因为他有极为迫切的需要。他希望拥有演讲的能力，他对这项欲望毫无二心，能彻底地准备自己的讲稿，心甘情愿地加以练习，从不漏掉训练课程中的任何一课。通过努力练习，进步的速度令他自己都感到惊讶，并且超越了他最大的希望。在上过最初的几节课后，他紧张的情绪消失了，信心愈来愈强。两个月后，他已成为班上的明星演讲家，不久就开始接受邀请，前往各地演讲。他现在很喜欢演讲的感觉及那份欢喜，以及所获得的荣誉，更高兴从演讲中结交到更多的朋友。纽约市共和党竞选委员会的一名委员，在听过寇蒂斯大夫的一次演说之后，立即邀请他到全市各地为共和党发表竞选演说。要是这位政治家知道，在一年以前他所欣赏的这位演讲家曾经在羞愧与困惑的情况下离开一个宴会，并且是因为他张口结舌，说不出话来，害怕面对观众，那么，这位政治家一定会大吃一惊的。

类似的奇迹在卡耐基先生的演讲口才训练班上很多。许多人由于参加这项训练而改变了自己的命运。其中，有好多人在自己的岗位上获得了远远超过自己所希望的擢升，在商业上、事业上和社会上达于显赫的地位。也因为如此，卡耐基认为，在正确的时刻，一场演说就足以使大功告成。因为在这样一场演说中，受训者就可以借助别人的经验，克服不良心理，获得演讲的信心、勇气和技巧。

卡耐基指出，当众说话需要遵循正确的方法。其方法有以下三个要点：

1. 融于自己的题材中

选好题材后，依语言的顺序加以整理，并在朋友面前“预演”。但仅这样的准备是不够的，你还得相信自己的题材具有价值，你应具备那些伟人们所拥有的品质——坚定自己的信念。如何才能煽动自己生起自信之火呢？深入挖掘题材，把更深层次的内容展现到听众面前，并且自问说：我如何才能让听众信服，如何才能让我的演讲对他们有所启发？

2. 避免自己有反面的想法

什么是反面的想法呢？举例来说：设想自己的修辞会出现错误、语句不通顺，或是在演讲中出现卡壳的现象，这都是反面的假想。这些负面情绪很可能在你未登台前，就先将你的自信消耗殆尽。在开始演讲之前，你最需要做的，就是把思想从自己身上转移开，将全部的注意力都投入到听众身上，这样就不会为登台的恐惧所击溃了。

3. 给自己打气

除非怀抱有某种远大的理想，并坚信自己可为之付出生命，否则任何人都会有怀疑自己观点、题材的时候。他会问自己，这题目适合我吗？听众们会不会感到厌烦？甚至有些人会在惶惑之下，临场修改题目。这种疑惑实际上会毁掉人们的自信，使他们被恐惧所征服。当你也处在同样的情况下时，你就该为自己作一番精神上的鼓励。用简洁、直白的口吻告诫自己，这个题目就是为你量身定做的，因为它来自于你的内心，是你生活经验的积累，反映了你对生命的看法。告诉自己，你比任何人都有资格来做这次演讲，告诉上帝，你也确实将全力以赴，把它阐述得淋漓尽致。也许你要问，这种老套的方法真的管用吗？卡耐基会回答："是的，也许管用。"现代的心理学家都认同这一点——由自我启发而产生的动机。即使你只是在自我催眠，但也是最强有力地快速刺激自己的好方法。那么，凭借着这种心态全神贯注地投入到你的演讲当中去，又怎么会再被恐惧缠身呢？

※　进行积极的心理暗示，让自己勇敢起来

美国著名的心理学家威廉·詹姆斯曾这样写道："人们认为行动总是跟随在感觉之后，但实际上行动与感觉是并存的关系。行动为人们的意志所制约，借着制约行动，我们可以间接地制约感觉，感觉并不受意志的直接控制。"

因此，假使我们不再感到快乐，那么唯一的改变方法就是，愉快地睡觉、吃饭、谈话，尽量从行动上表现出快乐来。如果这样都不能改善你的心情，那么也就别无良方了。

让自己勇敢起来，哪怕只是从行动上表现出来。人们总是惯于自我催眠。行动可以间接影响到你的感觉，调动你所有的意志来达成这个目标，那么勇气也就会取代恐惧了。

听取卡耐基的劝告吧。为了鼓起勇气，当你走上讲台时，不妨就摆出一副生气勃勃的样子来。当然，如果你事先毫无准备，那么无论你如何伪装，仍然毫无作用。相反，如果你已准备妥当，那就做深呼吸，然后迈开大步上台吧。事实上，面对听众前，本来就应该深呼吸三十秒，这样有助于清醒你的大脑，消除紧张感。杰出的男高音歌唱家德·雷斯基常说，你若气填胸膛，便可以“携气而坐”，紧张感自然无影无踪。

卡耐基建议我们站直身子，平视你的听众们并且看着他们的眼睛，然后大声地讲演，就像你面对着一群欠债人一样。假装台下的人都欠你的钱，假装他们站在那儿是为了让你宽延还债的期限。这种心理暗示将对你大有帮助。

我们看一个美国人的话吧，他一直被人视为勇气的象征。他也有胆怯的时候，但他决心只依靠自己，经过不懈地坚持努力后就成了知名的勇士。他就是反对托拉斯，以言论左右听众，手里挥舞着权杖的前美国总统——罗斯福。

在自传中，罗斯福这样写道：“我曾是个体弱多病且笨拙的孩子。年轻的时候，我常处于一种紧张状态，对自己也没有信心，不得不艰苦地训练自己。这种训练不是单指身体，也包括了灵魂和精神。”

罗斯福说了自己蜕变的过程和原因。他写道：

“我在马利埃的书中读到这样一段话，令我印象极其深刻，并时时将它记在心里。这段话是一位小型英国军舰的舰长，向主角解释如何才能顶天立地、无畏无惧地生活。他说，最初要行动时，每个人都会紧张不安，不过他不应让这种恐惧感蔓延下去，他所应采取的方法就是控制自己，让自己表面上若无其事。这样持之以恒，假装就能转换为现实。他只不过练习坚强的精神，但这种练习却让他变成了真正的勇者。

“这便是我训练自己的理论。最初，我什么都怕，从大灰熊到野马，以及猎枪，无一不怕，可我尽量让自己做出不怕的样子来。渐渐地我不再恐惧。人们若是愿意，也可以像我一样。”

卡耐基指出，克服当众说话的恐惧，对我们做任何事都会有极大的助益。那些接受这项挑战的人，会发现自己已渐渐改变，不仅战胜了当众说话的恐惧，还脱胎换骨，渐入佳境。

一个推销员这样写道：“在班上站起来演讲过几次后，无论面对任何人我都能应付自如了。某天早上我走到一家特别凶悍的买主面前，他还没来得及说个‘不’字，我已经把货物在他面前摊开了。结果，他预订了一大笔订单。”

一位家庭主妇这样告诉卡耐基说：“我从前不敢请邻居来家里做客，因为我怕自己不能使宾主尽欢。但是上过几次您的课，并且站在讲台上当众说话后，我开了第一场宴会，并以圆满告终。我周旋于宾客之间，使他们感到宾至如归，兴味十足。”

在卡耐基培训班的毕业班上，一个学员站起来说：“以前我最害怕顾客，我给他们留下的是战战兢兢的坏印象。在班上演讲过几次后，我说起话来有了自信，也更从容了。我开始能理直气壮地提出自己的意见了。在我来此上课一个月后，我的销售业绩提高了45%。”

为什么会有这么大的进步呢？因为他们意识到，恐惧和焦虑并非不可战胜。曾经叫他们一筹莫展的事情，现在则变得轻而易举。他们能够从当众演讲中获取经验和自信，从而满怀希望地面对每一天。这并不困难，你也一样可以做到。以全新的面貌去对待生活和工作，迎战接踵而来的一切困难和挑战。对你来说，曾经的难题，现在也许会变成一种愉快的挑战。

第四章　豁达忍让，宽容地对待每个人

一个想要成就一番大事业的人，必须想方设法避免不必要的冲突，千方百计地消除各种矛盾，使自己有一个宽松和谐的工作和生活环境。

——戴尔·卡耐基

在人生的道路上能谦让三分，即能天宽地阔，消除一切困难，解除一切纠葛。

——戴尔·卡耐基

不会宽容人的人，是不配受到别人的宽容的。

——戴尔·卡耐基

※　想与人融洽相处，就多多附和别人

卡耐基指出：许多事情不那么容易用经验加以检验。如果你像大多数人一样在许多这类事情上有颇为激烈的主张，也有一些办法可以帮你认识自己的偏见。如果你一听到一种与你相左的意见就发怒，这就表明，你已经下意识地感觉到你那种看法没有充分理由。如果某个人硬要说“2 加 2 等于 5”，或者说“冰岛位于赤道”，你就只会感到怜悯而不是愤怒；除非你自己对数学和地理也是这样无知，因而他的看法竟然动摇了你的相反的见解。最激烈的争论，是关于双方都提不出充分证据的那些问题的争论。

迫害见于神学领域而不见于数学领域。因为数学问题是知识问题，而神学问题则仅是见解问题。所以，不论什么时候，只要发现自己对不同的意见发起火来，你就要小心，因为一经检查，你大概

就会发现，你的信念并没有充分证据。

不成功的人士喜欢仅仅为了争论而争论——挑起争端，或者使其他人失去心理平衡。那些挑起争端的人也许会想，此刻朋友们和同事们会对他们的机敏与智慧留下深刻的印象。美国众议院著名发言人萨姆·雷伯说道：“如果你想与人融洽相处，那就多多附和别人吧。”他的意思不是说你必须同意别人所说的一切；而是说，你不可能一方面无休止地激恼别人，而另一方面又指望别人来帮助你。结束了一天工作后的人们，不喜欢把时间花费在无休止的争论上。如果此刻你挑起争端，他们会回避你，而你将会发现，你已被其他好争辩的失败者们所包围。

林肯早年因出言尖刻而几致与人决斗。随着年岁渐增，他亦日趋成熟，在非原则问题上总是避免和人发生冲突，他曾说：“宁可给一条狗让路，也比和它争吵而被它咬一口好。被它咬了一口，即使把狗杀掉，也无济于事。”我们在遇到某些不讲理的人时，如果不争论也无关紧要，不存在大是大非的问题，那么就向林肯学习，还是避免和人发生冲突的好。

日常生活中，争论是常有之事。但是，十之八九，争论的结果会使双方比以前更相信自己绝对正确。你赢不了争论。要是输了，当然你就输了；如果赢了，还是输了。为什么？如果你的胜利使对方的论点被攻击得千疮百孔，证明他一无是处，那又怎么样？你会觉得洋洋自得。但他呢？你使他自惭。你伤了他的自尊。他会怨恨你的胜利。而且——“一个人即使口服，但心里并不服”。

潘恩为人寿保险公司立下了一项铁则：“不要争论。”

真正的推销精神不是争论。人的心意不会因为争论而改变的。

拿破仑的家务总管康斯丹，在《拿破仑私生活拾遗》中，写到拿破仑和约瑟芬打桌球时曾说：“虽然我的技术不错，但我总是让她赢，这样她就非常高兴。”

我们可以从拿破仑身上学到颠扑不破的教训。让我们的顾客、情人、丈夫、太太，在琐碎的争论上赢过我们。

卡耐基指出：普天之下，只有一个办法可以从争论中获得好处——那就是避免它。避开它！像避响尾蛇和地震一般。十有九次，争论的结果总使争执的双方，更坚信自己绝对正确。不必要的争论，不仅会使你丧失朋友，还会浪费你大量的时间。

※ 如何避免没有结果也毫无意义的争论

避免争论可以节省你的大量时间与精神，使你投入到完善你的观点和实践你的观点的工作中去。完全没有必要浪费太多的精神去干那种没有结果也毫无意义的事情。少去了面红耳赤的争论，只会使双方尊重对方，从而增进友谊，有利于思想交流、意见的转换。

避免争论，大致可以从以下几方面做起：

1. 对不同的意见进行选择

当你与别人的意见始终不能统一的时候，这时就要求舍弃其中之一。人的脑力是有限的，有些方面不可能完全想到，因而别人的意见是从另外一个人的角度提出的，总有些可取之处；或者比自己的更好。这时你就应该冷静地思考，或两者互补，或择其善者而从之。如果采取了别人的意见，就应该衷心感谢对方，因为有可能此意见使你避开了一个重大的错误，甚至奠定了你一生成功的基础。

2. 要认识到直觉是不可靠的

每个人都不愿意听到与自己不同的声音。每当别人提出与你不同的意见，你的第一个反应是要自卫，为自己的意见进行辩护并去竭力地找根据。完全没有必要。这时你要平心静气地，公平、谨慎地对待两种观点（包括你自己的），并时刻提防你的直觉（自卫意识）对你做出正确抉择的影响。值得一提的是，有的人脾气不大好，听不得反对意见，一听见就会暴躁起来。这时就应控制你的脾气，让别人陈述观点。不然，就未免气量太窄了。

3. 倾听为上策

每次对方提出一个不同的观点，不能只听一点就开始发作了。要让别人有说话的机会，一是尊重对方，二是让自己更多地了解对方的观点，好判断此观点是否可取，努力建立了解的桥梁，使双方都完全知道对方的意思，不要弄巧成拙，否则的话，只会增加彼此沟通的障碍和困难，加深双方的误解。

4. 审慎地对待意见

在听完对方的话后，首先想的就是去找你同意的意见，看是否有相同之处。如果对方提出的观点是正确的，应放弃自己的观点，而考虑采取他们的意见。一味地坚持己见，只会使自己处于尴尬境地。因为照此下去，你只会做错。而到那时，给你提意见的人会对你说："早已给你说了，还那么固执，知道谁是对的了吧！"这时，自己怎么下台？所以为避免出现这种情况，最好是给对方一点时间，把问题考虑清楚，而不要诉诸争论。建议当天稍后或第二天再交换意见。这使双方都有时间，把所有事实都考虑进去，才可能找出最好的方案。这时就应进行一下反思：别人的意见，可不可能是对的？还是部分是对的？他们的立场或理由有没有道理？自己的反应到底在减轻问题还是只不过在减轻挫折感而已？自己的反应会使对方远离我还是亲近我？自己的观点会不会提高别人对我的评价？如果自己不提出意见，别人的意见是否会对自己不利？自己撤回意见，是不是会令整个计划失败？多问一下自己也许会找到解决的办法。

5. 真诚对待对方

如果对方的观点是正确的，就应该积极地采纳，并主动指出自己观点的不足和错误的地方。这样做了，有助于解除反对者的武装，减少他们的防卫，同时也缓和了气氛。同时要明白，对方既然表达了不同的意见，表明他对这件事情与你一样地关心。因而不要把他们当作防卫的对象，不能因为提出了不同的意见就把他们当作“敌人”。反而应该感谢他们的关心和帮助，这样，本来也许是反对你的人也会变成你的朋友。

一位先生与他的太太生活了 50 年之久而没有任何争吵。他说：“我太太和我订了一个协议——当一个人大吼的时候，另一个人就静听。”

这就是卡耐基教给我们的交际战术：永远避免争吵。

6. 选择“仁厚”而非“正确”

在生活中，你有很多机会去“纠正”某人，既可在人前，也可以在私下。所有这些都会成为使别人感到不舒服并且在此过程中使你自己也不舒服的机会。

无须进行过多的精神分析便知道，我们试图压倒别人，纠正他们，或向他们显示我们是多么正确，而他们是错误的原因是，我们的“自我”错误地认为，如果指出别人是多么不正确，那我们就一定是对的，并且因此我们会感觉好些。

而实际上，如果你留意一下你压倒别人后的感觉，你将会注意到，你比压服别人之前感觉还糟。你的心灵知道，以牺牲别人为代价是不可能感觉良好的。

幸亏其相反的一面才是事实——当你的目标是去确立人们的名誉，使他们感觉更好，去分享他们的喜悦时，你也会获得他们情感的回报。下次有机会去纠正某人，即使他们的行为有点离谱，你也要抵制住这一诱惑。相反的，问你自己：“我到底想从这种交流中获得些什么呢？”很有可能，你想要的不过是使双方都感觉良好、平和地交流，每次你抗拒住“要做正确的一方”，而去选择仁厚，你将会留意到其中的平静祥和之感。

不要将这一策略同成为一个软弱无能的人或不捍卫自己的信仰的人相混淆。不是说你正确是不对的，只是说如果你坚持自己是正确的，那常常要付出代价——你自己内心的平静。要想成为一个充满平静祥和之感的人，你必须在大部分时间里选择仁厚而不是正确。最好的起点便是你下次同别人的谈话。

※ 让别人“正确”，使自己快乐

在生活中，你所能问自己的最重要的问题之一就是：“我是想要‘正确’呢，还是想要快乐？”很多时候，这两者是相互排斥的！

成为正确者，为我们的观点辩护，这耗费了大量脑力并常常使我们同我们生活中的人们疏远。想要成为正确的一方或希望别人是错的，这促使别人对我们设防，并施加压力使我们一直处于防御状态。然而，我们许多人花费大量的时间和精力以证明（或指出）我们是对的，或者别人是错的。许多人，有意识或无意识地认为指出别人见解、言论和观点的错误是他们的职责，并且希望这样做，被纠正的人多少会感谢他，或至少学到些东西。

错了！

想想看，你是否曾经被某人纠正，而你却对那个尽力显示自己正确的人说：“谢谢你向我指明我错了而你是对的。现在我明白了。朋友，你真棒！”或者，当你纠正你认识的某人，或牺牲他们以使你自己“正确”时，他们曾感谢过你（或甚至同意你的话）吗？当然没有。事实是，我们所有人都讨厌被纠正。我们都希望自己的观点被尊重并被他人所理解。被倾听或聆听是人类心灵的强大欲望之一，并且那些学会去倾听的人们备受爱戴和尊敬，那些习惯于纠正别人的人常常被讨厌和回避。

并不是说想要正确总是不适当的——有时你真心诚意地想要或希望如此。也许有某些你不想让步的哲学观点，比如当你听到一种种族歧视的言论，这时，讲出你的意见是很重要的。然而，通常地，正是你的自负爬进来并毁了本该是平静的对话——这就是想要或需要成为正确一方的习惯。

变得更平和可爱的一个很棒的、诚挚的策略就是让别人得到作为正确一方的喜悦，给他们这一荣誉。不再去纠正别人，正如改变这一习惯很艰难一样，它所需花费的任何努力和实践也都是值得的。当别人说“我真的觉得做……很重要”时，不要插进来说“不，做……更重要”或其他的抢白形式，而是仅仅随他去并让他们的言论成立。你生活中的人们将会变得较少敌对并更加友爱。他们将会超乎你所能想象地欣赏你，即便他们都不知道为什么。你将会发现参与和目睹他人快乐的喜悦，这比自负的争斗更有价值得多。你不必牺牲你最深层的哲学真理或大部分信念，但是，从今往后，大部分时间让别人去“正确”吧！

※ 尽量把批评转变为容忍和尊重

当我们评价或批评某人时，这说明不了那个人什么；它仅仅说明我们自己有批评的需求。

如果你参加了一个集会并且聆听了所有施加在别人身上的、具有代表性的评论，回到家后，考虑一下所有这些评论对于使我们这个世界更美好会有多大助益，你可能会得出和我一样的结论：没有！它毫无帮助。但这还不是全部。进行批评不但解决不了任何问题，而且还会给我们的世界添加愤怒和不信任。毕竟，我们中没有人喜欢受到批评。我们对批评的反应会使我们自我防御和退缩。一个觉得受到攻击的人很可能会做出以下两件事之一：他会带着畏惧或羞愧退却，或者他会愤怒地回击或痛斥。有多少次你批评某人，而此人对你的反应是说“非常感谢你指出了我的缺点，我确实感谢你能这样做”呢？

批评同诅咒一样，实际上只不过是个坏习惯。它是我们惯于去做的事情，我们熟悉它的感觉。它使我们忙乱并提供给我们谈资。

然而，如果你花点时间在你批评他人之后马上留意一下你的感觉，你会注意到你将感受到一丝矮小和羞愧，就如同你是这个被攻击的人一样。其原因在于当我们批评他人时，等于在向世界和我们自己宣告："我有批评的需求。"这不是我们通常会引以为自豪的事。

解决的办法就是在进行批评的时候把握住自己。注意你越经常这样做，就会感觉越糟。所以有必要把批评转变为容忍和尊重。

※ 将"吹毛求疵"作为一个坏习惯注销掉

生活中，似乎到处都有吹毛求疵的人。"吹毛求疵"不是使我们欣赏我们的人际关系和生活，而是鼓动我们认为生活并不尽如人意。在我们的人际关系中，"吹毛求疵"的典型表现是这样的：你遇到某人且他一切都好。你被他或她的外表、个性、智慧、幽默感，或这些品质的某种结合所吸引。开始时，你不但赞同此人与你的不同之处，你实际上是欣赏它们，你甚至会被这个人所吸引，部分是因为你们是多么的不同。你有与他不同的观念、喜好、品味和优势。

然而，过了一段时间，你开始注意到你的新搭档（或朋友、老师、任何人）有些小缺陷，你认为应该能够有所改善。你使他们注意到这一点。你也许会说："你知道，你确实有迟到的倾向。"或是"我已注意到你不大看书。"关键是，你已开始不可避免地转入一种生活方式——寻找和考虑某人身上你不喜欢的地方，或不十分正确的方面。

显然，一个偶然的言论，建设性的批评，或有助益的引导并不会招致警觉。然而，卡耐基指出："我不得不说，这几年同成百的夫妇相接触的过程中，我很少遇到某人不是觉得他们时时在被他们的伴侣'吹毛求疵'。偶尔的、无害的言论会不知不觉地发展成看待生活的一种方式。"

当你要去"挑剔"另一个人时，这表明不了别的，它确实只表示你是那个需要被批评的人。

无论你是否对你的人际关系或生活的某些方面吹毛求疵，还是两者都有，你所需要去做的，只是将“吹毛求疵”作为一个坏习惯而注销掉。当这个习惯偷偷侵入你的思想，把握住自己并封上你的嘴，你越不常去挑剔你的伙伴或朋友，你就越能注意到你的生活确实十分美好。

※ 尽量化解矛盾，避免冲突

有人批评林肯总统对待政敌的态度：“你为什么要试图让他们成为朋友呢？你应该想办法去打击他们，消灭他们才对。”

“我难道不是在消灭政敌吗？当我使他们成为我的朋友时，政敌就不存在了。”林肯总统温和地说。

看来林肯非常懂得化解矛盾、搞好人际关系的秘诀。一个人即使为协调人际关系做出了很多努力，事实上仍然不能完全免除同别人的冲突。只要人们之间发生交往，就会或多或少产生矛盾，这是由人的天性所决定的。

卡耐基指出，发生矛盾的原因不外乎这么几点：

1. 观点不同

这是人们之间发生冲突的最主要的原因，多见于领导成员之间，也经常发生在学术界。古人云：道不同不相为谋。由于对同一个问题产生不同的看法，人们之间便相互产生矛盾和隔阂，进而导致双方互存偏见，相互攻击，以至发展到势不两立的地步。

2. 趣味相异

这类冲突多发生在同事之间、邻里之间。不同的人有不同的趣味和爱好，有不同的优点和缺点，甲所崇尚的东西乙未必就崇尚，乙所追求的东西甲可能嗤之以鼻。世界上没有两片相同的树叶，也没有两个志趣完全相同的人。俗话说：物以类聚，人以群分，志趣不同的人是难以建立密切的联系的。

3. 感情不和

这类冲突主要发生在亲属之间，如夫妻矛盾、婆媳矛盾、父母与儿女之间的矛盾等。家庭是一个人生活的主要场所，如果后院经常起火，一个人是难以把精力和注意力全部投入到事业上的。一个在事业上建立了辉煌成就的人，必定离不开家庭的支持。一个成功的男人背后必定有一个做出巨大牺牲的女人，反之亦然。

4. 个性抵触

性格、气质不同甚至相反的人，相互之间也会产生冲突。例如一个急性子人，会看不惯一个慢性子人做什么事都磨磨蹭蹭；一个慢性子人，又会抱怨一个急性子人干什么都风风火火，总之，这两种人常常互相不能理解和谅解，结果便产生一些矛盾。

5. 产生误会

人和人相处，即使主观上不想发生摩擦，但仍然难以避免产生一些误会，有些误会甚至还是根深蒂固、难以消除的。

6. 发生纠纷

生活中有些冲突是隐性的，比如志趣不同的两个人之间的冲突未必就公开化，但是也有不少矛盾是会激化的。例如同事之间、邻里之间，甚至两个陌生人之间，都往往会因一点小矛盾而发生显性的冲突，轻则产生口角，重则拳脚相加，以至于发展到不共戴天之仇。

产生矛盾的原因有很多，但是归根结底还是由于诸如狭隘自私、敏感多疑、刚愎自用等人性的弱点造成的。人们思考和处理问题往往习惯于从自我出发，平时疏于同别人理解和沟通，因而出现矛盾后，总认为真理在自己手中，别人都是错的。

发生这样那样的冲突应该说对双方都是不利的，必然会对各自的事业产生消极的影响。一个想要成就一番大事业的人，必须想方设法避免不必要的冲突，千方百计地消除各种矛盾，使自己有一个宽松和谐的工作和生活环境。

那么，一个想成就一番大事业的人，如何才能防止同别人产生冲突呢？

1. 要胸怀宽广，高瞻远瞩，凡事讲大局，讲风格，讲团结，调动一切积极因素，为一个共同的目标而努力。

2. 要注意调查研究，及时掌握员工的思想动态，努力化解各种矛盾，防患于未然，减少或完全消除人们之间的隔阂。

3. 以理解的眼光看别人，懂得大千世界是五彩缤纷的，人也是各种各样的。别人不可能完全同我们有一样的志趣，我们不能像要求自己那样要求别人，每个人都有自己的个性和特点，有不同的长处和短处。

4. 宽容别人的过错，明白世上没有十全十美的人。包括自己在内，谁都有缺点，谁都有可能犯错误，要给别人改正错误的机会，就像希望别人也原谅自己的过失一样。

5. 对别人不要求全责备。要小事糊涂，大事明白，记住水至清则无鱼。对别人要求过高就会曲高和寡，对别人太苛刻就会拒人于千里之外，对别人横挑鼻子竖挑眼，就没有人同我们共事。

6. 除非是涉及原则性的问题要搞清楚是非曲直之外，对一些无关紧要的事，不能抓住不放，要大事化小，小事化了，甚至有意装糊涂。绝不应简单问题复杂化，本来没有多大的事，却非要弄个水落石出，论出个我是你非，那只能是天下本无事，庸人自扰之。

7. 冤家宜解不宜结。即使有了矛盾，也应开诚布公，想方设法寻求理解和沟通，就事论事，不要把矛盾扩大，要勇于作自我批评，以自己的真诚换取别人的理解。

总之，化解矛盾要首先从自己做起，记住你如何对待别人，别人也会如何对待你，要走进别人的心灵，自己就要首先敞开胸怀。

※ 善于检讨自己，而不是追究别人的错误

卡耐基认为，不论你用什么方式指责别人，如用一个眼神，一种说话的声调，一个手势等，或者你告诉他错了，你以为他会同意你吗？绝不会！因为你直接打击了他的智慧、判断力、荣耀和自尊心，这反而会使他想着反击你，绝不会使他改变主意。即使你搬出所有柏拉图或康德的逻辑，也改变不了他的己见，因为你伤了他的感情。

因此，永远不要这样开场：“好，我证明给你看。”这句话大错特错，这等于是说：“我比你更聪明。我要告诉你一些事，使你改变看法。”那是一种挑战。那样会揭起战端，在你尚未开始之前，对方已经准备迎战了。

即使在最温和的情况下，要改变别人的主意都不容易。为什么要采取更激烈的方式使他更不容易呢？

为什么要使你自己的困难增加更多呢？如果你要证明什么，不要让任何人看出来。这就需要运用技巧，使对方察觉不出来。

“必须用若无实有的方式教导别人，提醒他不知道的事情好像是他忘记的。”三百多年前意大利天文学家伽利略说，“你不可能教会一个人任何事情，你只能帮助他自己学会这件事情。”

正如英国19世纪政治家查士德·裴尔爵士对他的儿子所说的：“如果可能的话，要比别人聪明，却不要告诉人家你比他聪明。”

苏格拉底在雅典一再地告诫门徒：“我只知道一件事，就是我一无所知。”

我们不能奢望比苏格拉底更高明，因此我们不能告诉别人他们错了。应该慎重地看待别人的错误，这么做会大有收获。

如果有人说了一句你认为错误的话，你如果这么说不是更好吗：“是这样的！我倒另有一种想法，但也许不对。我常常会弄错，如果我弄错了，我很愿意被纠正过来。我们来看看问题的所在吧。”

用这种句子“我也许不对。我常常会弄错，我们来看看问题的所在。”确实会得到神奇的效果。无论什么场合，没有人会反对你说：“我也许不对。我们来看看问题的所在。”哈尔德·伦克是道奇汽车在蒙大拿州比林斯的代理商，他就运用了这个办法。

销售汽车这个行业压力很大。因此，哈尔德在处理顾客的抱怨时，常常冷酷无情，于是造成了冲突，使生意减少，还产生了种种不愉快。

当了解这种情形并没有好处后，他就尝试另一种方法。他会这样说：“我们确实犯了不少错误，真是不好意思。关于你的车子，我们可能也有错，请你告诉我。”这个办法能够使顾客解除武装，而等到他气消了之后，他通常就会更讲道理，事情就容易解决了。很多顾客还因为伦克这种谅解的态度而向他致谢，其中两位还介绍他们的朋友来买新车子。

你承认自己也许会弄错，就绝不会惹上麻烦。这样做，不但会避免所有的争执，而且可以使对方跟你一样的宽宏大度，承认他也可能弄错。

如果你想知道一些有关做人处世、控制自己、增进品格的理想建议，不妨看看《本杰明·富兰克林自传》。在这本自传中，富兰克林叙述他如何克服好辩的坏习惯，使他成为美国历史上最能干、最和善、最圆滑的外交家。

有一天，当富兰克林还是个毛躁的年轻人时，一位教友会的老朋友把他叫到一旁，尖刻地训斥了他一顿：“你真是无可救药。你已经打击了每一位和你意见不同的人。你的意见变得太珍贵了，使得没有人承受得起。你的朋友发觉，如果你不在场，他们会自在得多。你知道得太多了，没有人能再教你什么；没有人打算告诉你些什么，因为那样会吃力不讨好，又弄得不愉快。因此你不可能再吸收新知识了，但你的旧知识又很有限。”

富兰克林接受了那次惨痛的教训。当时，他已经够成熟、够明智，以致能领悟也能发觉他正面临社交失败的命运，他立即改掉傲慢、粗野的习性。

“我立下了一条规矩，”富兰克林说，“绝不正面反对别人的意见，也不准自己太武断。我甚至不准许自己在文字或语言上措辞太肯定。我不说‘当然’‘无疑’等，而改用‘我想’‘我假设’或‘我想象’一件事该这样或那样，或者‘目前在我看来是如此’。当别人陈述一件我不以为然的事时，我绝不立刻驳斥他，或立即指出他的错误。我会在回答的时候，表示在某些条件和情况下，他的意见没有错，但在目前这件事上，看来好像稍有不同，等等。我很快就领会到改变态度的收获，凡是我参与的谈话，气氛都融洽得多了。我以谦虚的态度来表达自己的意见，不但容易被接受，更减少一些冲突；我发现自己有错时，也没有什么难堪的场面，而我碰巧是对的时候，更能使对方不固执己见而赞同我。

“我一开始采用这套方法时，确实觉得和我的本性相冲突，但久而久之就愈变愈容易，成为我的习惯了。也许五十年以来，没有人听我讲过些什么太武断的话。我在正直品性支持下的这个习惯，是我在提出新法案或修改旧条文时，能得到同胞的重视，并且在成为民众协会的一员后，能具有相当影响力的重要原因。因为我并不善于辞令，更谈不上雄辩，遣词用字也很迟疑，还会说错话；但一般说来，我的意见还是得到了广泛的支持。”

富兰克林的话对我们是很有启示作用的。

※ 千万不要把怀恨总放在心上

一个爱发牢骚的人在给朋友的信中写道：“我永远记得，我新婚的嫂嫂和哥哥在我的生日那天一同外出旅行，而没有对我说一句祝贺生日的话。”

“我永远记得”——对啦，毛病就出在这里！

不管我们的理由如何，怀恨总是不值得的。潜留在我们内心里的侮辱，永难平复的创伤，都能损坏我们生活中的许多可爱的事物。我们被锁在自己的苦恼之渊里，甚至无法为别人的幸运而愉快。怨恨就像毒害我们的血液、细胞的毒素一样，影响、侵蚀我们的生命。

头痛、消化不良、失眠和严重的疲倦等，是怀恨的人常有的生理症状。一所医学院曾做过一次调查，报告中说：与心情较为愉快的人相比，心存怨恨的人更经常进医院。医务人员所做的试验显示，患心脏病的人常常不是工作辛劳的人，而是抱怨工作辛劳的人；最足以引起高血压的原因，莫过于外表好像很安静，内心里却被强烈的怨恨所煎熬。

怨恨甚至会造成意外事件。交通问题专家说："发怒的时候永远不要开车。"心里总是惦记着丈夫如何不懂体贴的妇女，比起那些心里毫无杂思的妇女，更容易在家里发生意外事件。

另一方面，正如同怀恨之富于破坏性，爱与同情则有激发活力的作用。正如一位健康学博士所说："宽宏大量乃是一服良药。"

与怨恨情绪作战的第一步，便是先要确定怨恨情绪的来源。如果我们能坦白地检讨，十次之中有九次，我们会发现其来源是很接近于自己这方面的。忽略自己的缺陷与弱点，乃是人之常情；在任何可能的时候，我们总会把自己的短处变成别人的错处，而后加以无以名状的怨恨。例如，在每一个离婚案件中，几乎很明显地，所谓无辜的一方往往并不如其所描述的那般无辜。

"这是很奇怪的现象。"心理学家说，"我们自己的过错好像比别人的过错要轻微得多。我想，这是由于我们完全了解有关犯下错误的一切情形，于是对自己多少会心存原谅，而对别人的错误则不可能如此。"

怨恨的根由发现了之后，务须尽全力去对付之。第二桩要做且是最有效的事便是——忘记它。有理智的人并不仅以把宿怨淘干为满足，他们还经常用新的梦想和热诚，填进他们生活中的洼地。据心理学家说，我们不能同时拥有两种强烈的情感，既要爱又要恨，那是不可能的。怨恨大部分是以自我为中心的，所以要想忘记自己，最好的方法便是帮助别人。

在帮助别人之后，我们会发现在这个世界，善意总是多于恶意的。一所大学的研究结果显示一种真正以友谊待人的态度，65% ～ 90% 的高比率，是可以引起对方友谊的反应的。因此，领导此项研究的博士说："爱产生爱，恨产生恨，这句老话大致是不会错的。"

多年前的一个晚上，卡耐基在旅行时经过黄石公园，一位森林的管理人员骑在马上，跟他们这群兴奋的游客谈些关于熊的事情。管理人员告诉他们：一种大灰熊和另一种黑熊大概能够击倒世上所有的动物。但那天晚上，卡耐基却注意到一只小动物——只有一只，那只大灰熊不但让它从森林里出来，并且和它在灯光下一起共食。那是一只臭鼬！大灰熊知道，它的巨灵之掌，可以一下就把这只臭鼬打昏，可是它为什么不那样做呢？因为它从经验里学到，那样做很划不来。

卡耐基也知道这一点。当他还是个孩子的时候，曾经在密苏里的农庄里抓过四只脚的臭鼬；长大成人之后，他在纽约的街上碰过几个像臭鼬一样的两只脚的人。他从这些不幸的经验里发现：无论招惹哪一种臭鼬，都是划不来的。

当我们恨我们的仇人时，就等于给了他们制胜的力量。那力量能够妨碍我们的睡眠、我们的胃口、我们的血压、我们的健康和我们的快乐。要是我们的仇人知道他们如何令我们担心，令我们苦恼，令我们一心报复的话，他们一定会高兴得跳起舞来。我们心中的恨意完全不能伤害到他们，却使我们的生活变得像地狱一般。

"要是自私的人想占你的便宜，就不要去理会他们，更不要想去报复。当你想跟他扯平的时候，你伤害自己的比伤到那家伙的更多……”这段话听起来好像是什么理想主义者所说的，其实不然。这段话出自一份由米尔瓦基警察局所发出的通告上。报复怎么会伤害你呢？伤害的地方可多了。根据《生活》杂志的报道，报复甚至会损害你的健康。“高血压患者主要的特征就是容易愤慨，”《生活》杂志上说，“愤怒不止的话，长期性的高血压和心脏病就会随之而来。”

现在你该明白耶稣所谓“爱你的仇人”，不只是一种道德上的教训，而且是在宣扬一种20世纪的医学。当他说“要原谅70个7次”的时候，他是在教我们怎样避免高血压、心脏病、胃溃疡和许多其他的疾病。

卡耐基的一个朋友犯了严重的心脏病，他的医生命令他躺在床上，不论发生任何事情都不能生气。医生们都知道，心脏衰弱的人，一发脾气就可能送掉性命。几年以前，在华盛顿州的史波坎城，一个饭馆老板就是因为生气而死去。卡耐基曾收到一封从华盛顿州史波坎城警察局局长杰瑞·史瓦脱那里来的信。信上说：“几年以前，68岁的沃伦·坎伯，在史波坎城开了一家小餐馆，因为他的厨子一定要用茶碟喝咖啡，而使他活活被气死。当时那位小餐馆的老板非常生气，抓起一支左轮手枪，去追那个厨子，结果因为心脏病发作而倒地死去——死时他手里还紧紧地抓着那把枪。验尸官的报告宣称：他因为愤怒过度而引起心脏病发作。”

当耶稣说“爱你的仇人”的时候，他也是在告诉我们：怎样可以改进我们的外表。生活中有一些女人，她们的脸因为怨恨而有皱纹，因为悔恨而变了形，表情非常僵硬。不管怎样美容，对她们容貌的改进，也比不上让她心里充满宽容、温柔和爱所能改进的一半。

怨恨的心理，甚至会毁了我们对食物的享受。圣人说：“怀着爱心吃菜，会比怀着怨恨吃牛肉好得多。”

要是我们的仇人知道我们对他的怨恨使我们精疲力竭，使我们疲倦而紧张不安，使我们的外表受到损害，使我们得心脏病，甚至可能使我们短命的时候，他们不是会拍手称快吗？即使我们不能爱我们的仇人，但是至少我们要爱我们自己。我们要使仇人不能控制我们的快乐、我们的健康和我们的外表。就如莎士比亚所说的："不要因为你的敌人而燃起一把怒火，热得烧伤你自己。"

我们也许不能像圣人般地去爱我们的仇人，可是为了我们自己的健康和快乐，我们至少要原谅他们、忘记他们，这样做实在是很聪明的事。

有一次，卡耐基问艾森豪威尔将军的儿子约翰：他父亲会不会一直怀恨别人？"不会，"他回答，"我爸爸从来不浪费一分钟，去想那些不喜欢的人。"

有句老话说：不能生气的人是笨蛋，而不生气的人才是聪明人。

这也就是前纽约州州长威廉·盖诺所抱定的政策。他被一份内幕小报攻击得体无完肤之后，又被一个疯子打了一枪，几乎送命。他躺在医院为他的生命挣扎的时候，他说："每天晚上我都原谅所有的事情和每一个人。"这样做是不是太理想了呢？是不是太轻松、太好了呢？如果是的话，就让我们来看看那位伟大的德国哲学家，也就是《悲观论》一书中的理论。书中，作者认为生命就是一种毫无价值而又痛苦的冒险，当他走过的时候好像全身都散发着痛苦。可是在他绝望的深处，叔本华叫道："如果可能的话，不应该对任何人有怨恨的心理。"

※ 真正的宽恕是一种需要巨大精神力量支持的积极行为

有时，是别人给我们制造了生活中的逆境。对于有意为自己设置障碍的人，受挫者该如何对待呢？是耿耿于怀，视其为永远的敌人，还是宽容大度，化干戈为玉帛呢？抱持后一种态度是明智的。

当然，这里所说的宽容不是对原则问题的一种让步，而是对他人的一些非原则性的缺点和过失的一种宽恕和谅解。宽恕看起来是一件很矛盾的事，但如果不宽容而去伤害能导致冤冤相报的恶性循环，那么就会出现“冤冤相报何时了”的后果。同时，不肯宽恕别人的人，往往使自己吃苦，他们会因此失眠、肠胃不适，甚至还会引起高血压。然而一旦宽恕别人之后，他们就会超越一次巨大的挫折——一种可以称为再生的心灵净化过程。当然，受到伤害的人，必须有时间处理自己的愤怒，认清楚自己对整个事件所负的责任以及拒绝宽恕会带来的后果，然后宽恕才能发挥最好的功效。

宽恕不仅是爱心的体现，而且是极高思想境界的升华，宽恕是一种博大的境界。表面上看，它只是一种放弃报复冲动的决定，这种观点似乎有些消极；但真正的宽恕却是一种需要巨大精神力量支持的积极行为。宽恕更是一种必不可少的品质，一种正确的自我意识的体现。一个人只有正确地认识自己，才会有宽容的胸怀。宽容得到的收益是人际关系的协调和适应。一名著名心理学家曾经说过：“人类心理的适应，最主要的就是人际关系的适应，人类心理的病态，也主要由人际关系的失调而来。”而人际关系的失调对身体健康有极大的损害，所以必须学会宽容。

美国第三任总统杰弗逊与第二任总统亚当斯从断交到宽恕，就是一个生动的例子。杰弗逊在就任前夕，到白宫去想告诉亚当斯，说他希望针锋相对的竞选活动并没有破坏他们之间的友情。但杰弗逊未来得及开口，亚当斯便又咆哮起来：“是你把我赶走的！”此后，两个人中止交往达 11 年之久。直到后来杰弗逊的几个邻居去探访亚当斯，这个坚强的老人仍在诉说那件难堪的往事，但接着冲口而说出：“我一向都喜欢杰弗逊，现在仍然喜欢他。”邻居把这话传给了杰弗逊，杰弗逊便请了一位彼此皆熟的朋友传话，让亚当斯也知道他对他的深厚友情。后来亚当斯回了一封信给他，两个人从此便开始了美国历史上也许是最伟大的书信往来。

宽恕是为那些曾经侵犯我们的人着想而做的，它的最高境界是心灵的净化和升华，它使我们从中看到了非常强大的力量，的确，宽恕可以帮助我们恢复友谊、爱情和事业。

※ 宽恕和原谅那些曾经伤害你的人

宽恕是一种圣洁的品质，遗憾的是我们中的许多人都不愿这么仁慈。但原谅那些曾经伤害你的人，会给你带来一种身心的平和。如果你拒绝忘记那些微不足道的陈年往事所引起的愤怒，你就不能体会到这种平静。此外，科学家的研究还表明：宽恕他人能让你更加健康。

美国密歇根州立大学最近做了一项行为学研究。他们发现，当人们设想向那些伤害过自己的人报复时，血压会明显上升；当他们想象原谅那些背叛者时，血压则显著下降。斯坦福大学有一个“宽恕他人”的项目研究小组，他们也发现，那些尝试宽恕他人的人与没有这种愿望的人相比，愤怒和压力的身体表现显然少得多。

假如对你来说，宽恕是件很困难的事，那么，卡耐基推荐的下面的这四个步骤将教会你如何学会宽恕他人。

1. 不要等着别人来道歉

心理学家波顿·尼尔森说：“通常我们都非常自以为是，常见的想法是：‘除非他（她）来道歉，否则我才不会原谅他（她）呢。’但是，一旦我们坚持这么做，一般来说，就得花上很长时间来消除怒火，而付出代价的往往也是我们自己。这等于是把安宁交到了别人的手中，让别人来主宰自己的心情。”因为你只要一想到那件不愉快的事，你就会感到愤怒和受伤害。

2. 同情冒犯你的人

他（她）这么做也许是出于无知、恐惧或者是痛苦。“有一句话我经常挂在嘴边，‘在每一次冒犯背后都有个伤心的故事。’”

尼尔森博士建议，你可以试着扮演一下那个做错事的人，或者从他（她）的角度给自己写封信。

纽约的心理学家罗伯特·克伦博士也支持这个观点："我们忘记了，有时连非常爱我们的人都会伤害甚至背叛我们。有时候，因为人家伤害你，就中止你们的关系是没有必要的。"

3. 设想一下被自己所爱的人原谅后的轻松感

每个人都有犯错误的可能，"列举自己的缺点和失败，远比说别人的不是痛苦得多，"尼尔森博士说，"不过，这样做有利于心理平衡。"想象一下某一天你得罪了一个你很在乎的人，而他（她）大度地原谅了你，你的心情如何？

4. 完成一个象征性的动作

"当你决定宽恕他人时，如果没有公众行为来帮你完成这种表达，你可能也难以确信自己是否真的做到了宽恕。"因此，你可以自己找个方式，比如说，你可伸直手臂举起一块大石头，当你决定宽恕时就把它扔掉；或者是点亮一支蜡烛，想象自己的怒火已经同这蜡烛一起熔化了。

记住：宽恕并不等于忘记。就算在你决定宽恕之后，受伤的感觉往往还会停留很长一段时间，有时甚至需要你再次去宽恕。不过，根据斯坦福大学的研究，已经宽恕了他人的人会觉得那些曾经让他们锥心疼痛的事情已不再痛苦了。宽恕他人有时就像镜子一样反射出你对自己的宽恕。

※ 宽容地对待每个人，避免偏见

在卡耐基的培训班上，马里杰·斯比勒·尼格文讲了这样一个故事：

"我年轻时自以为了不起。那时我打算写本书，为了在书中加进点'地方色彩'，就利用假期出去寻找。我要去那些穷困潦倒、懒懒散散混日子的人们当中找一个主人公，我相信在那儿可以找到这种人。

“一点不差，有一天我找到了这么个地方，那儿到处都是荒凉破落的庄园、衣衫褴褛的男人和面色憔悴的女人……最令人激动的是，我想象中的那种懒惰混日子的味也找到了——一个满脸乱胡须的老人，穿着一件褐色的工作服，坐在一把椅子上为一小块马铃薯地锄草，在他的身后是一间没有油漆的小木棚。

“我转身回家，恨不得立刻就坐在打字机前。而当我绕过木棚在泥泞的路要拐弯时，又从另一个角度朝老人望了一眼，这时我下意识地突然停住了脚步。原来，从这一边看过去，我发现老人的椅边靠着一副残疾人的拐杖，有一条裤腿空荡荡地直垂到地面上。顿时，那位刚才我还认为是好吃懒做混日子的人物，一下变成为一个百折不挠的英雄形象了。

“从那以后，我再也不敢对一个只见过一面或聊上几句的人，轻易下判断和作结论了。感谢上帝让我回头又看了一眼。”

卡耐基指出，急于下结论，怀有偏见是人际冲突的常见原因。我们为什么不能对别人多些了解、多些宽容呢？

每个人都可能患上偏见的“疾病”，只不过程度轻重不一。偏见是根据自己所得到的一点点信息，凭主观的想象，甚至已有的经验和逻辑，编故事似的给对方编了一个形象，甚至由此去推知他的过去和将来。

和一个人初次见面，对方穿着随便、谈吐粗俗，你很可能会认为对方是一个没文化、缺教养的人。当然，你可以这么认为，但如果你进而认为他办事肯定不认真，而且自私，甚至可能有点邪恶，以至于以后不愿和他进行任何合作，那么就过分了，就变成了一种偏见。有这种思维方式的人，很容易失去很多机会。因为每个人都有优点和缺点，我们和人交往、合作，关键要充分利用别人的优势，充分发挥对方的优势，从而给自己提供方便。

很多人会以第一印象轻易地判断一个人，通过第一印象中的一些信息来判断他的一切，这显然是一种以偏概全的错误。

对人产生偏见，结果往往是对自己不利。因为对人有偏见，很容易被对方察觉，一旦别人感觉到你对他有偏见，很可能会产生抵触情绪。如果你们是同事，那么麻烦就来了，合作是肯定不可能的了。所以，一次偏见就等于少了一个合作伙伴，甚至少了一个可能的朋友。

要想消除偏见，我们就得设法改变自己的一些思维定式。首先要使自己坚信每个人都是有优点和缺点的，我们和人交往要尽可能地多看优点，少看缺点，能以这样一种态度去交际，我们就会感到这世界很美好，肯定能宽容地对待每个人。

※ 不能只是去注意别人不好的一面

卡耐基说：世界上有两种人，他们的健康、财富以及生活上的各种享受大致相同，结果，一种人是幸福的，而另一种却得不到幸福。他们对物、对人和对事的观点不同，那些观点对于他们心灵上的影响因此也不同，苦乐的分界主要也就在于此。

一个人无论处于什么地位，遭遇总是有顺利和不顺利；无论在什么交际场合，所接触到的人物和谈吐，总有讨人喜欢的和不讨人喜欢的；无论在什么地方的餐桌上，酒肉的味道总是有可口的和不可口的，菜肴也是煮得有好有坏；无论在什么地带，天气总是有晴有雨；无论什么政府，它的法律总是有好的，也有不好的，而法律的施行也是有好有坏；天才所写的诗文有美点，但也总可以找到若干瑕疵；差不多每一个人的脸上，总可找到优点和缺陷；差不多每一个人都有他的长处和短处。

在这些情形之下，上面所说的两种人的注意目标恰好相反。乐观的人所注意的是顺利的际遇、谈话之中有趣的部分、精制的佳肴、美味的好酒、晴朗的天气等，同时尽情享乐；悲观的人所想的和所谈的却只是坏的一面，因此他们永远感到怏怏不乐。他们的言论在社交场所既大煞风景，个别的还得罪许多人，以致他们到处和别人格格不入。如果这种性情是天生的，对这些怏怏不乐的人倒是应该怜悯。但是那种吹毛求疵令人厌恶的脾气，也许根本从模仿而来，于不知不觉中养成了习惯。假如悲观的人能够知道他们的恶习对于他们一生幸福有如何不良的影响，那么即使恶习已经到了根深蒂固的程度，也还是可以矫正的。我们希望这一点忠告可以对悲观的人有所帮助，促使他们去除掉恶习。这种恶习实际上虽然只是一种态度，一种心理行为，但是它却能造成终生的严重后果，带来真正的悲哀与不幸。他们得罪了大家，大家也不喜欢他们，至多以极平常的礼貌和敬意跟他们敷衍，有时甚至连极平常的礼貌和敬意都谈不到。他们常常因此很气愤，引起种种争执。他们如果想将地位改变或将财富增加，别人谁也不会希望他们成功，没有人肯为成全他们的抱负而出力或出言。如果他们遭受到公众的责难或羞辱，也没有人肯为他们的过失辩护或予以原谅；许多人还要夸大其词地同声攻击，把他们骂得体无完肤。如果这些人不愿矫正恶习，不肯迁就，不喜欢一切别人认为可爱的东西，而总是怨天尤人，自寻烦恼，那么大家就会避免与其交往。因为这种人总是难以和人相处，一旦你发觉自己被牵扯在他们的争吵中时，你将会感到非常烦恼与痛苦。

有一位研究哲学的老人，由于饱经世故，所以时时谨慎、留神，避免和这种人亲近。正因为世界上还没有发明出使人一看便知什么人有这种坏脾气的仪器，因此他就利用了他的两条腿：一条腿长得非常好看，另一条却因意外事故而呈畸形。陌生人初次和他见面，如果对他的丑腿比对他的好腿更为注意，他就有所猜忌。如果此人只谈起那条丑腿，不注意那条好腿，这就足以使老人决定不再和他做进一步的交往。这样的“大腿仪器”并非人人都有，但是只要稍微留心，那些有吹毛求疵恶习行迹的人，大家都能看出来，从而可以决定避免和他们交往。因此，我们劝告那些性情苛酷、怨愤不平和抑郁寡欢的人，如果希望受人尊敬而自得其乐，那就不能只是去注意人家的丑腿了。

※　尽量从积极的方面去理解别人的批评

生活中常有这样的事发生：有的人一听到别人对他的批评和劝告，就大发雷霆，他们不是去虚心听取，反省其身，却反唇相讥：“也不看看你自己是什么德行，却来教训我！”言外之意是对方也有缺点，不配来批评他。须知，“金无足赤，人无完人”，如果只允许没有过失的人批评自己，那么你终生都不会听到对你过失的批评意见了，一辈子也不会得到他人的帮助；久而久之，陷入孤立无援的境地，既害了自己又损害了事业。所以，当别人批评你时，应该本着感谢的心情接受他的批评，才有益于自己改正过失。

只有长期保持高度的乐观和自信，才能使你不断地获得成功。但是在生活、工作、学习以及与他人交往中，总不免被人批评，受人指责。越是有成绩、有名望，越容易受到别人的非议。

海军军人伯利是一位当之无愧的探险家，他 1909 年 4 月 6 日乘雪橇到达北极。这次探险取得的圆满成功，使他占尽风流，名噪全球。这次纪录是几个世纪以来许许多多勇敢者不惜冒着生命危险、饱尝艰难险阻之苦也没能达到的。伯利的身体也患上了严重的冻疮，他不得不切除了八个脚指头。接二连三而来的苦难，使得他几乎要发疯了。

尽管这样，他的上司却因为他独霸了名声而对他表示出极大的怨愤。因此，当伯利再度提出北极探险计划时，他们立即予以强烈反对，抨击他是借“科学探险”之名，行募集资金“到北极去逍遥快活”之实。他们狼狈为奸，相互勾结，竭力阻挠伯利的北极探险计划。后在麦金雷总统的干预下，伯利才得以继续进行他的北极探险计划。

如果伯利一直都待在华盛顿的海军总部大楼里进行他的日常事务，那么，他还会遭到那种抨击吗？当然不会。这是因为，他在海军总部的重要性、知名度、影响力，都还不至于招引某些人的嫉妒。

格兰特将军的遭遇，比之伯利更加惨痛。

南北战争期间，格兰特将军于 1862 年在北方旗开得胜，传出令军心民心都大为振奋的胜利喜讯。这一胜利是经过艰苦的奋战赢来的。这个胜利使得格兰特将军在一夜之间被全国民众奉为神圣的偶像。这是获得极大反响的胜利，是震撼世界的胜利，这是使得从大西洋沿岸至密西西比河的广大区域的教会鸣钟传递喜讯并鸣炮庆祝的胜利。

然而谁也不曾料想到，还不到六个星期，这位大获全胜的北军英雄却遭到逮捕，并被削去军职。这位将军为这样的屈辱和绝望而哭泣。

那么，为什么格兰特将军在达到胜利的顶峰时却被捕了呢？这是由于格兰特将军显赫的名声和崇高的威望，使得他的上司们感到了巨大的震惊和嫉恨。

所以，卡耐基得出一个结论：“当你被不公正的批评所困扰的时候，你遵循的第一项原则应该是：不正当的抨击，往往是经过伪装的赞美；一只死狗，根本就没有谁愿意花费心力去理睬它。”

美国许多成就卓越的著名人物都被人骂过：美国的国父乔治·华盛顿曾经被人骂作“伪君子”“大骗子”和“只比谋杀犯好一点”。《独立宣言》的撰写人托马斯·杰弗逊曾被人骂道：“如果他成为总统，那么我们就会看见我们的妻子和女儿，成为合法卖淫的牺牲者；我们会大受羞辱，受到严重的损害；我们的自尊和德行都会消失殆尽，使人神共愤。”格兰特将军在带领北军赢得第一场决定性胜利，成为美国人民的偶像之后，却遭到嫉妒、逮捕、羞辱，被夺去兵权。威廉·布慈将军被人诬告他侵占了某个女人募捐而来救济穷人的800万元捐款。这些人非但没有被批评、辱骂所吓倒，反而更加保持乐观和自信的态度，做出了影响深远的成就。

其实，一个人名望或地位越高，骂他的人就越容易从中得到满足。英国国王爱德华八世（即温莎公爵）年轻时在一所海军军官学校读书。有一天，一位海军军官发现年仅14岁的温莎王子在哭，就上前问他什么事情，他开始不肯说，后来迫不得已才说了真话。他被军校的学生踢了。指挥官把所有的学生都召集起来，向他们解释尽管王子没有告状，但他很想知道为什么这些人要这样虐待温莎王子。

这些学生推诿拖延了半天之后，终于承认：等他们将来成了皇家海军的指挥官或舰长的时候，他们希望能够告诉人家，他们曾经踢过国王的屁股。

因此，无论你是被人踢还是被人恶意批评也好，请记住，他们之所以做这种事情，是因为这件事能使他们有一种自以为重要的感觉，这通常也就意味着你已经有所成就，而且值得别人注意。很多人在骂那些教育程度比他们高的人，或者在各方面比他们成功得多的人的时候，都会有一种满足的快感。正如哲学家叔本华说过的那样：“庸俗的人在伟大的错误和愚行中，得到最大快感。”

曾任美国华尔街40号美国国际公司总裁的马歇尔·布拉肯先生在回忆受批评的经历时说：“我早年对别人的批评非常敏感。我当时急于让公司的每个人都觉得我是十分完美的。如果他们有一个人不这样认为的话，我就感到忧虑，于是我想办法去取悦他。可是我讨好他的结果，又会使另一个人生气；而等我想满足这个人的时候，又会使一两个人生气。最后我发现，我越想去讨好别人，以免他们对我的批评，就越会使我的敌人增加。因此我对自己说：‘只要你超群出众，你就一定会受到批评，所以还是趁早习惯的好。’这一点对我的帮助很大。从那以后，我就决定只是尽我最大的努力去做，而把我那把破伞收起来，让批评我的雨水从我身上流下去，而不是滴在我的脖子里。”

当你成为不公正批评的受害者的时候，还有一个绝招就是“只是笑一笑”。因为别人骂你的时候，你可以回骂他，可是对那些“只笑一笑”的人，你能说什么呢？假如结果证明我是对的，那么即使花十倍的力气来说我是错的，又有什么用呢？记住：不要为批评而难过。

情感智商高的人，往往从积极的方面理解别人的批评，包括那些不公正的责骂。他们会把别人的批评，看作是改进自己工作、完善个性、克制情绪、提高心理承受力以及激发斗志的机会。我们从美国海军陆战队的史密德里·柏特勒将军等人的经历中可以得到启示。

柏特勒将军曾告诉别人，他年轻的时候很想成为最受人欢迎的人物，希望每个人都对他有好印象。在那个时候，即使一点小小的批评都会使他难过半天。但在军队的 30 年使他变得坚强起来。他被别人责骂和羞辱过，什么难听的话都经受过：黄狗、毒蛇、臭鼬……后来他听到别人在后面讲他的坏话时，他甚至连头都不会调过去看。这就是他对待谩骂的有力武器。

罗斯福总统的夫人曾向她的姨妈请教对待别人不公正的批评有什么秘诀。她姨妈说：“不要管别人怎么说，只要你自己心里知道你是对的就行了。”避免所有批评的唯一方法就是只管做你心里认为对的事——因为你反正是会受到批评的。

知道自己在做什么是很重要的，别人如何看待你的工作、决定、努力、动机或成就，这些都不要紧，因为只有我们最清楚自己所作所为的重要性。即使到了盖棺定论的时候，我们也必须依据自己的价值观及信念来评估一生的作为。

没有一个人的看法或判断永远是对的，往往你也可以从对方身上学到一些有价值的东西。如果你抱着这种态度，别人会觉得你并不是个顽固、有成见的人，对你不会采取防御性的立场，并会大方地和你分享资讯，这对问题的解决极有帮助。

谈到接受批评，掌握对方言谈中的意义尤为重要。我们往往只注意对方音调、面部表情、身体语言以及口语表达的思想，忽略或不理解对方批评的真义，对此最好的方法之一是复述对方所说的话，然后再提出你的回答。

另一项供你参考的建议是，接受批评时要保持独立自主的思考，决定接受哪些值得接受的批评。

最后，要对对方帮忙的诚意表达积极、适当的反应。你或许可以说："真谢谢你肯花时间告诉我你的看法。你刚刚提到的A点和C点意见特别好，我会尽快照办。但是B点和D点我还要考虑看看。"如此一来，至少会让对方了解他哪些地方看法与你一致，而加强彼此间的关系。

※ 没有必要过于斤斤计较、精打细算

在商场上没有糊涂人，连那些失败者，也是相当精明的。做生意，有极强的功利目的，的确需要精明能干。

在日常生活中，也有一些精明者。他们处处要显得比别人更加神机妙算，更加讨巧投机。他们总在算计着别人，以为别人都不如他们聪明，而可以从中揩点油，讨点便宜。好像他们这样做就会过得比别人好。这种人功利心太重，把功利当作人际关系的首要，他们日子过得很累，很紧张，过得很缺乏乐趣。

太精明的人的确过得很累。他们算计着别人，占别人的便宜，肯定也会产生相应的心理，即别人也可能在算计他，也可能要侵占

他的利益。因此，他必须处处提防，时时警惕，小心翼翼地过日子。别人很随意说的一句话，干的一件事，也许什么目的也没有，但过于精明者就会在心里受到刺激，晚上回到家里，躺在床上也要细细琢磨，生怕别人有什么谋划会使他吃亏。这样，他在处理人际关系上就显得不诚实、不大方，甚至很造作。我们碰到的许多生活中的精明者，性情都不开朗，心理都相当虚假，神经都相当过敏，为人都相当猥琐。这恐怕和他们过日子那种紧张感有直接的关系。

其实，真正聪明的人知道，做人不必太精明。这是指一般的生活以及平常的人际关系。生活毕竟不全如商场那样明争暗斗，杀机四伏；总需要些温情和睦，非功利的关系，因此也就没有必要过于斤斤计较、精打细算，反倒是随遇而安的好。

的确，过日子有时需要精打细算，才能把日子安排得既合理，又过得舒服。同样的收入，会安排的人过得就和不会安排的过得不一样。但是，过于精明，处处显得精明，甚至在人际关系中也玩这一套，就显得失当了。这样的人，很难和人搞好关系，很难讨人喜欢。所以，即使他在物质上比人多享受点，但精神上付出的代价则更大，要是真精明，就得算算这笔账。

一个人要把日子过得舒服，单靠东捞一点、西沾一点，靠算计别人是徒劳的。我们日子过得轻松愉快，很大程度上要靠真诚、信赖、友好，碰到难处互相帮助，有了好处大家享受。这就要求我们每一个人都不必太精明，不必担心自己会失掉些什么。大家相互谦让，互相贡献，相互让利，关系融洽和睦了，比什么都好。不太精明的人容易和大家成为朋友。就因为大家可以正常相处，少有功利，多有温情，不必处处抱有戒心，有安全感。太精明的同事或朋友，总让人觉得不可靠。人们需要周围的人聪明、机智，但不要太精明。

我们可以不太精明，但应有智慧。在生活中，许多人并非真的糊里糊涂过日子，而是不想为过于精明所累。其间是因为有智慧。

一个聪明人不会患得患失，也不会囿于世俗中的鸡毛蒜皮之事而无法自拔。这样的人心胸开阔，为人豁达，日子过得有意思，有价值。

※ 为人处世谦虚谨慎也是一种豁达

谦虚谨慎是每个社会人必备的品格，具有这种品格的人，在待人接物时能温和有礼、平易近人、尊重他人，善于倾听他们的意见和建议，能虚心求教，取长补短。对待自己有自知之明，在成绩面前不居功自傲；在缺点和错误面前不文过饰非，能主动采取措施进行改正。

不论你从事何种职业，担任什么职务，只有谦虚谨慎，才能保持不断进取的精神，才能增长更多的知识和才干，才能赢得别人的喜欢。因为谦虚谨慎的品格能够帮助你看到自己的差距，永不自满，不断前进。可以使人能冷静地倾听他人的意见和批评，谨慎从事。否则，骄傲自大，满足现状，停步不前，主观武断，轻者使工作受到损失，重者会使事业半途而废。

具有谦虚谨慎品格的人不喜欢装模作样，摆架子，盛气凌人，能够虚心向群众学习，了解群众的情况。美国第三任总统托马斯·杰弗逊提出："每个人都是你的老师。"杰弗逊出身贵族，他的父亲曾经是军中的上将，母亲是名门之后。当时的贵族除了发号施令以外，很少与平民百姓交往，他们看不起平民百姓。然而，杰弗逊没有秉承贵族阶层的恶习，主动与各阶层人士交往。他的朋友中当然不乏社会名流，但更多的是普通的园丁、仆人、农民或者是贫穷的工人。他善于向各种人学习，懂得每个人都有自己的长处。有一次，他和法国伟人拉法叶特说："你必须像我一样到民众家去走一走，看一看他们的菜碗，尝一尝他们吃的面包，只要你这样做了的话，你就会了解到民众不满的原因，并会懂得正在酝酿的法国革命的意义了。"由于他作风扎实，深入实际，他虽高居总统宝座，却很清楚民众究竟在想什么，他们到底需要什么。这样，他就在凝聚群众关系的基础上，进而造就他成为一代伟人。

谦虚谨慎的品格，还能使一个人面对成功、荣誉时不骄傲，把它视为一种激励自己继续前进的力量，而不会陷在荣誉和成功的喜悦中不能自拔，把荣誉当成包袱背起来，沾沾自喜于一得之功，不再进取。居里夫人以她谦虚谨慎的品格和卓越的成就获得了世人的称赞，她对荣誉的特殊见解，使很多喜欢居功自傲、浅尝辄止的人汗颜不已。居里夫人的一个女朋友到她家里去做客，忽然发现她的小女儿正在玩英国皇家协会刚刚颁给她的一枚金质奖章。她不禁大吃一惊，忙问："居里夫人，现在能够得到一枚英国皇家协会的奖章，这是极高的荣誉，你怎么能给孩子玩呢？"居里夫人笑了笑，说："我是想让孩子们从小就知道，荣誉就像玩具，只能玩玩而已，绝不能永远守着它，否则就将一事无成。"她自己正是这样做的。也正因为她的高尚品格的影响，以后她的女儿和女婿也踏上了科学研究之路，并再次获得了诺贝尔奖，成为令人敬仰的两代人三次获诺贝尔奖的家庭。

总之，大凡有成就的人，都把谦虚谨慎当作人生的第一美德来刻苦培养。他们也因此获得了世人更多的尊重。

※ 战胜内疚、忧伤、失败带来的疲惫

没有人愿意和整天怨天尤人、愁眉苦脸的人在一起。在生命中，不要让失败、内疚和悲哀的情绪把你引向绝望。采取积极的行动摆脱它们吧！这样你才能和周围的人和谐地融为一体。

也许，你心爱的人儿离开了你，或者是死神从你手里夺走了她；也许，你被迫离开了一个使你的生存有价值的工作；也许，一个你钟爱的孩子遇到了麻烦；也许，你做了错事，而被内疚的包袱压得喘不过气来。我们中间有哪一位能不被内疚和忧患击倒而到达生命

的终点呢？

最糟的事情莫过于当这些危机来临时，找不到一个摆脱的办法。我们有种种逃避的方法——饮酒、操起毫无意义的嗜好，或者干脆没精打采地转悠，以消磨时光。

我们必须使劲站起来重新开步走。因为我们身体中的每一个细胞都是为了在生命中奋斗而安排的。生命是一支越燃越亮的蜡烛，是一份来自上帝的礼物，是一笔留给后代的遗产。

怎样学会站起来重新走？怎样战胜内疚、忧伤、失败带来的疲惫而热爱生活？怎样坚持到光明重新来临？怎样才能到达那个时刻——在绝望中仍能够说："也许，我能再试一次？"卡耐基提出的下面的建议或许对你有效。

1. 把自己请进生活

寻找那些被诗人但丁称为经过"黑森林"的人，这些人到处都有——书本上或生活中——这些永不让步的勇敢的人们，坚信生活是值得过的。

2. 原谅自己，也原谅别人

不管造成麻烦的原因是什么，我们总能在自己身上发现一些事实上和想象出来的错误。有时候我们做了一些在自己看来非常错误的事，竟陷于难以置信的迷乱之中。

但是，卡耐基为我们指出了一种治疗我们已犯过错的现成药物——首先，正视它，如果可以弥补，就弥补起来；其次，把自己的过失和错误抛在脑后，用新的计划和新的热情，重新注满生活的水池。

同样，不要责备别人对你做的事。别人对你的伤害，如果是你应得的，就从中学一些东西；如果是委屈的，就忘掉它。

3. 恢复自尊

首先要从放弃防御面具开始，我们中的许多人正是戴着它生活的。相信自己的价值；对自己说话要好言好语，响亮而刚强。努力做到对自己像对别人一样宽宏大量。接着，停止“会失败”的考虑。多想你拥有的，少想你缺少的。在失败的深渊中，这是尤为重要的，相信自己能给生活增添一些美的东西。

4. 回到众人的世界

我们害怕别人的关心会刺痛我们的伤疤，我们确实需要孤独的时光。但我们不能在那孤岛上待太长的时间，因为重新生活的道路，最终要通过我们与别人的亲密关系和共同努力才能获得。为了站起来重新走，我们必须爱。没有什么东西比爱更能唤醒那跟随灾难而来的痛苦。

5. 伸出手去帮助别人

花时间去帮助别人，借此治疗自己的创伤。卡耐基曾遇到一个25岁的年轻人。这个年轻人用全部业余时间为一个青少年组织工作，卡耐基问他为什么这样做。

“我17岁时，刚学会开车，”年轻人告诉卡耐基，“撞死了一个横穿马路的男孩。虽然没有人要我赔偿什么，但我悲伤欲绝。直到邻居的一个小孩请我做一个游戏的裁判时，痛苦才止住。帮助这些孩子正是我的需要，它把生活还给了我。”

6. 相信奇迹

许多人曾陷于极度迷惘的困境中，可一旦摆脱了它，却得到了意想不到的欢乐和力量。

杰克曾有过一段悲痛的时候，他失去了唯一的儿子吉姆——一个热情、机灵、充满爱心的年轻人。吉姆死后两年，巨大的悲痛还是紧随着他，以至于他决定去苏格兰——在那里他的儿子曾愉快地就读于爱丁堡大学。他试图沿着儿子的足迹，和他分享那幸福的时光。

在爱丁堡的一周，杰克哭得死去活来，但最终他还是复苏了。

他在揪心的、煤迹斑斑的古老城市里，处处感到吉姆的存在：在儿子住过的用石头围起来的公寓的玫瑰园里；在儿子于各个季节骑自行车领略风和海围绕的小山上。

在那一周里，杰克感到获得了新生，这片古老的土地给了他对新生、奇迹和重新斗争的信念，给了他这样的信心：我们能够战胜一切不幸。

所以，欢迎奇迹的来临吧！准备新生不是一次，而是多次。到生活最接近你的地方去——海边、山巅，倾听它们蕴藏着新生和重回生活的声音。

7. 一次迈一步

如果你身上没有出现奇迹，定下心来做接着到来的事情，因为一次只能迈一步。

一个人在成年后突然瞎了眼，他绝望了，直至碰到另一个盲人。他对他说："哦，你知道，你可以从洗自己的袜子做起。"

保护你的热情，不管它是多么脆弱。对照入你的"黑森林"的每一缕阳光都要做出回报，寻找那些寻常的，但也是令人喜悦的欢乐。回想一下一个孤独的可爱的晚上，屋顶上响着雨声，听着巴赫的小提琴协奏曲，读着过去的情书。回想一下在一个月光皎洁的晚上，在一个河湾滑雪，滑向岸上响着音乐和声的营火。

同时，留意周围美丽的自然界，这里有另一种生活在行进——无数的树木和鲜花，河流和鸟儿，请注意这些特别的事：鸟儿展翅的角度，风吹绿树的动姿。

8. 学会感谢

每天，特别是心绪不好时，寻找感谢的理由："谢谢上帝，四季运转无穷无尽；谢谢书本、音乐和促使我们成长的生活之力。"

这样赞美，有时你会发现自己说："谢谢上帝，你创造的生活正像它应该是的那样：痛苦伴随着欢乐。"你会发现自己在想：出生、生活，这是多么的好啊！

同时，要注意随时感谢你周围的人。你的感谢会使他们觉得他们对你很重要，相应的，你就会发现自己逐渐变得越来越受欢迎了。

※ 真正的英雄始终是生活的强者

李将军是卡耐基比较崇拜的人物之一。

美国南北战争期间，南联邦军事天才罗伯特·爱德华·李将军英勇善战，屡建奇功，是南方人的宠星。无情的战争最后以南方失败而告终，然而投降后的李将军却赢得了更多美国人的爱戴。

李生于南方弗吉尼亚州，他内心里并不拥护南联邦的黑奴制度，在致一位朋友的信中写道："尽管人们很少认识到黑奴制度在政治、道德上是邪恶的，但我认为它的存在将给白人带来比黑人更多的灾难。"为什么他辞去在美军中的显赫职务而为短命的南方奴隶主而战？理由是：他属于弗吉尼亚，当外乡人去入侵他的故土时，他必须毫不迟疑地去保卫它。也许人们很难对此表示赞同，但很少有人忍心责备他的"愚忠"。

战争结束了，在阿波马格斯，李将军代表南联邦签字投降，仪式完毕，将军心如铅灌，无言地离开了。战火蹂躏的南方，满目疮痍；残废的妻子和两个女儿等着将军去供养；身为一个杰出的军事天才，南方却再无部队可指挥。许多骄傲的南方人不甘受辱，举家出逃至埃及、墨西哥、南非，他们不愿意，更不忍心让儿女们看到他们的梦想被撕碎的家乡。沮丧与绝望包围了南联邦。

将军回了家，他穿着战场上磨破了的戎装，人和战马泥迹斑斑。他避开公共场合成千上万爱戴他的人群，默默接受了华盛顿学院院长的职务。当时学院鲜为人知，除了2000元联邦废币外，只有146名学生每人75元的学费可指望。处在绝境中的学院因将军的到来复活了，对它一无所知的富翁们慷慨赞助，两年后学生增加了1倍。

而月薪 125 美元的将军在他的破房子里制订着新的战略，他突破传统呆板的教学方式，加进化学、物理等自然科学课程，甚至还设了新闻课，这在当时是创举，比后来教育家终于想到设新闻课提前了 40 年。

李还是将军，他没把一分钟、一份力用于沮丧，却把南方人从羞辱中拉了出来，又投入了复兴家园的战役。许多不服气的南方兵要进山打游击和北方佬作对，向将军讨计。他说："回家去，小子们！把毁灭的家园建起来。"他曾告诉惊奇不解的人们："将军的使命不单在于把年轻人送上战场送命，更重要的是去教会他们如何实现人生的价值。"

真正的英雄始终是生活的强者。在厄运中不会沉沦、颓唐；在腾达中不恃才傲物，始终保持旺盛的精力和强烈的进取心，时刻想着自己能够为社会做些什么。这种为人处世的态度，正是卡耐基所推崇的。

※ 与其让自己沮丧失望，不如选择生活中的乐趣

"我再也不相信朋友了！"被最好的朋友算计，为人作保却无辜负担庞大债务的人这么说。

"我再也不要相信男人！"失恋的女人这么说；失恋的男人也信誓旦旦地表示，不再相信女人。或者，不再相信爱情。

在人生中受到一点挫折的人，也可能因为"心血来潮"不再相信生命。有时，只是因为一点点不顺利，我们就会认为整个世界都在和我们作对。人们的脑中好像有一种叫作憎恨的细菌，只要吸收到了一些腐败的养料，它就会无限制地分裂繁殖，急于否定一切，让自己身陷于绝望的包围中。

乐观的人当然也明白，人生不如意事十之八九，再怎么努力，人们总是殊途同归，什么也带不走；但也会明白，人生是不快乐白

不快乐，如果能精力充沛地生活，为什么一定要坐在阴暗的墙角，悲叹自己的命运，而且还连带影响别人活下去的心情？

伊丽莎白·库伯勒医师，她一生都在帮助临终的病患，也使得“安宁医护”受到今日的医界重视，让人们在生老病死的循环中都能够拥有尊严。晚年，她更执行计划收养艾滋病婴儿。为世界做了如此多的她，却没有得到应有的对待与回报。其他医师们排挤她；她因过度热心服务而赔掉了自己的婚姻、健康；附近的居民甚至一把火烧了她的房子，以防止她继续做“危险的善事”。

她当然也诅咒过这个世界的无知与无情，灰心到了极点，但她总是选择继续勇敢地走下去，没有因为“一小撮”的不义者而怨天尤人，阻挡了自己的人生道路。

疗伤止痛才是对自己厚道，继续徘徊不过是加深痛苦。在生活中，我们总会发现，抱怨最多的人，往往也是为别人找最多麻烦的人。从来没有人因为抱怨世界而感到发自内心的快乐；虽然有时抱怨挺有效的，让你从痛苦中暂时抽身，但它的作用，不过是在逃避选择。

如果选择让自己沮丧失望，不如往好处想，慢慢地开始往前走。如果你决心做一个有趣的人，生活就不会那么无趣。在面对艰难挑战时，如果你有勇气，世界也不会吝于将生命中最丰盈的感受回报你。

第五章　欣赏别人，用言行提升你的魅力

可以赢得对方欢心的方法是：以一种不露痕迹的方法让对方明白，你确认他（她）在自己的小天地里是个重要的人物，而且你是真诚地确认他（她）这点。

——戴尔·卡耐基

在你每天的生活之旅中，别忘了为人间留下一点赞美的温馨，这一点小火花会燃起友谊的火焰。

——戴尔·卡耐基

要使别人喜欢你，首先你得改变对人的态度，把精神放得轻松一点，表情自然，笑容可掬，这样别人就会对你产生喜爱的感觉了。

——戴尔·卡耐基

※　迷人的个性是一笔巨大的财富

卡耐基发现，在生活中，许多年轻人都是因为具有随和、乐于助人的性情而获得了升迁的机会。美国前总统林肯就是这样一个人：他乐于助人，在任何场合都令人喜欢。比如，当林肯住进拉特利奈旅店时，那里非常拥挤，他经常让出自己的床位，睡在仓库的角落，用一卷棉布做枕头。因此，每个遇到困难的人都来求助于他。正是由于他怀抱帮助他人的崇高愿望，林肯赢得了人民的热爱。

使人愉快的魅力是一笔巨大的财富。想想看，有什么能比总是引人注目、从不引人生厌的个性更为珍贵呢？这种个性不仅在工作领域很有价值，在生活中的各个领域也是如此。它造就了受人尊敬

的政治家；为律师带来了顾客；给医生带来了病人；对于一名员工来说，它更具崇高的意义，会带给你很多机会。不论你干哪一行，都不能低估这种个性魅力的重要性，它将为你赢得所有人的支持，减少生活中的障碍。

一些人能像磁石吸引铁屑一般，自然而然地吸引商人、顾客、委托人、病人，做事则得心应手、顺心如意。这是因为他们拥有这种磁铁般富有吸引力的个性。这些人就是商业磁体，尽管看起来他们似乎没有那些不怎么成功的人努力，但机遇围绕着他们打转，朋友们称他们为“幸运儿”。如果我们进一步分析他们，会发现他们有着迷人的个性，这就是他们赢得人心的原因所在。

当今许多成功人士和商业巨子的成功，在很大程度上都归功于自己良好的礼貌习惯和受人欢迎的性格。如果不是因为这些，而仅仅依靠他们的聪明才智、毅力和商业实践的话，那么他们可能还不能获得一半的成功。不论一个人有多大的能力，他若是粗鲁野蛮，其个性令人生厌，那么他将永远处于劣势。

培养受人欢迎的个性是很必要的，它能使成功的机遇倍增，能够发展人际关系，塑造良好形象。如果你想受人欢迎，就得做到控制私心，克制不良倾向，并且还要有礼貌、温柔、讨人喜欢和乐于与人为伴。这种为了做到“受欢迎”而进行的努力，也是通向成功和快乐之路。

学习与人愉快相处的艺术，这将比任何东西更能帮助你表达自己，它将唤醒你的成功潜能，使你赢得更多人的支持。这种才能应该是一种令人羡慕的天赋，然而由于它具有某些后天培养的特质，所以，通过培养和训练也能做到。

总是自私自利、利用他人的人，肯定不会受他人欢迎，人们天生就反感并且厌恶那些只为自己打算、从不考虑别人的人。取悦于人的秘密是取悦自己、丰富自己。假如你想变得令人愉快，你必须做到慷慨大方。狭隘、吝啬的性格是不可爱的，人们都回避这种个性的人。你必须在表情、微笑、握手和言行中让人感到真诚。假如你的个性散发出甜美和光芒，人们将乐于和你接近，因为我们都在追寻阳光，而尽力躲避阴影。

那些具有极大个性魅力、十分受欢迎的人，非常留心能造就自己好人缘的所有优点。如果天生不擅长社交的人像擅长社交的人那样花大量时间来仔细学习怎样受人欢迎，他们就能创造奇迹。

不论年轻人还是老年人，诚实的风度都是最令人喜欢的品质之一。每个人都羡慕坦率的人，他们没有什么需要隐藏；他们也从不隐藏自己的缺点和不足。他们通常显得大方迷人，焕发爱和自信；他们的神采也让对方变得坦白和简单。坦诚讨人喜欢；神神秘秘则惹人反感，遮遮掩掩易于引起他人的怀疑和不信任。一个像后者这样做事的人，不管表面上看起来有多好，都不会赢得人们对他的信任。和这些遮遮掩掩的人相处就像在黑夜里走路，总让人感到不安。一个行为诡秘的人，不管他表现得多么礼貌高雅，我们总是免不了要猜测他高雅之后另有所图。

一个开朗、没有秘密、真诚慷慨、坦率的人则大不相同！他很快就能获得人们的信任。人们非常喜欢他，相信他，原谅他的错误和缺点，因为他总是准备好承认缺点和改正它们。假如他有一些缺点，则一定会显而易见地赢得人们的原谅。他心地善良而真诚，他的同情心广博而活跃，他具有受人欢迎的特质——诚实和简单。正如美国南达科他州的布莱克山区的一个贫穷、谦虚、真诚的黑人矿工汉森姆一样，他虽然几乎不会拼写自己的名字，对上流社会的礼仪也一无所知，但他赢得了每个人的敬爱和好评。

当你具备了那种散发着灵光的个性魅力时，就等于拥有了一笔可观的财富，你的人生道路将变得宽阔而平坦，成功就在向你招手。

※ 努力给别人留下良好的第一印象

当你和别人第一次见面时，对方的言谈、举止、容貌、表情、服饰等都会在你的脑海里留下鲜明深刻的印象，他的一个微笑、一个手势都会诱发出你的某种情感体验。这最初的好恶倾向会影响到你在与其交往过程中的情感投入，影响到你们之间的关系。那么反过来看，你此时此刻的行为表现，在他的脑海里又会留下怎样的印象呢？它也将同样影响你们之间的交往。

印象指人在遇到新的社会情境时，主观上按照自己以旧有经验为基础的理解，将情境中的人或事物进行归类所形成的对有关人或事物的概念。第一印象，亦称初次印象，指两个素不相识的人第一次见面时所形成的印象。它主要获得对方的表情、姿态、身材、仪表、年龄、服装等方面的认识，这种初次的印象对人的整个印象形成举足轻重，它往往是以后交往的根据。所以，能否给别人留下良好的“第一印象”，往往决定着与他人交往的成功与否。那么，怎样表现才能给别人留下良好深刻的第一印象呢？

1. 注意仪表

仪表是一个人内部思想的体现，它反映了个体内在的修养。优雅的仪表，是展现个性魅力的重要手段之一。服饰的选择和搭配很重要。首先要整洁，否则会让对方觉得不够尊重别人；其次要得体，合体的服饰能够起到画龙点睛、锦上添花的妙用，如果打扮不符合自己的年龄、性别、个性以及场合，则难免会产生东施效颦之感。过分的油头粉面，追求奇异，会给人一种浮滑轻薄的印象。一个人的穿着打扮代表着一个人的审美观，它是影响社交形象的关键因素。根据自身条件选择合适的服装，既自然、朴素、合群，又能给对方以愉快感和亲切感，不加修饰与过分修饰都不足取。

2. 注意谈吐

一个人的谈吐可以充分体现其魅力、才气及修养。

首先，谈话前须经过思考，信口开河、文不对题会给人一种不诚实、不认真和啰唆的感觉。

其次，要学会倾听。交谈中要细心观察和分析对方的兴趣和个性，注意耐心地倾听。随便插话、东张西望、心不在焉等行为，既不礼貌，也会令对方产生不快。

再次，注意表达的艺术。节奏不要太快，语调应抑扬顿挫，有起伏的音乐美感。摇头晃脑、指手画脚等不雅观的动作应尽量避免。另外，用词要注意文明。

最后，要保持真诚、热情、大方的交谈态度。虚情假意、言不由衷，或傲慢自居、口是心非，或躲躲闪闪、转弯抹角，或贸然发问、多嘴多舌等都会破坏交往的形象和谈话的氛围。

3. 行为举止

一个人的行为动作常常会将他的气质、性格表达得淋漓尽致。如果我们想给对方留下良好的第一印象，交往中就应该扬长避短，保持举止大方、随和、乐观、热情、不卑不亢。粗俗的动作总是令人生厌的，这就要求人们平时对站立、行走、就座及待人接物的姿势加以有意训练。站应挺直，弯腰驼背让人有缺乏自信之感；坐应安详、沉静，腿不要跷起、抖动，避免显得缺乏修养；走路的姿态要自然优雅；待人接物要面带微笑，注意分寸与距离。特别是与异性的交往，举止不可轻浮，以避免不必要的误会。

※ 通过得体的行为举止和良好的风度仪表展示魅力

优雅的行为举止使人风度翩翩。即使最普通的职员，只要他们行为得体，举止规范，自然会使人肃然起敬。一个人的一举一动、一言一行都与他自己的风度仪表相关联，注意这些小节并使之规范化，会给生活增添无限的光彩。一般而言，良好的行为举止总使人感到愉悦畅快。

有些人认为，一个人的行为举止、外在仪表无关紧要。事实上并非如此。在现实生活中，一个人的举止是否优雅、言行是否得体，对于一件事情的成败往往有直接影响。毕业于牛津大学赫特福德学院的米德尔顿大主教说：“高尚的品德一旦与不雅的仪表举止连在一起，也会使人生厌。”无疑，优雅的行为举止能使社会交往更加轻松愉快，从而有利于事情的成功。

一个人自己的行为举止与别人对他的尊敬息息相关，在管理支配他人时，它常常比内在的、实质性的品性这类东西具有更大的作用。热情友好、彬彬有礼的言谈举止无疑会使人通身舒畅，在这种友好的交往中，成功往往就会到来。也就是说，亲切友好的行为举止会有助于事业成功。与此相反，不良的行为举止、粗鲁庸俗的言语只会使人顿生厌恶之感，这样一来，什么生意、交易都做不成。第一印象特别重要，而一个人是否谦恭有礼往往对第一印象有着十分重要的影响。

友善的言行、得体的举止、优雅的风度，这些都是走进他人心灵的通行证。无论老年人还是年轻人的心都是向举止得体、彬彬有礼的人打开的。态度生硬、举止粗鲁的言行举止只会使人倍生厌恶之情、憎恨之感。因此，这种人在生活中必定处处碰壁，处处令人生厌，就像过街的老鼠一样，使人通身不快。

一个人可能显得没有修养，甚至粗鲁无礼，但他也许是一个心地善良、品德优秀的人。如果这种心地善良、品德优秀的人能举止优雅、谦恭有礼，正如真正优雅的绅士一样，那么他们肯定对社会更加有益，在现实生活中能给人更多的快乐和幸福。

米德尔顿大主教指出：“在一定的程度上可以说，一个人的行为举止反映出一个人的内在品格。”也就是说，一个人外在的行为举止是其内在本性的表现。它反映出一个人的兴趣、爱好、情感世界、性格性情以及他早已习惯了的社会习俗，等等。这些经过长时期自我修养、自我教育而养成的个人的行为方式，乃是一个人本身性格、气质、禀性的综合反映，因而，这些与个人内在本性相关联的仪表风度以及待人接物的方式、方法就具有不可小视的意义。

优雅的行为举止在很大程度上根源于谦恭有礼和善良友好。从外表上看，礼貌乃是一种表现或交际形式，从本质上讲，礼貌反映着我们自己对他人的一种关爱之情。也许一个人并没有必要对他人表示关爱之情，但他却对别人十分礼貌。优雅的举止与得体的行为并没有什么本质的区别，二者基本上是一致的。“漂亮的体形比漂亮的脸蛋要好；优雅的行为举止要胜过婀娜多姿的身段；优雅的行为举止是最好的艺术，它要胜过任何著名的雕塑或名画。”

真正的礼貌必然是源自忠诚，必然是出乎内心，不然的话，就不会产生持久而深刻的印象。缺乏真诚的优雅是不存在的。粗鲁的言行、粗暴的性格与优雅的行为风马牛不相及，优雅的行为举止乃是人性的一种自然流露。

真正的谦恭有礼必出自善良。心地善良的人必然乐于助成他人的幸福，而不愿意让别人痛苦或烦恼。正如友好和善意一样，谦恭有礼自然让人感到轻松愉快，谦恭有礼与友善的行为总是合二为一、不可分离。

真正的谦恭有礼总是特别表现在对别人人格的关心这一点上。如果一个人希望别人尊重自己，他自己就要善于尊重他人的人格。他应该注意关注别人的思想、观点，即使别人的思想观点与自己的相左，也要善于容纳。真正有礼貌的人总是尊重他人的意见和看法，从不强求他人的意见与自己的一致，有时他得控制自己的情绪，压制自己的不同意见，虚心听取他人的不同意见。他应该宽容，善于忍耐、克制，避免作任何尖刻的评论；任何过激的言辞、尖刻的评论总会招致别人对自己的言行的过激与尖刻的评论。

有些没有修养、举止粗鲁、容易冲动的人，根本就不会尊重别人。他们只知道一味地放纵自己的言行，宁可失掉自己的朋友，而不去收敛自己的放荡言行。这种只知道满足一时的自我而不顾及别人人格的人，总是得罪自己的朋友，因此，这种人是名副其实的蠢人。约翰逊博士曾说过："先生们，任何人都无权说粗鲁的话，更无权干粗鲁愚昧的事情，恶言恶语伤人比将一个人打倒在地更令人怨恨。"

那些明智的、有礼貌的人，从来就不会表现出自己比邻居更优越、更聪明或更富有。他们从来不向别人夸耀自己高贵而显赫的社会地位，不向别人炫耀自己的职业，或者总是夸夸其谈地谈论自己的工作，也不会一开口就炫耀自己的生活或工作经历。与此相反，那些明智和有礼貌的人，总是温良恭厚，他们总是特别谦虚谨慎，从不装腔作势、装模作样，不夸夸其谈，不招摇过市。他们总是通过自己的行为而不是通过自己的言语来证实自己的内在品性。他们总是默默无闻地做，而不是哗众取宠地说。真正有礼貌的人总是朴实无华、默默无闻的人。

不尊重他人感情主要是因为自私自利。自私自利总是会导致种种生硬、粗鲁和令人厌恶的行为举止。当然，这种种令人厌恶的行为举止并非出自恶毒的天性，而是由于这种人缺乏必要的同情与体谅他人之心，忽视了日常生活中那些使人愉快欢乐或痛苦的细小之处，而自觉或不自觉地致使别人不愉快。可以说，一个人到底有没有好的修养，主要在于这个人有没有自我牺牲精神，在日常的生活中能不能够真正体贴、关心他人。

在日常生活中，那些没有一点自制力的人是令人难以忍受的。这种人总会给人带来莫名其妙的烦恼和痛苦，与这种人交往，没有一个人会感到由衷的畅快。正是由于缺乏自制力，许多人一辈子都在与自己制造的种种麻烦作斗争。由于他们的任性、倔犟和粗暴，成功总是与他们无缘，苦恼和麻烦总是与他们形影不离。而其他一些天赋并不太高的人，由于他们具有耐心和毅力，心气平和，善于自我克制，因而总是一帆风顺，并取得非凡成就。

优雅的行为举止是相当自然的行为——它并不在乎别人的注意，而是尽去矫饰，任其自然。矫揉造作与坦诚的举止是不相容的。18世纪的学者罗谢弗古尔德曾这样说过："任何东西都无法抑制我们的欲望，任何人的欲求总要自然地表现出来。"真诚和坦率总是通过谦恭有礼、温文尔雅、友善和体贴他人等外在行为表现出来。优雅文明的行为举止总让人兴奋快乐，使人心悦诚服。正如一个人的内在品性一样，一个人的行为举止也是促使人成功的真正动力。

※ 尽量摆出自信和平易近人的姿势

我们与人相处，有些人虽然话不多，但我们却喜欢和他待在一起，因为他能让你感到轻松愉快；有的人逢人便滔滔不绝、夸夸其谈，这不但不让我们喜欢，反而令我们十分讨厌，总想与之拉开一段距离。有的公司职工、干部精诚团结，公司搞得红红火火，他们尊敬自己的公司领导，情愿鞍前马后效劳；有的公司，职工、干部工作不积极，互相扯皮，人心涣散，致使工作无法开展。出现这些不同情况的原因是什么呢？

这主要就是人的素质修养问题。

有时我们确实感觉得到，有一种人，无论出现在哪儿，都能立即成为众人瞩目的核心，即使他们不言语，就那么站着或坐着，也带给人一种特别的感觉和深刻的印象，甚至还能令人毫无保留地对他产生信任感。周恩来总理，就是这样一位具有独特领袖气质的人。

气质与外貌漂亮与否并没有什么关系。关键是看你能否通过你的面部表情、形体动作、语言等展示你迷人的个性气质。真正能打动人的是气质，而不是外貌的漂亮。

在实际生活中，有的人谈吐时精神抖擞，情感丰富，口若悬河，表情自如，显示出超人的才干和气质，博得了听众的喜爱和青睐；有的人窘迫不安，语无伦次，面部表情麻木，手足不知如何放置，让人大失所望。这两种不同的气质可以说是截然不同的。

每一个人都具有一种理想的自我形象，这就是心理学上所说的“理想自己”。“理想自己”往往被赋予很高的价值。尽管这些人来自于不同地方，成长在不同环境，各自具有不同的自我形象，但他们也许具有一些共同点，如仪表的俊美，丰富的情感，敏捷的思维，畅达的语言等，而且都希望给对方留下亲切善良、聪慧正直、才学渊博的印象。但是，不管“理想自己”是多么完美，都必须通过自己的一言一行体现出来，争取在表现自己的魅力中把它发挥得淋漓尽致。

那么，怎样才能体现这种独特的气质呢？简单地说，可以通过我们身体的努力来体现，如站姿或坐姿，走路的姿态，说话抑扬顿挫或诙谐幽默，与他人谈话时的专注程度，等等。所有这些，都要求自然而不做作，随和而又充满机敏，由此所透露出来的权威感，会产生一种无形的魅力，一点一滴地注入对方的心田，在他们的心里产生连锁反应，使对方在不知不觉中被吸引，被征服。

在表现魅力时，一个重要的方面就是自信。自信是基础，它是使人情绪定位的核心，对能否发挥作用至关重要。当双方，彼此面对，互相注目时，也许因为环境的变化或多或少地引起一些紧张感。但它有助于让你的注意力高度集中，认真思考。如果是过度紧张，往往会影响发挥，使自己的意思不能完全表达。在这种情况下，进行自我调控，强调自信就十分重要。这时要充分看清自己的优势，保持头脑清醒，绝不能流露出半点的不安和胆怯。稍后，这种紧张感会慢慢消失，所以应注意随时调整好自己的音调、节奏与表情，动作配合，随意自如地发挥自己的魅力，给别人留下良好的印象。

一个人的体态能够表达其信心，显示出他是否精力充沛。如果一个人总是缩着肩膀，大腹便便，下巴松垂，或者眼睛半睁半闭，那我们很难说这是一个充满自信的人。一个充满自信并且精力充沛的姿态应该是：挺胸收腹、肩膀平直、胸肌发达、下巴上提、面带微笑，双眼闪烁着一种必胜之光。的确，没有人能够总是表现出一副精力充沛的样子，但我们都能尽力而为。

要时时注意你走路的姿势，这一点最容易向人表露你的精神状态。不要经常无所事事地闲逛，走路时应该让人感觉到你总是满怀一定的目的、稳健自如地行走。请记住，如果因为工作性质的原因，你必须经常出入其他办公室，你要养成一个随手带些材料或夹个文件夹的习惯。这样不会让你两手空空，而且让你表现出一种讲求效率的形象，你会因此得到他人的赞许，尽管你走到第三个房门口的目的是找比尔问他是否弄到了星期六的垒球票。

你甚至也可以满怀目的地坐着，背部挺直，双脚靠拢。避免笔直地坐在一张直背椅上，不管这样多么舒服，你的姿态会显得僵硬。最好的方式是将身体的某一部位靠在靠背上，整个身体稍微有些倾斜。

当你听对面的或旁边的人谈话时，可以摆出一种轻松而不是紧张的坐姿。你在听别人讲述时，可以通过微笑、点头，或者轻轻移动位置以便更清楚地注意到对方的言辞的方式，来表明你的兴趣与欣赏。请注意电视上一些访谈节目的主持人，他们懂得如何更好地倾听他人讲话。

当轮到你说话时，可以先通过某些恰当的手势来吸引他人注意，强调你谈话内容的重要性，你可以：

1. 身体前倾，把手肘撑在桌子上，将手指头轻轻并拢；

2. 摘下眼镜，然后用它来强调你所想强调的论点；

3. 用手轻快地拢拢头发。

但你绝不要：

1. 身体向后仰，以典型的答辩姿态把双臂抱在胸前；

2. 擦碰鼻子；

3. 清理嗓门；

4. 用手遮掩嘴巴；

5. 将口袋里的钥匙或硬币弄得叮当作响。

花点时间检查一下积极的和消极的手势，你将发现，积极的手势将不只使你的自我感觉良好，而且也使你和听众更易接受；而消极的手势将把你与听众的距离拉开。

不管你打算采用哪种积极的手势，它们的运用都必须有助于听众对你所说的内容的理解。

你同别人握手的方式，也同样把自己的许多情况告诉了别人。缓慢无力的握手，表明你缺乏自信；而过于用力的握手，暗示着握手者企图极大限度地表明自己要把握着局势，暗示着他缺乏自信。一种稳重的、简练的握手才意味着自信。

※ 把培养领袖气质当作塑造人格魅力的一个重要方面

你是否有过这样的困惑，为什么同样的一个建议，在你的口中说出与在他的口中说出所产生的是截然不同的两种效果？在某种情况下，为什么有着比他更出色才能的你，却无法像他那样得到团体的认可呢？你又是否意识到这种现象对你的职场进阶有着什么样的影响呢？

在任何一个团体中，总有某一个人充当着核心的角色，他的言行能够被团体认可，并指引着团体的某一些决策和行动。我们可以把这种人所具备的人格魅力称为“领袖气质”。具有这种领袖气质的并不一定是高层的管理者。在任何一个团体中，小到几个人组成的办公室，大到一个集团，总会有一个人具有说服他人、引导他人的能力。在某种程度上，“领袖气质”也可以被认为是人格魅力的一部分。

树立权威形象，培养领袖气质，并不是一朝一夕的事情，如果我们在日常工作中，能够注意到以下几点，将会为你的领袖气质的培养打下良好的基础。

1. 诚实守信，做到表里如一

试想，一个欺诈而不讲信用的人，连人格都让人产生怀疑怎么可能在他人心里树立权威形象呢？所以诚实守信是培养“领袖气质”的基本条件。

不少指导社交的实用小册子总是这样规劝你：你应该昂首阔步地走进去，先声夺人地向周围人展示你的风采。他们教导你要用“虎钳般有力的握手”来给人一个下马威，还暗授机密似的说你必须用催眠术一般咄咄逼人的目光紧紧盯住他人。假如你真的照此行事，你会让每个人都发疯的，他们也一定这样看你。

真正的社交秘诀应该是：你应该始终如一地显示你最好的一面。最有影响力的人不因场合变化而改变他们的个性，不论是亲切的私人交谈，还是向公众发表演说，抑或参加求职面试，他们都是一以贯之，毫无矫揉造作之态，处处显露出他们真实的面目。他们用自己的全部身心与人交流，他们的音调与姿态也总能与口中的表白和谐一致，一切都显得那么亲切自然。

然而，某些面向公众演说的人，却向听众发出令人迷惑的信息。比如，当一个人说：“女士们、先生们，我很高兴有机会……”时，眼睛却总盯着听众的鞋子，其实这表明他一点都不高兴，这样的演讲怎么会有感染力和鼓动力呢？

2. 学会倾听

在日常生活中，有一些人在大家七嘴八舌地讨论时，他总是一声不吭地在一边静静地坐着，仔细聆听着别人的发言。到最后，他才会站出来果断地说出自己的意见。因为“听”首先是对他人的一种尊重，同时也可以帮助你了解别人的思想，了解别人的需求，了解自己和别人的差异，知道自己的长处和不足，当掌握了一切信息以后，你所提出的意见就会站在一个新的起点上，站在团体的角度上。所以在某种时候，最后发言者因为掌握了更多的信息，见解也就更深入，更权威。如果你每一次的意见都是相对正确的，那么自然而然地在他人的心中就会树立起权威形象。

当你出席一次会议、一场晚会或与人谈话时，你不要迫不及待地亮出自己的观点，等一分钟，感受一下现场的氛围，了解人们当时的情绪，是激昂、愉快、观望，还是消沉？他们渴望了解你吗？对你的到来是否不悦？倘若你能感受到这一切，你便能更好地去接近他们，不会做出不合时宜的举动。

3. 尽量记住身边每一个人的名字

你要让别人重视你，树立起你的权威形象，就必须学会重视别人。现代社会，生活节奏加快，交流增多，“嘿”一声就可以认识一个新的朋友。也许对你来说，要记住每一张新面孔实在不是一件易事，于是，再次见面却想不起他人名字的尴尬场景便会常常发生在我们身上。可是有谁意识到这其实是对他人的一种忽视和不尊重呢？心理学家发现，当许多人坐在一起讨论某个问题时，如果在你发言中提到了多个同事的名字及他们说过的话时，那么，被提到的那几个同事就会对你的发言重视一些，也容易接受一些。为什么一个称呼会引起这么大魔力呢？那就是“被重视”这个因素在起作用。所以，让我们从记住别人的姓名做起，重视身边的每一个人，才能得到其他人的重视和尊重。

4. 从大局的利益出发

一个人待人处世如果只从自己的利益出发，那就不可能得到团体的认可，也更谈不上树立自己在他人心目中的权威形象了。

5. 果断地提出你的意见

有些人，在工作中面对某些问题时，明明有自己的见解，却思前想后，犹犹豫豫，等到其他同事提出时才懊悔不已。一次一次的错过，使得你失去了很多表现的机会；还有一些人，平时说话老是模棱两可，明明是一个正确的意见，却让他人产生模糊的感觉，这也会让他人对你的权威性产生怀疑。所以，当你考虑好了，请果断地提出你的意见。

6. 善于运用身体语言

在与人交往中，你必须将你的整个身体都看作是一个信息的载体。你必须意识到，你的一举一动都在说话。假如你善于运用你的身体语言，他人将乐于接纳你，并与你合作。外表、情绪、言辞、语调、眼神、姿态，抓住他人兴趣的能力，这些都是在与人交往时你能运用的东西，其他人正由此形成对你的印象。

※　赢得别人喜欢的几个简单技巧

人们总是对自己所爱的、尊敬的朋友，发自内心地关怀他们，期盼他们能幸福安乐。如果不能秉持这种心情，你实际上也就无法取悦对方。人际关系的原则，便是这种思念对方的心情。有了这种心情时，至于该如何遣词用字，自然也就能一目了然了。取悦人们的心理，我看谁都会有，然而，在人与人交往的实际场合，真能知晓如何取悦他人的方法者，并不多见。

事实上，你可以通过掌握一些简单、自然、平常和易学的技巧，来提高自己的知名度。只要你坚持不懈地去实践，你是可以成为一个受人喜爱的人的。

1. 要做一个平易近人的人，和别人打交道要轻松自如

也就是说，在别人和你打交道的时候，不要让人有一种紧张感。据说，有的人“你很难同他打交道”，他很难接近。这往往是一个

在交往中难以克服的障碍。一个平易近人的人很好相处，而且言谈举止都很自然。他会营造一种舒适、愉快、友好的氛围。和他在一起，不会像戴着一顶破旧的毡帽、趿拉着一双破烂的鞋子、穿着一件宽大破旧的袍子一样，尴尬难堪。一个表情僵硬、冷漠、毫无反应的人，是难以融于一个集体之中的，而他往往是一个桀骜不驯的、不合群的怪物。你确实不知道该如何和他打交道，你也难以揣摩他的内心世界，不知道他会对你的言行做出怎样的反应。喜欢上一个这样怪僻的人，确实不是一件很容易的事情。

2. 善解人意，体贴别人

一个体贴别人的人，总是设身处地为别人着想，不让别人紧张、拘束，更不会让别人尴尬难堪。据说，莎士比亚就具有善解人意的神奇能力。在和人交往的过程中，他就像一条变色龙，能根据交往对象的不同特点，随着时间、地点的变化，进行应变。文学批评家威廉·哈兹里特指出："莎士比亚完全不具有自我，他除了不是莎士比亚之外，可以是其他任何人，或是任何别人希望他成为的人。他不仅具备每一种才能以及每一种感觉的幼芽，而且他能借着每一次的命运改换，或每一次的情感冲突，或每一次的思想转变，本能地预料到它们会向何方生长，而他就能随着这些幼芽延伸到所有可以想象得出的枝节。"

3. 待人接物落落大方、不卑不亢

一般来说，具备这种素质的人必须具备宽阔的胸襟。因为，那些特别注重别人对自己的态度的人，那些害怕别人嫉妒自己的地位和职务的人，那些在生活中处于优势地位的人，是很少对别人态度冷淡的，而且一般也不轻易对别人生气。

美国前邮政部长詹姆士·法利是谦虚谨慎、不狂妄自大的人之中的一个杰出代表。

一个有趣的事例表明，法利先生是一个知道如何让人喜欢自己的专家。那是发生在费拉德菲尔城举办的一次“读书和读者”会上的事。当法利先生和其他演讲者到宾馆去吃午饭的时候，他们在走廊遇到了推着餐车的女服务员，餐车上装载着桌布、毛巾和其他用具。他们绕过餐车走了进去，这位服务员丝毫没有注意到他们。这时，法利先生向她走了过去，并且伸出手说：“嗨，你好，我是詹姆士·法利。能告诉我你的名字吗？很高兴认识你。”

当这群人走过大厅的时候，一些人回过头看了看那位女孩，她嘴巴张得大大的，显得十分惊讶，但是，她的脸上立即绽开了甜美的微笑。这是一个在现实生活中取得成功的人士，在社交场合中平易近人，善于营造舒适、自然、轻松的气氛，拥有良好的人际关系的绝妙例子。

4. 要忠诚、正直和具有爱心

某个大学的心理学系对那些受人喜爱的和不受人喜爱的人的性格作了分析。他们对一百个个性特征作了科学分析，他们指出：一个人要想赢得别人的喜爱就必须具备46个引起人们好感的个性特征。也就是说，你要想为大众所接受就必须具备许多的优秀品格。意识到这一点，或许会让你感到多少有些失望。

要想让别人喜欢你，你必须具备一个基本的品格。这就是要忠诚、正直和具有爱心。或许，只要你具备了这一基本品格，其他的各种品质也就自然而然地具备了。

5. 能够仔细分辨别人的意图、动机、心情、感受和思想

也就是说，一个社交能力强的人，必定是会盘算的人，他们会考虑到自己行为的后果，会盘算别人的可能行为，会计算自己的利益和损失，而所有这些盘算，都是在相关因素可能变动的情况下做出的。因此，只有认知能力较强、善于察言观色的人，才能在复杂多变的情况下，做出这些盘算来。这种人际交往智慧每个人都具有，关键是怎样使之不断增强，怎样在生活中把它们发挥出来。

6. 不断克服自身的弱点

如果你不是和别人打交道很轻松自如的人，我建议你对自己的性格做一些研究，考虑任何消除你在交往过程中可能存在的自觉的、不自觉的紧张情绪。一定要注意，不要把别人不喜欢你的原因归结到别人身上。相反的，你应该在自己身上找原因，而且要下决心找到解决问题的方法。要做到这一点，就必须非常诚实，敢于解剖自己，甚至还需要一些性格方面的专家的帮助。那些在你的性格方面的所谓“不利因素”或者说“弱点”，可能是你多年的生活习惯养成的，也可能是由你年轻时候的生活态度发展而来。或许，你还一直把它们作为“自卫”的武器来使用，殊不知，它们却在无意之中伤害了别人。不管这些性格的“弱点”是如何产生的，只要你对它们进行科学的分析，意识到了进行性格优化的重要性，通过一套对性格进行转变的训练，你是完全可以克服这些弱点的。

在一个人的性格转变过程中，学会为别人祝福是非常重要的。因为当你为别人祝福的时候，你就是在调整自己的心态，改变对别人的态度。这样，你和别人之间的关系就上升到了一个新的高度。以心换心，以爱换爱。当你向别人袒露出最美好的感情的时候，别人也会向你袒露出最美好的感情。当这种最美好的感情彼此相遇并且融合到一起时，一个更高层次上的相互信任，相互理解也就建立起来了。你也就在尘世中建起了“天堂”。

如果你已经走完了人生的一大半，而还没有建立起和谐的人际关系的话，你不要认为一切都不可改变，你应该采取明确的步骤去解决这一问题。只要你愿意为此付出努力，你完全可以改变自己，成为一个知名度很高、受人喜爱、受人尊敬的人。或许我可以用下面这句话来让我们共同警醒：一个人的最大悲剧是用一生的时间来为自己的过错掩饰和开脱。我们本来是做错了，却为它辩护，文过饰非，死不认账，死不改悔。就像一台电唱机上放置了一张有缺陷的唱片，当电唱机的指针陷入唱片的凹槽时，它会反复播放同一音调。你必须把指针从唱片的凹槽中拿出，这样，你就不会再听到不和谐的音调，而会听到旋律优美的歌曲。不要再浪费时间去为你在人际关系方面的失误作辩解，而要把这些时间用于完善自身的性格，去赢得别人的友谊。因为和谐的人际关系是成功生活的最重要的条件。

7. 尊重别人，自我克制

你尊重别人，别人也会尊重你；你喜欢别人，别人也会喜欢你。让别人喜欢你，实际上，这就是你喜欢别人的另一个方面。美国著名学者威尔·罗杰斯曾经说过一句很有名的话："我从没遇到一个我不喜欢的人。"这句话或许有一点夸张，但我相信，这对威尔·罗杰斯来说并不为过。这是他对人们的感觉，正因为如此，人们也都对他敞开心怀，就像花儿对太阳敞开心怀一样。

当然，有时也会因为彼此意见不同，使得你喜欢某个人格外的困难。这是很自然的事。有的人生性就比别人更惹人喜爱。但是，我们知道，每一个人确实都有他值得尊重甚至可爱的品性。

在人际交往中尊重别人的人格是赢得别人喜爱的一个重要因素。人格，对每个人来说，都是最重要、最宝贵的。对每一个人来说，他都有这样一个愿望：那就是使自己的自尊心得到满足，使自己被了解、被尊重、被赏识。如果我不尊重你的人格，使你的自尊心受到了伤害，当时，你或许会一笑了之，但是，我却严重地伤害了你。事实上，如果我表示出了对你的不尊重，即使你当时对我还是很友善，但是，如果你不是一个精神境界极高的人，你以后是不会很喜欢我的。这样，我就"赢得了战场，而输掉了战争"。

相反，如果我满足了你的自尊心，使你有一种自身价值得到实现的感觉，那么，这表明我很尊重你的人格。我帮助你获得了自我实现，你也会为我所做的一切表示感激。你对我有一种感激之情，你会因此而喜欢我。

一些高明的政治家是精于此道的。为了笼络人心，赢得别人的拥护和支持，他们绝不轻易伤害别人的自尊和感情。一位评论华盛顿政治舞台的专家指出："许多政客都能做到面带微笑和尊重别人，有位总统则不止如此。无论别人的想法如何，他都会表示同意。他会盘算别人的心思，并且能掌握这些心思的动向。"

不要贬低别人的人格，不要伤害别人的自尊心。因为，只有尊重别人，别人才会喜欢你。只有你满足别人的精神需求，别人才会满足你的精神需求。

一个人必须要有自我克制的能力，对和自己打交道的人千万不要表示出不耐烦。对某些人，你可能是特别的不喜欢，甚至是特别的讨厌。但是，你不要感情冲动，只要你冷静一点，尽可能地把这位令你生气的人的优点、他的过人之处列举出来，你就会克制自己的感情。如果你每天力图列举一点，久而久之，你就会惊奇地发现，你原来以为你不喜欢的那个人竟然会有那么多值得人喜爱的品质。在发现了他的可爱之处后，你就会猛然觉得自己没有理由讨厌他。当然，在你对别人有这些新发现的过程中，别人也在对你有许多新发现，也会发现你的许多可爱的品质。

※ 交谈是信息的交换、兴趣的分享和思想的交流

从某种意义上说，谈话是一种自我表现。我们可以在谈话中表达自己的思想感情，发表对事物的看法和观点。但是，仅仅把谈话理解为"表现自己的内心世界"是片面的。最好的谈话意味着信息的交换、兴趣的分享和思想的交流。谈话具有两重性——给予和获得，行动和反响。同时它又是多方面的——许多人思想的交流。

1. 避免两种偏见

如果你感到寻找话题很难的话，那么问题很可能出在你对谈论

什么话题看法不对。

一种错误的看法是：很不寻常的事才值得一谈。你绞尽脑汁地想那些惊天动地的爆炸事件，令人捧腹的大笑话。是的，这些确实是人们乐于听和谈论的；但是，我们不也是在许多愉快的傍晚谈论着日常生活——送孩子上学、采购蔬菜、欢度节日这类话题吗！因此，即使你未曾有过不同寻常的经历，也不必缄默不语，平凡的生活仍会提供给你大量的话题。记住：别人也大都主要对日常事情感兴趣。

另一种偏见是：话题必须高雅而有学问。的确，人们会谈论相对论、原子结构，但人们谈到更多的是生活和爱情、吃喝和天气。所以不要认为，只有你研究数月的东西才适于谈论。

2. 寻找适宜的话题

事实上，什么都可以谈论。你可以谈论烹调、编织、时装、家具、亲戚朋友、篮球足球；你可以讨论书籍报刊、戏剧电影、时事新闻、国家政治；你可以讲述故事逸闻；你可以谈谈你得到的新思想和新观点，而你对这些思想和观点的看法，则比这些思想观点本身更重要。

人们谈话的目的之一，是拿自己的思想与别人比较。当他发现自己的观点同你一致时，会感到无比温暖；而不一致时，也会感到清新欢快。因此，不必顾虑别人认为你圆滑而不敢表示同意，也不要担心产生分歧而不敢表示反对。

如果你不能像别人一样，对某件事谈出很好的看法，也不必缄口不言。即使你觉得国际会议上的演讲家都是白痴，也完全可以大胆地发表自己的看法，只是在表示看法时语气要友好。

有些人喜欢提挑战性的意见，以致引起热烈的讨论和激烈的争吵。不过提这种意见必须慎重，最好是等到“知己知彼”后再进行。

当你提出一个话题时，要确信自己对它有所了解，但这并不意味着要很有研究，只不过较熟悉罢了。如果你才在上一周末滑了一次冰的话，最好就不要大谈怎样进行花样滑冰，因为在座的也许有高手；所以，你谈你对滑冰的第一印象和第一次跌倒就好得多。

3. 避免不可谈论的内容

相比之下，不可谈论的话题比可谈论的话题要少得多。一般说来，对一个陌生人谈论你的私生活是不合适的；不要向一般人谈论你亲人和朋友的缺点；不要向不喜欢某书的人大摆该书的情节。而如果你使宴会沉浸在阴郁的故事中，那么你再被邀请的机会就少了。

4. 积极寻找和提炼话题

如果你感到话题有限的话，就尽量找些新的。你每天读报纸杂志、听广播、看电视，你对顾客、营业员、大学生、家庭等颇有兴趣，这些都是谈论的话题。当你在报上看到某个喜爱的栏目时，用心记住它。当你在演讲中听到某个你喜欢的警句时，也记住它。在这些材料的基础上，建立自己的话题库，还可做些笔记和卡片。当记忆犹新的时候，提炼这些材料，向家人和朋友谈论它们。如果你用这种办法不断发现和提炼话题，就永远不会感到无话可说。

5. 让自己充满勇气

有些话题本来你是可以谈得很好的，但你总是缺少勇气。这或许是你总把自己同某一位健谈者相比而自叹不如的缘故。如果真是这样，下次谈话时你就先认真当好听众，注意别人在谈论什么以及怎样谈论，比较每个发言者的成功和失败，分析原因。再下一次，也不直接发表言论，只是提问而已，尽量把别人都吸引到问题上来，分析别人的发言。再一次，只发表一种意见，注意别人的看法，同自己的看法进行比较。最后，你就可以放开谈论了，你一定会对自己的进步感到骄傲。

6. 多了解别人

有些人能够侃侃而谈，但却并不一定使人感兴趣，甚至令人反感，这很可能在于他对与他交谈的人缺乏了解。

努力使谈话热烈，不要阻止思想的交流，同老朋友在一起这不成问题，我们了解他们的爱好和兴趣。但是同生人在一起，困难就产生了，我们不易找出他们的兴趣。下面让我们看看怎样轻松愉快地同生人谈话。

（1）如果你有事要会见一位陌生人，尽量先从朋友那里了解一些关于那人的情况，以及他的职业和兴趣。

（2）当你走进生人家时，留心观察，找出能够帮你了解主人的线索，比如他家里挂什么画，存什么书等。如果你不喜欢他们的古董，就不要谈论它们；找出那些你赞赏和有兴趣的东西作为话题。

（3）特别留意向你介绍生人时的话语。例如，当听到“卡尔先生刚从中东回来”时，你可提一些关于中东时事方面的问题，或者请他谈谈他在那里的工作，或者仅仅表示有机会听到些那遥远地方的消息，感到非常高兴。这样，或许可以很快加深你对他的了解。

（4）谈谈你自己的情况，这可以引导别人谈他自己的情况。

（5）可以问问他私人方面的但又不太过分的问题，不过显然不能问他的薪水。如果主人在钢厂工作，你就可以问别的客人“你也在钢厂吗？”如果是，你就可以表示兴趣，进一步提些问题；如果他回答你他正做的工作是什么，你又可以从这儿谈起。

（6）陌生人讲的头几句话往往能提供给你关于他兴趣的线索，要特别注意。

（7）别人也许比你更紧张，你就跟他谈一些轻松的话题。

（8）留意别人语气、表情、手势的变化，他们什么时候振作，什么时候兴趣索然。要使自己的谈话随机应变。

（9）对生人要避免可引起争论和刺激性的话。

※ 尽量欣赏别人，让别人感到愉快

人都有一种强烈的愿望——被人欣赏，欣赏就是发现价值或提高价值，我们每个人总是在寻找那些能发现和提高我们价值的人。

一家成功的保险公司经理在谈到成功的秘诀时说，很重要的一条是：“我们欣赏我们的代理人。”

欣赏能给人以信心，能让对方充满自信地面对生活。爱情之所以能有如此巨大的魔力，就是因为两个人互相欣赏对方，欣赏对方的优点，甚至欣赏对方的缺点。在爱人眼里，对方是世界上最完美的。一个人被人认为是世界上最完美的，可以想象他是何等兴奋！所以，心中有爱情的人，对待生活总是积极、乐观的，充满自信的。许多大企业家告诉我们，他们在提升一个人之前，喜欢了解有关这个人妻子的有关情况，他们感兴趣的当然不是她的长相、她的贤惠，而主要在于她是否对丈夫有一种信任感。如果一个妻子认可其丈夫并给他一种感觉：她和丈夫在一起是愉快的，那么，每当丈夫回家时，他就能在她的臂膀中得到一种自信和激励；第二天，他就能充满自信地面对生活。

欣赏能使对方感到满足，使对方兴奋，而且会有一种做得更好，以讨对方欢心的心理。如果一个员工得到经理的欣赏，他肯定会尽力表现得更好；而如果是一个小孩，得到别人的欣赏，那他的表现会令人大吃一惊。有一个小孩总因喜欢在家具上刻画而遭惩罚，心理学家为他买来雕刻面具，并且教他如何使用，如何设计，还赞赏他：“你雕刻的东西比我所认识的任何一个人雕得都好。”一天，小孩使任何一个人都大吃一惊：没任何人要求他，他就把自己房间打扫一新。当问他为什么时，他的回答是：“我想你会喜欢的。”

当然，欣赏别人也得懂得一些技巧。具体该怎么去做呢？

1. 要尽量去欣赏别人一些他自己不自信或不被众人所知的优点。

如果一个国家级运动员和你第一次见面，你表示欣赏他的运动成绩，除了让他一笑以外，不会产生什么特别的感觉；而如果你表示欣赏他的风度和气质，他会非常高兴。

2. 欣赏别人不能无中生有

对方根本没有的优点甚至是缺点，而你还大加赞赏，他要么怀疑你在讽刺他；要么认为你是个善于说假话、奉承拍马的人。

3. 单独对待每个人总能让人有种被欣赏的感觉

当你到朋友家做客，朋友向你介绍了他的三个孩子后，你不是点头微笑，而是走过去同他们一一握手并问好，他们马上会对你产生好感。

※ 赞美是对别人的尊重和送给别人的最好礼物

每个人都渴望得到别人和社会的肯定和认可，我们在付出了必要的劳动和热情之后，都期待着别人的赞许。那么，把自己需要的东西，首先慷慨地奉献给别人，体现的只能是我们的大方和成熟。

赞许别人的实质，是对别人的尊重和评价，也是送给别人的最好礼物和报酬，是搞好人际关系的一笔暂时看不到利润的投资。它表达的是我们的一片善心和好意，传递的是你的信任和情感，化解的是你有意无意间与人形成的隔阂和摩擦。对人表示赞许，你何乐而不为呢？

世界上的人大都爱听好话，没有人打心眼里喜欢别人来指责他，就是相濡以沫的朋友，你批评几句，对方往往脸上也有挂不住的时候。

美国哈佛大学的专家斯金诺，通过一项实验的研究结果表明，动物的大脑，在收到鼓励的刺激后，大脑皮质的兴奋中心就开始起劲调动子系统，从而影响行为的改变。同样的道理，人作为万物的灵长，期望和享受欣赏，是人类最基本的需求之一。日本的社会心理学家在细和孝就说过：“人们对你赞誉、佩服或表示敬意时，除非显而易见地是溜须拍马，即使是应酬话，你也许还是觉着舒坦。可是，听到他人对你的批评，不中听的言语时，即使他没有恶意中伤，而且又部分符合实际，你也可能长期对它抱有反感。”

在细和孝的话恐怕不仅仅是对日本人而言的，他在一定程度上，是渗透了人性在对待赞许和批评方面的底蕴而发的透彻议论。中国也有相同的经验之谈，不过言简意赅，没那么具体。“多栽花，少栽刺”，就是这方面既来得直接，又深富哲理的良策警语。

一般在常人身上，都有着难以察觉的闪光点，而这些正是个人价值的生动体现。而一个伟大的领导者，往往独具慧眼，大多是赞颂别人的专家。罗斯福的才能，就表现在对正直人给予恰当的称赞上。

既然赞扬是人际交往的润滑剂，我们就要在和周围人相处的过程中，毫不吝啬地赞扬别人，使赞许动机获得广大而神奇的效用。

1. 赞扬的过程是一个沟通的过程

一位学者在一所高等学府就职，这人深沉寡言，严肃认真。其妻在实验室工作，经常与机器和数据打交道，也难免谨慎和刻板。然而不久前朋友们却发现其妻年轻了许多，不仅待人热情洋溢，而且穿戴打扮也焕然一新。遇到开心的事，笑声爽朗，很是动人。众人很纳闷，她怎么像换了个人似的？询问这位学者，才知道她近来调换了一个工作环境，那里年轻人多，气氛融洽，顶头上司又是一个充满活力、非常会说笑话的人，非常赞赏她工作的认真和负责。不失时机地给予她应有的鼓励和赞美，她也感觉到自己好像突然生活在另外的世界里，阳光灿烂，空气清新，连精神面貌都充满了一股子朝气。

这个人的经历说明，赞扬不仅能改善人际关系，而且能改变一个人的精神面貌和情感世界。赞扬的过程，是一个沟通的过程。通过赞扬，你得到了对方的欣赏和尊重，自己享受了自尊、成功和愉快，你的精神面貌还能不如芝麻开花，充满盎然的生机吗？

2. 赞扬能鼓励人向上和自强

马斯洛的层次理论认为，自尊和自我实现是一个人较高层次的需求，它一般表现为荣誉感和成就感。而荣誉和成就的取得，还须得到社会的认可。而赞扬的作用，就是把他人需要的荣誉感和成就感，拱手相送到对方手里。当对方的行为得到你真心实意的赞许时，他看到的是，别人对自己努力的认同和肯定，从而使自己渴望别人赞许的动机在荣誉感和成就感接踵而来时得到满足，从而在心理上得到强化和鼓舞，养精蓄锐，更有力地发挥自身的主观能动性，向着自己的目标冲击。

3. 赞扬别人，也能激励自己

现实生活中，一个善于发现别人长处，善于赞扬别人优点的人，绝不是单方面的给予和付出。不知你是否也有这方面的体验，赞扬别人，往往也会激励自己。别人的精神会感染我，别人的榜样会带动我，人家行，我何以不行呢？比比看！这样一种情形和心态，在体育场上，简直可以说是比比皆是。

※ 正确的表情最能捕捉人心

一个人的面部表情，比穿着更重要。笑容能照亮所有看到它的人，像穿过乌云的太阳，带给人们温暖。

卡耐基在纽约参加过一个宴会，其中一名宾客——一个获得遗产的妇人，急于留给每一个人一个良好的印象。她浪费了好多金钱——在黑貂皮大衣、钻石和珍珠上面。但是，她对自己的面孔，却没下什么工夫。她的表情尖酸、自私。她没有发现每一个男人所看重的是一个女人面孔的表情，比她身上所穿的衣服更重要。

捕捉人心的要素很多。但是，其中效果最大，而且能使他人的目光不忍稍移的，莫过于表情。普通人多少都会对自己容貌上不完美的地方加以掩饰，拼命地来弥补。特别是那些天生容貌称不上出色的人，总希望尽可能看起来漂亮些，于是，便努力做出高雅的举止，脸上常挂着温柔的微笑。

你脸上的表情究竟该如何表现呢？或许你想表现出自己是个男子汉，思虑深远，富有决断的表情，但是这实在是大错特错！充其量，你这张脸就像每天只是发号施令，看起来极端严肃的班长罢了。

你能够通过努力，使脸上浮现正确的表情。

首先，眼神应经常浮现温和的表情，而且，最好能保持微笑。不妨试着学习传教士的表情。善意洋溢，充满着慈爱，严峻之中蕴涵着热情的表情——这种举止相当能吸引人。当然，单只靠表情是不够的。大部分的人，要博得人们的欢心，还得利用心意的伴随。由于他们被认为有心，所以他们的表情便能使人着迷，产生好感。

行动比言语更具有力量，而微笑所表示的是："我喜欢你。你使我快乐。我很高兴见到你。"

这就是为什么狗这么受人们欢迎的原因。它们多么高兴见到我们，因此，我们也就高兴见到它们。

必须注意的是，微笑的时候一定要真诚。一种不真诚的狞笑骗不了任何人。我们知道那种笑是机械式的，最让人讨厌的。真正发自内心的微笑是一种令人心情温暖的微笑。

艾勃·哈巴德这样建议那些希望获得别人好感的人：

"每回你出门的时候，把下巴缩进来，头抬得高高的，肺部充满空气，沐浴在阳光中；微笑着招呼你的朋友们，每一次握手都使出力量。不要担心被误解，不要浪费一分钟去想你的敌人。试着在心里肯定你所喜欢做的是什么；然后，在清楚的方向之下，你会径直地达到目标。心里想着你所喜欢做的伟大而美好的事情，然后，当岁月消逝的时候，你会发现自己掌握了实现你的愿望所需要的机会。正如珊瑚虫从潮水中汲取所需要的物质一样。在心中想象着那个你希望成为的有办法的、诚恳的、有用的人，而你心中的思想，每一个小时都会把你转化为那个特殊的人……思想是至高无上的。保持一种正确的人生观——一种勇敢的、坦白的、愉快的态度。思想正确，就等于是创造。一切的事物，都来自于希望，而每一个诚恳的祈祷，都会实现出来。我们心里想什么，就会变成什么。把下巴缩进来，把头部高高昂起。我们是明天的神仙。”

※ 得体的微笑表示一种力量和涵养

19 世纪的一位名人曾这样赞美微笑：

微笑在圣诞节的价值——

它不花什么，但创造了很多成果。

它丰盛了那些接受的人，而又不会使那些给予的人贫瘠。

它产生在一刹那之间，但有时给人一种永远的记忆。

没有人富得不需要它，也没有人穷得不会因为它而富裕起来。

它在家中创造了快乐，在商业界建立了好感，而且是朋友间的口令。

它是疲倦者的休息，沮丧者的白天，悲伤者的阳光，又是大自然的最佳良药。

但它却无处可买，无处可求，无处可借，无处可偷，因为在你把它给予别人之前，没有什么实用的价值。

而假如在圣诞节最后一分钟的匆忙购物中，我们的店员累得无法给你一个微笑时，我们能请你留下一个微笑吗？

因为不能给予微笑的人，最需要微笑了！因此，如果你要别人喜欢你的话，请遵守这一条规则：微笑。

一个人的面部表情，比穿着更重要。笑容能照亮所有看到它的人，像穿过乌云的太阳，带给人们温暖。用你的微笑去欢迎每一个人，那么你就会成为最受欢迎的人。

富兰克林·贝特格是全美国最著名的推销保险人士之一。他说他许多年前就发现了面带微笑的人永远受欢迎。所以，他在进入别人的屋子之前，总是停留片刻，想想令他高兴的事情，于是，他脸上便展现出开朗的、由衷而热情的微笑；当微笑即将从脸上消失的刹那间，他推门进去。

富兰克林·贝特格深知：他推销保险的成功同自己面带微笑有很大的关系。

当我们面带微笑去办事儿，回头看看效果，你必然自己都大吃一惊。微笑永远不会使人失望，它只会使人们欢迎面带微笑的人。

有这样一个例子，威廉·史坦哈是纽约证券股票公司市场成功的一员，他说他年轻的时候是个讨人嫌的家伙，他脸上没有微笑，不受人们的欢迎。

后来他自己决定，必须改变他的态度，他决心要脸上展现开朗的、快乐的微笑。于是，在第二天早上梳头时，他对着镜子中满面愁容的自己下令说：“威廉，你得微笑，把脸上的愁容一扫而光；现在立刻开始——微笑。”于是，威廉·史坦哈转过身来，跟他的太太打招呼：“早安，亲爱的。”同时对她微笑，她怔住了，惊诧不已。史坦哈说：“从此以后你不用惊愕，我的微笑将成为寻常的事。”

过了两个月，史坦哈每天早上都对妻子微笑。结果怎么样呢？微笑改变了他的生活，两个月中他在家所得的幸福比以往一年还要多。

现在，史坦哈对大楼的电梯管理员微笑；对大楼门廊里的警卫微笑；对地铁的出纳小姐微笑。当他在交易所时，对那些从未见过他的人微笑。于是他发现，每一个人都对他报以微笑。

史坦哈带着一种轻松愉悦的心情去同一些满腹牢骚的人交谈，一面微笑，一面恭听。过去很讨人厌的家伙，现在变成了一个受人欢迎的人；过去很棘手的问题，现在变得容易解决了。

毫无疑问，微笑给史坦哈带来了许多的方便和更多的收入。现在，他发现以前同别人相处很难；现在可完全相反，他学会赞美、赏识他人，努力使自己用别人的观点看事物。从此他快乐、富有、拥有友谊与幸福。

不会微笑的人在生活中将处处感到艰难，这就是史坦哈自己的体会。

在现实的工作、生活中，一个人对你满面冰霜、横眉冷对；另一个人对你面带笑容、温暖如春，他们同时向你请教一个工作上的问题，你更欢迎哪一个？当然是后者，你会毫不犹豫地对他知无不言，言无不尽，问一答十；而对前者，恐怕就恰恰相反了。

一个人的面部表情亲切、温和、充满喜气，远比他穿着一套高档、华丽的衣服更吸引人注意，也更容易受人欢迎。

大卫·史汀生是美国一家小有名气的公司的总裁，他还十分年轻。他几乎具备了成功男人应该具备的所有优点，他有明确的人生目标，有不断克服困难、超越自己和别人的毅力与信心；他大步流星、雷厉风行、办事干脆利索、从不拖沓；他的嗓音深沉圆润，讲话切中要害；而且——他总是显得雄心勃勃，富于朝气。他对于生活的认真与投入是有口皆碑的，而且，他对于同事们也很真诚，讲求公平对待，与他深交的人都为拥有这样一个好朋友而自豪。

但初次见到他的人却对他少有好感。这令熟知他的人大为吃惊。为什么呢？仔细观察后才发现，原来他几乎没有笑容。

他深沉严峻的脸上永远是炯炯的目光、紧闭的嘴唇和紧咬的牙关。即便在轻松的社交场合也是如此。他在舞池中优美的舞姿几乎令所有的女士动心，但却很少有人同他跳舞。公司的女员工见了他更是畏如虎豹，男员工对他的支持与认同也不是很多。而事实上他只是缺少了一样东西，一样足以致命的东西——一副动人的、微笑的面孔。

因为微笑是一种宽容、一种接纳，它缩短了彼此间的距离，使人与人之间心心相通。喜欢微笑着面对他人的人，往往更容易走入对方的天地。难怪学者们强调：“微笑是成功者的先锋。”

下面是一家小型电脑公司的经理所讲述的他如何为一个很难填补的缺额找到了一位适当的人选。

“我为了替公司找一个电脑博士几乎伤透脑筋，最后我找到一个非常好的人选，刚刚从名牌大学毕业。几次电话交谈后，我知道还有几家公司也希望他去，而且都比我的公司大，比我的公司有名。当他表示接受这份工作时，我真的是非常高兴也非常意外。他开始上班后，我问他，为什么放弃其他更优厚的条件而选择我们公司？他停了一下然后说：‘我想是因为其他公司的经理在电话里是冷冰冰的，商业味很重，那使我觉得好像只是另一次生意上的往来而已。但你的声音，听起来似乎你真的希望我能成为你们公司的一员。因为我似乎看到，电话的那一边，你正在微笑着与我交谈。你可以相信，我在听电话的时候也是笑着的。’”

的确，如果说行动比语言更具有力量，那么微笑就是无声的行动，它所表示的是：“我很满意你。你使我快乐。我很高兴见到你。”笑容是结束说话的最佳“句号”，这话真是不假。

“你希望别人高兴来见你，你就必须高兴会见别人。”这是一位行政单位的秘书的经验之谈。他说他所在的办公室主任只要是见到上司总会微笑着打招呼、点头，上司也以同样的态度回应他。可一回到自己的科室，对下属便很冷淡、很严厉，从没有笑脸，这样他也就得不到同事们的微笑与拥护了。

对人微笑是高超的社交技巧之一，是一种文明的表现，它显示出一种力量、涵养和暗示。一个刚刚学会微笑的中年经理说：“自从我开始坚持对同事微笑之后，起初大家非常迷惑、惊异，后来就是欣喜、赞许，两个月来，我得到的快乐比过去一年中得到的满足感与成就感还要多。现在，我已养成了微笑的习惯，而且我发现人人都对我微笑，过去冷若冰霜的人，现在也热情友好起来。上周单位搞民主评议，我几乎获得了全票，这是我参加工作这么多年来从未有过的大喜事！”

有微笑面孔的人，就会有希望。因为一个人的笑容就是他好意的信使，他的笑容可以照亮所有看到它的人。没有人喜欢帮助那些整天皱着眉头、愁容满面的人，更不会信任他们。而对于那些受到上司、同事、客户或家庭的压力的人，一个笑容却能帮助他们看到一切都是有希望的，也就是世界是有欢乐的。只要活着、忙着、工作着，就不能不微笑……

※ 学会自然而真诚地展示你的微笑

微笑不应当是一种伪装，不能在脸上矫揉造作地摆出来。不要以为别人在期待着你微笑而流露出自己的微笑，这样的微笑会招致他人的反感。微笑应当发自一个人的心灵深处，诚挚而真实。当然，如果你是一位招待员或商品销售人员，要求你对每一位顾客都表现出一种真诚的微笑，这确实是让你有点为难了。他们对你的微笑也许毫无反应，甚至他们的古怪脾气令人很难应付。尽管如此，你也必须微笑，这是对你的一种职业要求。你也可以采用某些技巧，以让你发出真诚的微笑。这些技巧一直被演员们所运用，让他们能够鲜明而真实地表达出自己的感情。

一个演员必须在内心里排除自我，恰如其分地表现出自己所要扮演的角色。也许某位女演员扮演的是一位遇事乐观的角色，而她自己的生活正在经历一段最为忧郁的日子——她的男朋友为了隔壁那位皮肤白皙、金发碧眼的美丽女郎而抛弃了她；而且她所渴望扮演的一个角色被别的女演员争去了；另外，她所存款的那家银行新近又倒闭了。尽管事情没有比这更糟的了，但她却还必须扮演一位令人感到真实可信的乐天派人物。没办法，这就是演员的工作和要求。

为了让自己的表演更加真实，很多女演员都成功地运用了一种技巧，这个技巧的基本原则就是：放松的身体和微笑是愉快而自信的表现，躯体紧张则会出现相反的效果。

杰出的进化论创立者查尔斯·达尔文写过一本书，名为《人与动物的情感》，在这本书中，达尔文提出了一个假设，即人的情绪与表情是紧密关联的，如果一个人有某种情绪的话，他就必然会有与之相应的表情。心理学家现在也已经证明，只有放松的躯体，才是真正心满意足的表现。一旦你的精神进入紧张状态，躯体也就自然紧张起来。为了证实这一点，请你回想一下，在上次的某个工作或学习场合，你迟到了，当你匆忙赶到预定地点时，你的感觉如何？可能会感到紧张吧？甚至可能感到面部的肌肉紧缩，双肩僵硬。可后来，你又去了一次海滩，你在享受着和煦的阳光，呼吸着带有咸味的空气时，你感觉到了身体的放松吗？你的脸上是不是带有愉快的微笑？

下面是一个练习，它将帮助你松弛一下，让你产生出真诚的微笑。

1. 舒适地坐着，放松身体，当你觉得你的每一块肌肉都变得沉重下垂，一种确实松弛下来的舒服之感洋溢全身时，你试着微笑。

2. 给自己微笑的时间，回想一件令人愉快的事引发微笑，并且欣赏自己的微笑。

3. 让微笑首先在你的眼睛里闪现，然后流溢到嘴角，最终当微笑照亮了你的整个脸庞时，你再说些什么，可以背诵自己喜爱的童谣，从 1 数到 10，或者直接向自己祝贺：“嘿，我的微笑很好！”

如果你每天多练习几次，你很快就会发现，微笑成了你生活中一件很自然的事情，你不必再经过精心设计、刻意追求。一旦你的大脑发出微笑的信号，你的躯体就会马上松弛下来；只要你心里想笑，脸上便会真诚地笑出来。

※ 在人际交往中适当用些幽默

如果你希望有所成就，希望引人注目，希望社交成功，那么你就应该学会和别人来点幽默。幽默是极易接近感情的热线，它像春风一样，使愉悦充满两个人的交际场中，表达着你的真诚和温情。幽默宛如一座桥梁，是沟通人心灵的桥梁。幽默者最有人情味，与这样的人相处，每个人都会感到快乐。

深受美国人爱戴的美国第十六任总统林肯的容貌很难看，这是讨人喜欢的一个障碍。他认识到这一点，但并没有回避它，反而利用它拉近了与人们的距离。

一次，他的论敌说他是两面派。林肯平和地说："现在，让听众来评评看，要是我有另一副面孔的话，您认为我会戴这副难看的面孔吗？"幽默，显示了林肯对自己的达观态度，体现了他的真诚，赢得了人们的理解，更表露了人们所需要的人性和人情味。

幽默是人际沟通的润滑剂。幽默能使激化的矛盾变得缓和，从而避免出现令人难堪的场面，化解双方的对立情绪，使问题更好地解决。

人们凭借幽默的力量，打碎自己的外壳，主动地与人交往，触摸一颗颗隔膜的心，通过幽默人们能感受到你的坦白、诚恳与善意。

严肃的交谈与例行公事般的来往，往往给人一种戴着假面具的感觉，也似乎只能让人了解你的外表，却无法探知你的内心，这样的交流是极难深入下去的，因而没有心灵沟通的社交，不能算成功的社交。幽默能够让人们看到你的另一面，一个似乎是本真的、人性的、淳朴的一面，这是人性的共同之处。

用幽默，我们也可以回答自己不愿听的问题。芬兰一个建筑师说话很慢，当记者访问他时，一直担心时间不够。万般无奈只好说：“沙先生，时间不多了，能否请您说快点？”沙先生一听，慢吞吞地掏出烟斗，点上，能多慢就多慢，懒懒地说：“不行，先生。不过，我可以少说一点。”

有时，朋友提出一些你无法接受的要求，但若生硬地拒绝，又容易伤害彼此之间的感情。运用幽默，能使人避免这种难办的事情。

据说，罗斯福在当选美国总统前，曾在海军任要职。一天，他的一个朋友向他打探海军在加勒比海一个小岛上建立核潜艇基地的计划。

罗斯福向四周看了看，压低嗓门说：“你能保密吗？”

“当然能。”朋友爽快地答应了。

“那么，”罗斯福微笑着说，“我也能。”

这样委婉的拒绝，既保守了秘密，又不使朋友过分难堪，真是一举两得。

幽默是有雅俗之分的。好的幽默不但令人发笑，笑之后精神还为之振奋，情操得到陶冶，感情得到满足，得到美的享受，而且也表明了幽默人的修养、气质的高超；而低俗的幽默，是智力贫贱的产物，使人觉得荒唐、无聊与庸俗，幽默者本人是不会得到真正的朋友的。

幽默不应只是为笑而笑，它应该是在严肃和趣味之间达到一种平衡，它应该使人睁开眼睛更好地认识世界，认识自己，调整错误的观念，使我们的身心和周围的一切均衡成长，实现更高级的文明。

幽默的背后是严肃，幽默的背后还藏着人的情趣、修养和心理。

情趣高雅靠的是我们自身的修养，包括道德修养、知识修养、艺术修养等，只有自身变得高雅了，你的幽默才会随之高雅。反过来，高雅的幽默也表露了你人格的高尚，能够吸引更多的人和你交往。

毫无疑问，谁都喜欢和高尚的、高雅的人做朋友。

卡耐基讲过这样一个故事：

当美国第二十八任总统威尔逊刚刚就任新泽西州的州长之时，曾经参加了一次纽约南社的午宴，宴会的主席对大家介绍说："威尔逊将成为未来的美国大总统！"当然啦，主席先生是不可能有这样的预测力的，这不过是他的溢美之词而已。

于是，威尔逊在称颂之下登上了讲台，简短的开场白之后，他对众人说："我希望自己不要像从前别人给我讲的故事中的人物一样。在加拿大，一群游客正在溪边垂钓，其中有一名叫作强森的人，大着胆子饮用了某种具有危险性的酒。他喝了不少这种酒，然后就和同伴们准备搭火车回去了，可是他并没有搭北上的火车，反而是坐上了南下的火车。于是，同伴们急着找他回来，就给南下的那趟火车的列车长发去电报：'请将一位名叫强森的矮个子送往北上的火车，他已经喝醉了。'很快，他们就收到了列车长的回电：'请将其特征描述得再详细些。本列车上有十三名醉酒的乘客，他们既不知道自己的姓名，也不知道自己的目的地。'而我威尔逊，虽然知道自己的姓名，却不能像你们的主席先生一样，确知我将来的目的地在哪里。"在座的客人一听都哄然大笑起来，宴会的气氛也一下子变得愉快和活跃。

那些因听了威尔逊的故事而发笑的人，大多都认为，能够让人捧腹大笑的趣闻，通常都是源自说笑话的人的自我打趣。但是，听众之中却很少有人明白威尔逊所说的故事其实正是根据他们曾经经历过的事情改编的。

难道威尔逊的用意仅仅是为了博人一笑吗？当然不是，事实上他是运用了一种最有力的方式获取他人对他表示善意和支持的态度，而且也把在这之前的隔阂消除了。威尔逊的这个策略就是牺牲个人的“自我”，以提升他人的“自我”。

要知道，所有非凡的人才，都会在和普通人接近之时，故意拿自己开玩笑或是不惜批评自己，以便让大家感到轻松和愉快。至少在他说话的当时，别人会感到自己比他优越，因而大家就会普遍地被激起同情、爱护和支持的感情。

第六章　更巧妙地说服，更艺术地批评

交朋友并影响别人意见的最稳妥的方法是，尊重对方的意见，让他有重要感。

——戴尔·卡耐基

太阳能比风更快的脱下你的大衣；仁厚、友善的方式比任何暴力更容易改变别人的心意。

——戴尔·卡耐基

尽量去了解别人，而不要用责骂的方式；尽量设身处地去想——他们为什么要这样做；这比起批评责怪要有益，有趣得多，而且让人心生同情、忍耐和仁慈。

——戴尔·卡耐基

※　多数人无论犯了什么样的错误，都不会去责备自己

1931 年 5 月 7 日，纽约市民看到了一桩从未见到过的、骇人听闻的围捕。凶手是个烟酒不沾、素有“双枪”之称的叫克劳德的罪犯。当时，他被警方围困在他情人的公寓里。

150 名警方治安人员，把克劳德困在公寓顶层的藏身处。他们在屋顶凿了个洞，试图用催泪毒气把凶手克劳德熏出来。警方人员把机枪安置在附近四周的建筑物上，等候罪犯出来。大约经过一个小时，这个平日宁静的社区里，忽然响起一阵阵刺耳的机枪、手枪声。克劳德藏在一张堆满杂物的椅子后面，用手上的短枪，接连向警方人员射击。上万的人，怀着激动而兴奋的心情，观看这幕警匪对战

的场面。久住纽约的人都知道，这种情景是极其少见的……

克劳德被捕后，警长罗南指出："这名暴徒是纽约治安史上，最危险的一个罪犯。"这位警长又说，"克劳德杀人，就像切葱一样……他会被判处死刑。"

然而，"双枪"克劳德却不这样认为。当警方围击他藏身的公寓时，克劳德写了一封公开信，写信的时候因伤口流血，还在那张纸上留下了他的血迹！克劳德的信是这样写的："在我的衣服里，是一颗疲惫的心——那是仁慈的，一颗不愿意伤害任何人的心。"

真实的情况确实如克劳德所说吗？在克劳德被捕的前几个月，他把汽车停在长岛公路的路边，和一位女士调情。当警察走近对他说"让我看看你的驾驶执照"时，他一言不发，拔出手枪，朝那名警察连开数枪，直到警察倒在地上。但他还不罢休，又从车里跳了出来，捡起警察的手枪，又向地上的尸体开了一枪。这就是他所说的"在我的衣服里，是一颗疲惫的心——那是仁慈的，一颗不愿意伤害任何人的心"？

最后，克劳德被判处坐电椅，行刑前，当接受采访时，他不是认为："这是我杀人作恶的下场"，反而说："我是为了保护自己，才这样做的。"克劳德会落到这种结局，根本原因在于他从不责备自己，总是为自己的行为找推托的借口。而这也是罪犯当中常见的态度。如果你也像他一样的话，那么再看看下面的例子吧。

"我将一生中最好的岁月给了人们，使他们幸福愉快，并过着舒服的日子，而我所得到的只是侮辱，甚至还被逮捕。"这是卡邦所说的话，他是美国人的第一号公敌。被捕前，他在芝加哥一带活动，是当地最凶恶的匪首。可是，他却认为自己是一个有益于群众的人——一个没有受到赞许，反而被人误解的人。

休斯在被子弹击倒前，也曾表示自己是一位有益于群众的人。而实际上，在纽约，他是个令人发指的罪犯。

卡耐基曾和“星星监狱”的负责人华莱士·劳斯通过信。劳斯说：“在星星监狱的犯人中，很少有罪犯承认自己的罪行，他们同你我一样，有自己的见解。他们会告诉你，为什么要撬开保险箱，为什么接连地放枪伤害人，甚至于为自己辩护，并表示自己不应受到惩罚。”

克劳德、卡邦、休斯和监狱中的暴徒们，都将罪行推卸到别人身上，努力澄清自己。那么，你我所接触的人又怎么样呢？

已故的华纳梅格，曾承认说：“30年前我就懂得了，责备别人是愚蠢的事。我并没抱怨上帝没有给我足够的智力，但我已难以忍受自己的缺陷了。我在这世上盲目地行走了三十多年，现在才恍然大悟——99%的人，无论犯了什么样的错误，也不会去责备自己。”

批评是没有用的，因为它会令人的防备心加重。批评也是危险的，它会伤害一个人的自尊，并激起反抗。

德国的军队规定士兵在遇到变故时，不准立即申诉、批评。而需要冷静一段时间，直到当事人能冷静地思考、理智地判断时，才可以进行申诉，否则将被论罪。在我们的日常生活中，似乎也有必要来制定这么一个规则。嘀咕埋怨，喋喋不休，斥责怒骂，以及吹毛求疵，并不能改变什么，反而会让人的逆反心理加剧。所以，卡耐基反复强调：在批评别人的时候，一定要慎重。

※ 我们所责备的人，都会为自己辩护或进行反驳

罗斯福和塔夫特总统间著名的争论分裂了共和党，并最终促使艾森豪威尔进入了白宫；后者在世界大战中，留下了光辉的一笔，并改变了历史的进程。

卡耐基曾这样追叙当时的情形：

1908年，罗斯福离开白宫的时候，推举塔夫特做了总统，而他自己则远赴非洲去猎狮子。然而当他回来后，一切都不同了。罗斯

福指责塔夫特，说他过于守旧，认为他有连任总统的野心。于是，罗斯福组织了“勃尔摩斯党”与其对抗，而这件事几乎让共和党从内部毁灭。最终，在那次选举中，塔夫特和共和党只获得了两个州的支持，这也成了共和党历史上最大的一次失败。

罗斯福责备塔夫特，可塔夫特并未自责。他两眼含着泪水，对民众说：“我不知道怎么样做，才能比现在做得更好。”

我们并不清楚到底是谁做错了，也不关心。不过这个故事中最关键的一点是：罗斯福批评了塔夫特的政策，然而塔夫特却不以为然，并极力为自己辩护，他认为自己“做得不错”。

卡耐基还讲述过铁夫特·顿姆的煤油舞弊案。这件事当年曾使整个舆论界为之震惊，并最终轰动全国。在人们的印象中，美国的公务系统，从未发生过这样的情形。然而这桩舞弊案的事实却是这样的：哈定总统任上的内政部长哈尔辛特·福尔，当时被政府委派到爱尔克山，主持铁夫特油田保留地的出租事务。那块油田，是政府预备留给未来海军储藏石油的保留地。

那么，福尔是不是公开投标呢？不，他没有。福尔把这份丰厚的合约，干脆利落地交给了他的朋友——特海尼。作为交换，特海尼把那被他称为债款的 10 万美元，给了这位福尔部长。为了防止其他公司靠近油田，分享爱尔克山的财富，福尔便用他那高压的手段，命令美国海军进驻那个地区，把滞留当地的竞争者赶走。于是，原地上的商人，被枪杆和刀光赶走了，可是他们不甘心，便告上法庭，揭发了铁夫特油田高额的舞弊案。全国一片哗然，一致声讨。这件事影响之恶劣，几乎使当时的哈定政府垮台，共和党也遭到了严重的打击。此事最终以福尔被革职而了结。

因为此事，福尔被公众指责，那么他是否后悔了呢？不！根本没有！几年后，胡佛总统在一次公共演讲中暗示，哈定总统的死，是由于神经上的刺激以及过度忧虑所致，而这一切是因为他的一个朋友出卖了他。当时福尔的妻子也在座，听到此话后立刻从椅子上跳了起来，她失声痛哭，大声说："什么？哈定被福尔出卖？不，我的丈夫从未辜负过任何人，即使满满一屋的黄金，也不会令他心动。他是被别人所害，所以才走向刑场，被钉上十字架的。"

现在你明白了，人类的天性，就是习惯于先责备别人，而原谅自己，我们每个人都是如此。所以，当你们要开口批评别人的时候，就想想卡邦、克劳德和福尔这些例子。批评就像是养熟的鸽子，你抛出去它却会飞回来。我们要了解到，我们所责备的人，他们会为自己辩护，甚至还会反过来责备我们。就像塔夫特，他说："我不知道怎么样做，才能比现在做得更好。"

※ 说服别人的时候需要注意的技巧

在生活中，我们都有需要说服别人的时候。卡耐基指出，在你力图向别人推销你自己和你的主意的时候，一定要注意以下技巧：

1. 一定要强调利益

如果你想兜售你的主意，不要没有先陈述它的利益就提议行动起来。假设你这么和你的老板说："我想要接手彼特的业务。"那是你想要兜售的主意，但是你还没有给老板看到这个主意好在哪儿。你补充道："我能够充分利用我和彼特的良好关系，使得这项业务回到正轨上去。彼特先生会和我一起工作，去找到一个大家都能接受的解决方法。"在你尝试推销你的任何主意之前，考虑你能带到桌面上的全部利益，以你的主意的重要结果来向别人建议。

2. 探索分歧的原因

当你试图推销主意、点子之类的东西的时候，对方肯定会生出天生的抗拒力，你需要减低这种抗拒力。当他们提出异议的时候，你肯定会有所反应，但是只有在你理解了异议背后的原因之后，你才能做出反应。你应试图回答这样的问题："他们提出异议背后的原因是什么？”当某些人不同意你的时候，异议的原因是他们的想法和你的想法可能对不上。在你找到解决方案以前，其实你已经达到了对这个问题的诊断了。最好的方法，就是你能揭开那些反对意见背后的原因，看看这些原因从何而来。

当人们不同意你的观点的时候，找一下他们表示异议的原因。这是最难应用的推销策略之一，但是它能够给你最大的回报。我们有一个自然的倾向，就是在对话中为了尽量消除反对意见，会马上对它发表一个看法。问题是反对者们在他们表述过反对以后可能就不会继续聆听了，他们一直考虑的是能再说一些什么以坚定他们的异议。为了使他们能把他们的想法和你的想法挂起钩来，问他们一个关于异议的问题，也能使你确切地了解为什么他们表示反对。你不得不对他们的反对刨根问底。假设你正在向一些人推销一种新的节省时间的工作方法，他们却回答：“那样做太复杂了。”如果不知道他们说的“复杂”是什么意思，你如何反驳他们呢？刨根问底的另外一个益处，是你表现出对异议有很大的兴趣。提问是有效的、多用途的推销工具，只要有可能，就多多地使用吧。

3. 解释为什么要提问

不管什么时候提出了问题，都要说说你为什么要问这个问题。如果只是抛出了你孤零零的问题，在听者的意识里肯定会冒出另外一个问题，比如：“为什么他会问这个问题？”当他们沉思着寻找答案时，他们会停止聆听你的谈论。如果他们找不到你提问的原因，甚至会变得恼火。他们可能觉得你在考验他们，或者他们感到很焦虑，因为你的问题需要他们提供给你信息。在抛出自己的问题之前，你可以先说一句：“让我来问你一个问题，以确信我已经理解了你刚才说的话。”这样，就可以排除上面出现的那些问题。除了会根据别人的话得出错误的结论这样的可能，一般说来，你表现出了对别人的谈话的兴趣，别人转而也会把他们的注意力放到对你的聆听上去。

4. 证明你的结论有理

当你做出一个结论的时候，要陈述为什么你认为这样的结论是正确的。如果你给出了结论的基础，将会大大地提高自己的可信度。你要认识到如果有一些人不知道你是如何得出你的结论的，他们会变得非常多疑，最后甚至会认为你自己都不知道自己在说些什么。为了打消这种疑问，你可以说："根据我展示给各位的数字，我相信执行我的想法是非常合适的。你们怎么想呢？"通过加上"你们怎么想"这样的问题，你给了别人一个机会，让他们选择同意还是反对你的结论。如果他们不同意，你最起码知道了他们是抱着异议的，这样就可以恰当地采取对策。

最好的策略就是使异议让步。一个有所松懈、让步的异议，常常是建立在不坚实的基础之上的，甚至就是建立在假象之上的，但你对此很难判断。假设那个和你谈话的人告诉你，他不喜欢你的主意，因为他认识的人告诉他你的主意不起任何效果。你不得不反问他："你认识的人尝试过执行我的主意吗？他们拥有什么和我的观点有关的专业知识？他们给过你为什么我的主意不起效果的具体说明吗？"一旦你发现异议之中的犹豫不决之处，就可以刨根问底地追究下去，直到说明为什么这个异议是不正确的。

5. 事先贮备可能遇到的问题

当尝试着说服某些人接受你的观点，你可能需要提供信息来支持自己。这个可能是一个挑战，因为你不知道他们会问什么问题，而这些问题又需要什么样的数据支持。不幸的是，一旦你的回答在一个环节上出了问题，就会对其他的环节产生消极的影响。甚至如果你的生意上并没有出现麻烦，也会削弱你推销的点子的有效性。或许你需要回答的问题类型和需要的支持数据可以避开这个麻烦。你可以请那些平时要求很苛刻的朋友或同事来对你事先提问，这将帮助你提高和完善你的陈述。

※ 先努力探询对方的希望和愿望

尤金·威森为一家专门替服装设计师和纺织品制造商设计花样的画室推销草图，一连三年，威森先生每个星期都去拜访纽约一位著名的服装设计家。

“他从不拒绝接见我，”威森先生说，“但他也从来不买我的东西。他总是很仔细地看看我的草图，然后说：‘不行，威森，我想我们今天谈不拢了。’”

经过150次的失败，威森终于明白自己过于墨守成规，于是他下定决心，每个星期抽出一个晚上去研究为人处世的哲学，以发展新观念，创造新的热忱。

不久，他就急于尝试一项新方法。他随手抓起六张画家们未完成的草图，冲入买主的办公室。“如果你愿意的话，希望你帮我一个小忙，”他说，“这是一些尚未完成的草图。能否请你告诉我，我们应该如何把它们完成才能对你有所帮助？”

这位买主默默看了那些草图一会儿，然后说：“把这些图留在我这儿几天，然后再回来见我。”

三天以后威森又去了，获得他的某些建议，取了草图回到画室，按照买主的意思把它们修饰完成。结果呢？全部被接受了。

从那时候起，这位买主又订购了许多其他的图案，这全是根据他的想法画成的——而威森却净赚了1600多美元的佣金。“我现在明白，这么多年来，为什么我一直无法和这位买主做成买卖，”威森说，“我以前只是催促他买下我认为他应该买的东西。我现在的做法正好完全相反。我鼓励他把他的想法交给我。他现在觉得这些图案是他创造的，确实也是如此。我现在用不着去向他推销。他自动会买。”

当提奥多·罗斯福当纽约州州长的时候，他完成了一项很不寻常的功绩。他一方面和政治领袖们保持良好的关系，另一方面又强迫进行一些他们十分不高兴的改革。下面是他的做法。

当某一个重要职位空缺时，他就邀请所有的政治领袖推荐接任人选。“起初，”罗斯福说，“他们也许会提议一个很差劲的党棍，就是那种需要‘照顾’的人。我就告诉他们，任命这样一个人不是好政策，大众也不会赞成。

然后他们又把另一个党棍的名字提供给我，这一次是个老公务员，他只求一切平安，少有建树。我告诉他们，这个人无法达到大众的期望。接着我又请求他们，看看他们是否能找到一个显然很适合这个职位的人选。

他们第三次建议的人选，差不多可以，但还不太行。

接着，我谢谢他们，请求他们再试一次，而他们第四次所推举的人就可以接受了。于是，他们就提名一个我自己也会挑选的最佳人选。我对他们的协助表示感激，接着就任命那个人——我还把这项任命的功劳归之于他们……我告诉他们，我这样做是为了能使他们感到高兴，现在该轮到他们来使我高兴了。

而他们真的使我高兴。他们以支持像‘文职法案’和‘特别税法案’，这类全面性的改革方案，来使我高兴。”

罗斯福尽可能地向其他人请教，并尊重他们的忠告。当罗斯福任命一个重要人选时，他让那些政治领袖们觉得，他们选出了适当的人选，完全是他们自己的主意。

在试图说服别人的时候，只有先努力探询对方的希望和愿望，才能最终顺利地达成自己的目的。

※ 无须一味地为自己的观点和主张作争辩

卡耐基讲过这样一件事：

他每季都要在纽约的某家大旅馆租用大礼堂 20 个晚上，用以讲授社交训练课程。

有一个季度，他刚开始授课时，忽然接到通知，房主要他付比原来多三倍的租金。而这个消息到来以前，入场券已经印好，而且早已发出去了，其他准备开课的事宜都已办妥。

很自然，他要去交涉。怎样才能交涉成功呢？他们感兴趣的是他们想要的东西。两天以后，他去找经理。

“我接到你们的通知时，有点震惊。”他说，“不过这不怪你。假如我处在你的位置，或许也会写出同样的通知。你是这家旅馆的经理，你的责任是让旅馆尽可能地多赢利。你不这么做的话，你的经理职位难得保住，也不应该保得住。假如你坚持要增加租金，那么让我们来合计一下，这样对你有利还是不利。”

“先讲有利的一面。”卡耐基说，“大礼堂不出租给讲课的而是出租给举办舞会、晚会的，那你可以获大利了。因为举办这一类活动的时间不长，他们能一次付出很高的租金，比我这租金当然要多得多。租给我，显然你吃大亏了。

“现在，来考虑一下不利的一面。首先，你增加我的租金，却是降低了收入。因为实际上等于你把我撵跑了。由于我付不起你所要的租金，我势必再找别的地方举办训练班。

“还有一件对你不利的事实。这个训练班将吸引成千的有文化、受过教育的中上层管理人员到你的旅馆来听课，对你来说，这难道不是起了不花钱的活广告作用吗？事实上，假如你花 5000 美元在报纸上登广告，你也不可能邀请这么多人亲自到你的旅馆来参观，可我的训练班给你邀请来了。这难道不合算吗？”

讲完后，卡耐基告辞了：“请仔细考虑后再答复我。”

当然，最后经理让步了。

在卡耐基获得成功的过程中，没有谈到一句关于他要什么的话，他是站在对方的角度想问题的。

可以设想，如果他气势汹汹地跑进经理办公室，提高嗓门叫道：

"这是什么意思！你知道我把入场券印好了，而且都已发出，开课的准备也已全部就绪了，你却要增加300%的租金，你不是存心整人吗？！300%！好大的口气！你病了！我才不付哩！"

想想，那该又是怎样的局面呢？大争大吵必然砸锅了。你会知道争吵的必然结果：即使他能够辩得过对方，旅馆经理的自尊心也很难使他认错而收回原意。

记住：假如有什么成功的秘诀的话，就是设身处地替别人想想，了解别人的态度和观点；而如果一味地为自己的观点和主张作争辩，往往只会陷于顶牛抬杠的境地。

※ 尽量对他的想法和愿望表示同情

卡耐基指出："同情在中和酸性的狂暴感情上，有很大的化学价值。在你所遇见的人中，有四分之三都渴望得到同情。给他们同情吧，他们将会爱你。"

你想不想拥有一个神奇的短句，可以阻止争执，除去不良的感觉，创造良好意志，并能使他人注意倾听？想？好极了。那么，就请你以这样的句子开始："我一点也不怪你有这种感觉。如果我是你，毫无疑问的，我的想法也会跟你的一样。"

像这样的一段话，会使脾气最坏的老顽固软化下来，而且你说这话时，可以有百分之百的诚意，因为如果你真的是那个人，当然你的感觉就会完全和他一样。

佳茜·诺瑞丝是密苏里州圣路易市的钢琴教师。她述说了她怎样处理钢琴教师和十几岁女孩子常常会发生的一个问题。贝贝蒂留着特长的指甲。任何人要弹好钢琴，留了长指甲就会有妨碍。

诺瑞丝太太报告说："我知道，她的长指甲对她想弹好钢琴的愿望是一大障碍。在开始教她课之前，我们谈话的时候，我根本没有提到她的指甲问题。我不要打击她学钢琴的愿望，我也知道她以不失去它引以为傲，并且花很多工夫照顾，以使它看起来是很吸引人的指甲。

“在上了第一堂课之后，我觉得时机成熟，就对她说：‘贝贝蒂，你有很漂亮的手和美丽的指甲。如果你要把钢琴弹得如你所能够的以及你所要的那么好的话，那么如果你能把指甲修短一点，你就会发现把钢琴弹好真是太容易了。你好好地想一想，好不好？’她做了一个鬼脸，表示她一定不会把指甲修短，我也跟她的母亲谈到这种情形，也提到了她的指甲很美丽，又得到了否定的反应。很明显，贝贝蒂仔细修剪过的美丽指甲，对她来说是极为重要的。

“第二个星期，贝贝蒂上第二堂课。出乎我的意料，她修短了她的指甲。我赞扬她做出这样的牺牲，我也谢谢她母亲给她的影响。她母亲回答说：‘哦，我什么也没有说。贝贝蒂自己决定的。这是她第一次为别人修短了她的指甲。’”

诺瑞丝太太有没有威胁贝贝蒂？她有没有说她不教留着长指甲的学生呢？没有，她没有说。她让贝贝蒂知道她的指甲很美丽，要她把指甲修短是她的一项牺牲。她只是暗示：“我很同情你——我知道决定把指甲修短不是一件容易的事，但在音乐方面的收获，将会使你得到更好的补偿。”

胡洛克可能是美国最佳的音乐经纪人。二十多年来，他一直跟艺术家有来往——像查理亚宾、伊莎朵拉·邓肯，以及拔夫洛华这些世界闻名的艺术家。胡洛克先生告诉卡耐基，他和这些脾气暴躁的明星们接触，所学到的第一件事，就是必须同情，同情，对他们那种荒谬的怪癖更是需要同情。

胡洛克曾担任查理亚宾的经纪人三年之久——查理亚宾是伟大的男低音之一，曾风靡大歌剧院。然而，他却一直是个问题人物。他的行为像一个被宠坏的小孩。用胡洛克先生的特别用语来说：“他是个各方面都叫人头疼的家伙。”

例如，查理亚宾会在他演唱的那天中午，打电话给胡洛克先生说："胡先生，我觉得很不舒服。我的喉咙像一块生的碎牛肉饼，今晚我不可能上台演唱了。"胡洛克先生是否立刻就和他吵了起来？哦，没有。他知道一个经纪人不能以这种方式对付艺术家。于是，他马上赶到查理亚宾的旅馆，表现得十分同情。"多可怜呀，"他会很忧伤地说，"多可怜！我可怜的朋友。当然，你不能演唱，我立刻就把这场演唱会取消。这只不过使你损失一两千元而已，但跟你的名誉比较起来，根本算不了什么。"

这时，查理亚宾会叹一口气说："也许，你最好下午再过来一趟。5点钟的时候来吧，看看我那时候觉得怎么样。"

到了下午5点钟，胡洛克先生又赶到他的旅馆去，仍旧是一副十分同情的姿态。他会再度坚持取消演唱，查理亚宾又会再度叹口气说："哦，也许你最好待会儿再来看看我，我那时候可能好一点了。"

到了7点30分，这位伟大的男低音答应登台演唱了。他要求胡洛克先生走上大都会的舞台宣布，查理亚宾患了重伤风，嗓子不太好了。胡洛克先生就撒谎说，他会照办，因为他知道，这是使这位伟大的男低音走上舞台的唯一方法。

亚瑟·盖兹博士在他那本精彩的《教育心理学》中说："所有的人类都渴望得到同情。孩子急于展示他的伤口；或者甚至把小伤口弄大，以求获得充分的同情。大人为了同样的目的展示他们的伤痕，叙述他们的意外、病痛，特别是外科手术的细节。从某种观点来看，为真实或想象的不幸而自怜，实际上是一种世界性的现象。"

因此，如果你希望人们接受你的思想方式，请对他的想法和愿望表示同情。

※ 帮助对方消除对批评的恐惧感和抵触心理

卡耐基指出，没有人喜欢被批评，但大多数人能接受建设性的批评；可有些人对任何批评都耿耿于怀，不论在什么时候，即使你对他们的工作给予最轻微的批评，他们都会面露不悦之色，采取自卫的态度。

对这样的人要亲切和善，要有策略。首先，表扬他们工作中做得好的那部分，其次，建议他们把你不满意的那部分做得更好些。

凯希对批评十分恐惧，这使她在工作中非常小心。为了避免工作中出现哪怕是最轻微的错误，她都会检查，再检查，并且不厌其烦地复查她所做过的每一件事。这么做可能会大大减少她受批评的机会，但是很浪费时间，以至于整个部门的工作进度都因此受到影响。更糟的是，无论做什么事，她总是迟迟不能做出决定，并一再强调她需要了解更多的信息，甚至当她获得了她所要的信息后，还是推诿。

如果在你的周围有像凯希这样的人，你可以按照卡耐基总结的以下的方法帮助他们克服对批评的恐惧感：

首先，要使他们相信，以他们出色的专业知识，他们通常可以一次就把工作做好，并不需要反复检查。指出偶尔出现错误是在所难免的，一旦这些错误被及时发现并予以纠正，是不会影响犯错人的能力的。

其次，在批评别人的时候，千万不要直率地说“你错了”，或者“你这样太不应该了”之类的话，而要“反话曲说”。具体有以下三种方式：

1. 改否定成为疑问式。“你这样做是不对的”，这是批评者常用的句式。“你这样做对吗？”这是经过改动的疑问句式。很显然，否定句式消极作用大，而疑问句式则容易促使对方自我反省。

2. 把批评者由第一人称改为第三人称。“我认为你不对”，这是第一人称；“大家都认为你不对”，这是第三人称。这一改动，缓和了批评者和对方的直接冲突，但被批评者的压力却反而增大了，他不能不考虑“大家”的看法。

3. 改批评为自我批评。以同样的错误进行自我批评等于是现身说法。讲的虽然是一样的事，一样的道理，言语即使激烈一些，但换一种方式对方听起来就不会感到刺耳。

另外，进行劝说性批评时，还要注意宁肯就事论事，也不要攻击对方的人格。

※ 用间接的方式委婉艺术地表达自己的想法

有一句古话说："不看你说的什么，只看你怎么说的。"同样一个意思，不同的人有不同的说法，不同的说法有不同的效果。卡耐基说，与人交流时，不要以为内心真诚便可以不拘言语，我们还要学会委婉艺术地表达自己的想法。一句话到底应该怎么说，其实很简单，你只要设身处地从他人的角度想想。

人际交往中的真诚不等于双方直接简单、毫无保留地相互袒露，它要求我们本着善意和理性，把那些真正有益于对方的东西系上美丽的红丝带送给对方。

1940年，处于前线的英国已经无钱从美国"现购自运"军用物资，一些美国人便想放弃援英，看不到唇亡齿寒的严重性。罗斯福总统在记者招待会上宣传《租借法》以说服他们，为国会通过此法成功地造设了舆论氛围。我们佩服他的政治远见和面临重重障碍也要坚持正确主张而说真话的坚定品格，也不得不叹服他高超的说话技巧。罗斯福并未直接指责这些人目光短浅（这样只能触犯众怒而适得其反），而是妙语连珠以理服人。他用通俗易懂的比喻，深入浅出，通情达理，轻松自如，贴近人心，使人不得不服：

"假如我的邻居失火了，在四五百英尺以外，我有一截浇花园的水龙带，要是给邻居拿去接上水龙头，我就可能帮他把火灭掉，以免火势蔓延到我家里。这时，我怎么办呢？我总不能在救火之前对他说：'朋友，这条管子我花了15美元，你要照价付钱。'这时候邻居刚好没钱，那么我该怎么办呢？我应当不要他 15 美元，我要他在灭火之后还我水龙带。要是火灭了，水龙带还好好的，那他就会连声道谢，原物奉还。假如他把水龙带弄坏了，他答应照赔不误的话，现在我拿回来的是一条仍可用的浇花园的水管，那我也不吃亏。”

美国前总统威尔逊曾说过：“如果你想握紧了拳头来见我，我可以明白无误地告诉你，我的拳头比你握得更紧。但如果你想对我说：‘我想和你坐下来谈一谈，如果我们的意见相左，我们可以共同找出问题的症结所在。’这样一来，我们都会感到我们之间的观点是非常接近的，即使是针对那些不同的见解，只要我们带着诚意耐心地讨论，相信我们不难找出最佳的解决途径。”

18 世纪 70 年代初，北美 13 个殖民地的代表齐聚一堂，协商脱离英国而独立的大事，并推举富兰克林、杰弗逊和亚当斯等人负责起草一个文件。于是，执笔的具体工作，就历史性地落到了才华横溢的杰弗逊头上。

他年轻气盛，又文才过人，平素最不喜欢别人对他写的东西品头论足。他起草好《宣言》后，就把草案交给一个委员会审查通过。自己坐在会议室外，等待着回音。过了很久，也没听到结果，他等得有点不耐烦了，几次站起来又坐下去；老成持重的富兰克林就坐在他的旁边，唯恐这样下去会发生不愉快的事情，于是拍拍杰弗逊的肩，给他讲了一位年轻朋友的故事。

他说：有一位年轻朋友是个帽店学徒，三年学徒期满后，决定自己办一个帽店。他觉得，有一个醒目的招牌非常有必要，于是自己设计了一个，上写：“约翰·汤普森帽店，制作和现金出售各式礼帽。”同时还画了一顶帽子附在下面。送做之前，他特意把草样拿给各位朋友看，请大家“提意见”。

第一个朋友看过后，就不客气地说：“帽店”一词后面的“出售各式礼帽”语义重复，建议删去；第二位朋友则说：“制作”一词也可以省略，因为顾客并不关心帽子是谁制作的，只要质量好、式样称心，他们自然会买——于是，这个词也免了；第三位说：“现金”二字实在多余，因为本地市场一般习惯是现金交易，不时兴赊销。顾客买你的帽子，毫无疑问会当场付现金的。这样删了几次以后，草样上就只剩下“约翰·汤普森出售各式礼帽”和那顶画的帽样了。

“出售各式礼帽？”最后一个朋友对剩下的词也不满意，“谁也不指望你白送给他，留那样的词有什么用？”他把“出售”划去了，提笔想了想，连“各式礼帽”也一并“斩”掉了。理由是“下面明明画了一顶帽子嘛！”

等帽店开张、招牌挂出来时，上面醒目地写着“约翰·汤普森”几个大字，下面是一个新颖的礼帽图样。来往顾客，看到后没有一个不称赞这个招牌做得好的。

听着这个故事，自负、焦躁的杰弗逊渐渐平静下来——他明白了老朋友的意思。结果，《宣言》草案经过众人的精心推敲、修改，更加完美，成了字字金石、万人传诵的不朽文献，对美国革命起了巨大的推动作用。关于起草者的这个故事，也因此而流传下来。

卡耐基指出，说服别人时，如果直接指出他的错误，他常常会采取守势，并竭力为自己辩护。因此，最好用间接的方式让对方了解应改进的地方，从而让他达到转变的目的。

※ 采取得体的方法，使你的批评取得良好的效果

如果你希望你的批评可以取得良好的效果，就要在方法上下功夫。一个人犯错后，最难以接受的就是大家的群起攻之，这样势必会伤害他的自尊心。怎样批评，实际是一种说服的技巧，是一门沟通的艺术。批评的目的意在打动对方，使得对方能认识到自己的错误，回到正确的轨道上，而不是贬低对方，即使你的动机是好的，

是真心诚意的，也要注意方式和场合等问题。

要记住，每个人都是有自尊的。当有外人在场的时候，即使最温和的方式，也可能会引起被批评者的不满，认为你没有给他面子，让他颜面尽失。

所以，要批评一个人的错误时，最好避免在公共场合，尽量选择单独会谈的方式。让对方感觉到自己的错误，没有必要当着别人的面公开指责。其实，任何有上进心的人都不愿意犯错，而你的目的也是为了要帮助对方，让犯错的人认识到自己的错误，而不是为了贬低对方的品格。因此，批评以适可而止，给对方留有余地的方式为好，这会让对方感谢你的宽容。

一次商务宴会上，罗伯特遇到了这样的一个场景。那是一家公司的圣诞晚会，但事实上受到邀请的人都是与公司有生意往来的合作伙伴，所以这个晚会相当于一个非正式的商务宴会。公司的一个高级职员穿了一件不十分得体的晚礼服，与罗伯特谈话的公关部经理看到后，马上中断了和他的对话，走到那个职员面前。“你怎么穿这样的衣服来了？”经理的声音不大，但还是有人能听到。“对不起……之前准备好的衣服不小心刷坏了，所以就……”“那也不能穿这样的来吧？”经理嫌弃地看着职员身上的衣服，“简直是丢公司的人！”面对咄咄逼人的经理，那个职员的脸色越来越难看。“不要再解释了，马上去给我换一件，要么就离开这里，不要再在这里丢人了。”被说得无地自容的职员只好狼狈地离开了会场。目睹这一切的罗伯特觉得这个经理做得过分了，他想这个经理应该不会在现在的位置上待很久了。果然，几个月后，这个经理被公司调到了外地的分公司，理由是无法和下属很好地相处。

批评的最终目的不是为了压制、打击对方，而是为了帮助对方成长，不是为了伤害对方的感情，而是要帮助他们做得更好。所以掌握好批评的技巧，这会让你和朋友之间的感情更增进一步。

要记得，绝对不要在公共场合批评人，无论对方是什么人，身份或辈分是否比你低，不要肆意扩大批评的范围，尽可能让很少的人知道。比如你知道你朋友的做法是错误的，直接批评可能会伤害到彼此的感情，不如就采取迂回的方式对他说："虽然你有你的生活方式，可是我觉得如果你这样做，会更好。"或者"这件事如果那样做不对，我相信你是不会那样做的，对不对？"这样的言语有助于对方认识到你对他是善意的，针对的是他的缺点，而非他的自尊心，也就是所谓的对事不对人。把你的批评指向他的错误，而不是他这个人，这样就不会影响他完整的自我形象，就能顺利地把批评建立在良好的情绪上，建立在友好的气氛中，使得对方能在没有压力的情况下，接受你的批评。

※ 先赞扬，再说比较令人不痛快的事

通常，在我们听到别人对我们的某些长处的赞扬之后，再去听一些比较令人不痛快的事，总是好受得多。

理发师在刮脸前，先在客人脸上涂上肥皂沫；而麦金尼远在1896年竞选总统时，就曾采用了这种方法。当时，共和党一位重要人士写了一篇竞选演说稿，以为写得比任何人都高明。于是，这位仁兄把他那篇不朽的演说稿大声念给麦金尼听。那篇演说稿有一些很不错的观点，但就是不行，很可能会惹起一阵批评狂潮。麦金尼不愿使这人伤心。他一定不可以抹杀这人的无比热诚，然而他却又必须说："不。"请注意，他把这件事处理得多巧妙。

"我的朋友，这是一篇很精彩而有力的演说，"麦金尼说，"没有人能写得比你更好。在许多场合中，这些话说得完全正确；但在目前这种特殊场合中，是否相当合适呢？从你的观点来看，这篇演说十分有力而切题，但我必须从党的观点来考虑它所带来的影响。现在你回家去，根据我的指示写一篇演说稿，并且送我一份副本。"

他真的照办了。麦金尼替他改稿，并帮他重写了第二篇演说稿。他后来终于成为竞选活动中最有力的一名演说者。

这种哲学在你日常的生意来往上，是否也能奏效？让我们来看看。我们以费城华克公司的高先生为例。

华克公司承包了一项建筑工程，预定于一个特定日期之前，在费城建立一幢庞大的办公大厦，一切都照原定计划进行得很顺利。大厦接近完成阶段，突然，负责供应大厦内部装饰的用铜器的承包商宣称，他无法如期交货。什么！整幢大厦耽搁了！巨额罚金！重大损失！全因为一个人。

长途电话、争执、不愉快的会谈，全都没效果。于是高先生奉命前往纽约，负责协调这件棘手的事。

“你知道吗？在布鲁克林区，有你这个姓名的，只有你一个人。”高先生走进那家公司董事长的办公室之后，立刻就这么说。

董事长吃惊：“不，我并不知道。”

“哦，”高先生说，“今天早上，我下了火车之后，就查阅电话簿找你的地址，在布鲁克林的电话簿上，有你这个姓的，只有你一人。”

“我一直不知道！”董事长说。他很有兴趣地查阅电话簿，“嗯，这是一个很不平常的姓，”他骄傲地说，“我这个家族从荷兰移居纽约，几乎有两百年了。”一连好几分钟，他一直说他的家族及祖先。

当他说完之后，高先生就恭维他拥有一家很大的工厂，高先生说他以前也拜访过许多同一性质的工厂，但跟他这家工厂比起来就差得太多了。“我从未见过这么干净整洁的铜器工厂。”高先生如此说。

“我花了一生的心血建立这个事业，”董事长说，“我对它感到十分骄傲。你愿不愿意到工厂各处去参观一下？”

在这段参观活动中，高先生恭维他的组织制度健全，并告诉他为什么他的工厂看起来比其他的竞争者高级，以及好处在什么地方。高先生还对一些不寻常的机器表示赞赏，这位董事长就宣称是他发明的。他花了不少时间，向高先生说明那些机器如何操作，以及它们的工作效率多么良好。他坚持请高先生吃中饭。到这时为止，你一定注意到，高先生一句话也没有提到此次访问的真正目的。

吃完中饭后，董事长说："现在，我们谈谈正事吧。自然，我知道你这次来的目的。我没有想到我们的相会竟是如此愉快。你可以带着我的保证回到费城去，我保证你们所有的材料都将如期运到，即使其他的生意都会因此延误也不在乎。"

高先生甚至未开口要求，就得到了他想要的所有东西。那些器材及时赶到，大厦就在契约期限届满的那一天完工了。

用赞扬的方式开始，就好像牙医用麻醉剂一样，病人仍然要受钻牙之苦，但麻醉却能消除苦痛。

※ 巧妙地暗示，间接地让别人去面对自己的错误

卡耐基说："当面指责别人，只会造成对方顽强的反抗；而巧妙地暗示对方注意自己的错误，则会受到爱戴。"

查乐斯·史考伯有一次经过他的一家钢铁厂，当时是中午，他看到几个工人正在抽烟，而在他们头顶上正好有一大招牌，上面写着"禁止吸烟"。史考伯没有指着那块牌子责问："你们不识字吗？"他的做法是，他朝那些人走过去，递给每人一根雪茄，说："诸位，如果你们能到外面去抽这些雪茄，那我真是感激不尽。"工人们立刻知道自己违反了一项规则，因为他对这件事不说一句话，反而给他们每人一件小礼物，并使他们自觉很重要。

约翰·华纳梅克也使用了同一技巧。华纳梅克每天都到他在费城的大商店巡视一遍。有一次，他看见一名顾客站在柜台前等待，没有一人对她稍加注意。那些售货员呢？他们在柜台远处的另一头

挤成一堆，彼此又说又笑。华纳梅克不说一句话，他默默地钻到柜台后面，亲自招呼那位女顾客，然后把货品交给售货员包装，接着他就走开。

对那些对直接的批评会非常愤怒的人，间接地让他们去面对自己的错误，会有非常神奇的效果。罗得岛温沙克的玛姬·杰各在卡耐基课程中提到，她使一群懒惰的建筑工人，在帮她加盖房子之后把周围清理干净。

最初几天，杰各太太下班回家之后，发现满院子都是锯木屑子。她没有去跟工人们抗议，因为他们工程做得很好。所以等工人走了之后，她与孩子们把这些碎木块捡起来，并整整齐齐地堆放在屋角。次日早晨，她把领班叫到旁边说："我很高兴昨天晚上草地上这么干净，又没有冒犯到邻居。"从那天起，工人每天都把木屑捡起来在一边堆好，领班也每天都来，看看草地的状况。

在后备军人和正规军训练人员之间，最大的不同就是理发，后备军人认为他们是老百姓，因此非常痛恨把他们的头发剪短。

美国陆军第542分校的士官长哈雷·凯塞，当他带了一群后备军官时，他要求自己解决这个问题。跟以前正规军的士官长一样，他可向他的部队吼几声或威胁他们，但他不想直接说他要说的话。

他是这样讲的："各位先生们，你们都是领导者，你必须为追随你的人做榜样。你们应该了解军队对理发的规定，我今天也要去理发，而我的头发比某些人的头发要短得多了。你们可以对着镜子看看，你们要做个榜样的话，是不是需要理发了，我们会帮你们安排时间到营区理发部理发。"

结果是可以预料的。有几个人自愿到镜子前看了看，然后下午就开始按规定理发。次日早晨，凯塞士官长讲评时说，他已经可以看到，在队伍中有些人已具备了领导者的气质。

1887年3月8日，美国最伟大动人的牧师及演说家亨利·华德·毕奇尔逝世，他的伟大如同日本人所说的，他改变了整个世界。就在那个星期天，莱曼·阿伯特应邀向那些因毕奇尔的去世而哀伤不语的牧师们演说。他急于作最佳表现，因此把他的讲道词写了又改，改了又写，并像大作家福楼拜那样谨慎地加以润饰，然后他读给他妻子听。实际上，他写得很不好，就像大部分写好的演说一样。如果他的妻子判断力不够，她也许就会说："莱曼，写的真是糟糕。你会使所有听众都睡着的。念起来就像一部百科全书似的。你已经传道这么多年了，应该有更好的认识才是，看在老天爷的分上，你为什么不像普通人那般说话？你为什么不表现得自然一点？如果你念出这样的一篇东西，只会自取其辱。"

她"也许"会这么说，而且如果她真的那么说了，其后果是可想而知的。所以，她只是说，这篇讲稿若登在《北美评论》杂志上，将是一篇极佳的文章。换句话说，她称赞了这篇讲稿，但同时很巧妙地暗示，如果用这篇讲稿来演说，将不会有好效果。莱曼·阿伯特知道她的意思，于是把他细心准备的原稿撕碎，后来讲道时甚至不用笔记。

卡耐基告诉我们，要改变一个人而不伤感情，不引起憎恨，请按照下列准则去做："间接地提醒他人注意他自己的错误。"

※ 自信十足的人更容易说服别人

在试图说服别人的时候，为了取得良好的效果，自己首先一定要有足够的自信。

戴尔·卡耐基在实践了一段时间推销教学课程的工作之后，想再找一份推销员的工作。他换上崭新的衬衫，认认真真地打好领结，把皮夹克刷得干干净净，擦亮皮鞋，信心十足地走进了阿摩尔总公司的办事处。

阿摩尔公司的总裁洛佛斯·海瑞斯是一个典型的美国西部老头，

行动迟缓，似乎与做事喜欢雷厉风行、干净利落的卡耐基格格不入，但是他工作的认真精神正是卡耐基所钦佩的地方。

“年轻人，我不管你以前干过什么工作，因为在我这里你还没有开始，你必须接受一个月的职前训练。”海瑞斯两道深邃的目光审视地看了卡耐基一眼，他对这个精神抖擞的年轻人印象不错。

“但是先生……”

“没有什么但是，你从明天起周薪为十七块三十一分，开始推销时外加食宿及旅费。”海瑞斯以不容置疑的口吻显示出认真工作时的非凡魄力。

“抱歉，先生，我宁愿另寻他处。”卡耐基尽管急需一份工作，但年轻人的血气方刚似乎不能容忍海瑞斯这种独断专行的指令方式。他一边说着话，一边转身准备离开办事处。

“等一等，年轻人！”也不知是出于什么原因，海瑞斯扔掉烟头站起来挽留卡耐基，凭直觉他感到这个年轻人一定能成长为出色的推销员，便语气温和地说：“年轻人，不，卡耐基先生，我不得不告诉你，通常在我公司的求职者只能按我的旨意行事，但这次我破例，愿意先听一下你的意见。坐下来谈吧。”

卡耐基蓦然觉得自己刚才太无礼，冲撞了好心的海瑞斯。实际上，每周十七块三十一分再外加食宿及旅费的薪资是相当不错的待遇了。

卡耐基解释了他离开的原因，一个月的职前培训不符合他的工作风格，他希望能立即投入工作，不想耽误一分钟。

海瑞斯听完卡耐基的解释，看着这个瘦弱的年轻人，一丝钦佩之情不觉油然而生，从心里感到这个青年人多多少少有点与众不同。

海瑞斯犹豫了许久，反复考虑着卡耐基诚恳的建议，最后提起笔，迅速写下一行连体字，递给卡耐基：“戴尔·卡耐基，南达克达区西部。”

这就意味着卡耐基凭借着自身的自信说服了海瑞斯，找到了职业。这一经历给了卡耐基很多启示，他认识到：在说服别人的时候，自己一定要有足够的自信。

※ 掌握争论的主动权，使对手处于不利的地位

我们每个人都认识一些特别喜欢争论的人。不管他们是对是错（尤其是错的时候），仅仅凭着自己的愿望、热情和响亮的声音，他们总想千方百计地赢得争论的胜利。

然而，我们不能自欺欺人。赢得争论胜利的原因不在于我们的粗鲁举止或响亮嗓门。经常获胜的人，都是由于成功地运用了某些精明的策略，使对手处于不利地位而使自己掌握了争论的主动权。如果你发现你自己经常在本该取胜的争论中遭到失败，那么，卡耐基推荐的下面九种策略能够成功地扭转这种问题，提高你的胜利纪录。

1. 用语言重新描述前提

要控制一场争论，最容易的方法是根据你的偏爱，用一定的语言重新描述对手依据的前提。这样做对你最有利。如果你成功地动用了这一手段，对手听了你的话，就会回答说："你的意思是告诉我……"接着，他就错误地或者夸大其词地叙述你说过的每一件事，你的回答应该一直处于纠正他的话的位置："不，这根本不是我所说的意思。"

2. 把对手的争论进行比喻

把对手的争论比喻成一件过时的、声名狼藉的相似事物，你就把喻体事物的一种负面因素强加给了他的争论。例如，如果你不同意下属提出公司人人平分利润的建议，你就可以这样反驳他说："你的主张是乌托邦式的空想。"

当下属要求对某个问题进行"全民"（全部职员）投票表决，

从而向老板的权力和地位发出挑战的时候，老板们就会经常使用这种比喻手法，予以反击。聪明的老板只说一句“这并不是真正的民主”，就能阻止这条建议。

3. 把对手的观点与别人的失败作对比

要抨击一个新观点，相对容易的方法就是说：“它根本不是什么新东西。”或者“它在以前实践中的结果是失败的。”比如说，如果你有一个销售可口可乐的新想法，对手想反驳你，他就说：“这个想法佩普西 5 年前就尝试过了，而且以失败而告终。”

然而要驳斥对手这种策略也很容易——只要你指出，在过去的 5 年中，市场情况已经发生了巨大的变化，使得这个想法现在成了一个非常好的主张，对手的反对企图就破产了。

4. 要求出示证据

有些争辩者常常用虚假的事例来吓唬人。如果你知道他们为了加强自己的观点，不惜颠倒真实，混淆视听，你就绝不能让他们的企图得逞。

如果你的对手说：“最近两年来，我们某某部门费用支出增长了 30%。”你怀疑（但不敢肯定）30% 这个数字是为了迎合他的某种目的，有夸大其词的成分，那么你就请他拿出证据。这种做法并不是对他进行无礼的挑衅。即使事实确实如此——他是对的，他也无法从你的这种做法上得到什么好处；如果他错了，或者他不能拿出有力的证据，那么他所说的一切都会显得站不住脚了。

5. 在原则上同意，在细节上反对

人们在任何争论中，都乐于接受自己想听的东西。因此，如果你对对手说：“我同意你的原则。”很可能他会认为你的观点与他相同，由此他不会过于注意你的反对意见。

在原则上同意是争论者普遍使用的一种僵持策略。人们常常表示他们在原则上与对手是一致的，可是事实上，他们从来不会采取主动行动，在争论的具体分歧和矛盾上做出退让。在这种情况下，谁促使对方明确解决的细节问题越多，谁就越是胜利者。比如说，你要求你的老板大幅度增加你所在部门的预算费用，他可能表示在原则上同意，你可能心满意足地离开他的办公室。然而，如果你不解决细节问题，即是说，如果你没有得到他某一数目的明确承诺，那么你们的预算费用就不会得到任何增加。

6. 强行插话

这种策略虽然有些无礼，但是它的实用价值常常超出人们的想象——因为大多数人礼貌待人，都乐于给对手讲话的公平机会。然而插话能够有效地分散对手的注意力，特别当对手的争论比你有力得多的时候，你更应该使用这种策略。

如果你认为强行插话是一种肮脏的伎俩，那么就请你注意下一次辩论，你的劲敌是怎样经常地不给你说话或者表达观点的机会。这种策略的普遍使用远远多于你的想象。

7. 否定一切

几乎在一切争论中，对立双方都存在一些基本的共同点。在此基础上，争论才得以进行。然而，一名老练的争论者甚至会对这些基本点也提出质疑。他什么都不承认。

比如说你展开一场争论，你一开头就说："我们都同意应该削减25%的资金支出，现在的问题是我们在哪些方面进行削减。"一名强硬的对手可能会拒绝你的前提："我不同意你的看法。如果别人都削减支出，我们反而应该增加支出。"在实际效果上，他使这场争论转入了另外一个方向。也许他赢不了这场争论，但是他成功地分散了别人的精力，你可能一直达不到必须削减支出的目的。

8. 怀疑对手的动机

争论对手采取的某种立场可能有完全合理的因素。然而，如果你对他们的动机提出怀疑，就能够有效地减少他的合理性。

比如说，你的主要对手提议把纽约的办事处迁往新泽西，因为新泽西房租便宜，税收低。如果你反对这次搬迁，就可以质问对方："如果你的家住得离纽约办事处近，上下班方便，你肯定就不想搬迁了吧？"利用这种说法，表明了对手要求搬迁办事处的首要动机是出于自私自利的考虑，从而使大家不再看重新泽西便宜的房租和低廉的税收。

9. 求助于在场的其他人

这种技巧特别适合在公众场合遇到一场对抗性冲突的时候。在争论一些问题时，你可以转向另外一个人，说："好的，让我们来听听乔是怎样看待这个问题的。"通过使第三者加入争论，你不仅使争论公开化了、客观化了（它不再是两个人私下之间的事情），而且通过表明别人支持你的观点，大大加强了自己观点的说服力。

如果你要使用这种方法，关键的问题就是你要清楚地认识到谁是你的盟友，他们知道你究竟在干什么，你的真正目的是什么，他们最起码得支持你。

第七章　积极拓展和改善稳固良好的客户关系

精神振作的商人，除了有小心谨慎的习惯之外，还得要有敏捷和不因循两种长处。

——戴尔·卡耐基

能设身处地为他人着想，了解别人心里想些什么的人，永远不用担心未来。

——戴尔·卡耐基

打动人心的最佳方式是跟他谈论他最珍贵的事物。

——戴尔·卡耐基

※　注意观察顾客的举止，窥透他们的心理

欲进行成功的推销，首先要准确了解顾客的心思。观察顾客是同顾客沟通联系的重要方法。对观察的作用不能小看，它能帮助你确定对待每一个顾客的不同方法，它能把你通过观察获取的大量信息迅速反馈到大脑，这样，才能更好地为顾客服务。

如何观察顾客呢？要注意观察顾客的每一个细小的动作：顾客是显得匆匆忙忙，快步走进商店在寻找一件急需的东西呢，还是在漫不经心地游逛？顾客是否两三次地拿起同一件商品打量，然后走开了，不一会儿又返回了？要注意观察他们的这些举止，这样你就可以窥透他们的心理了。

还要注意观察顾客的表情。从顾客的面部表情，我们就可以了解到他对某种商品是否满意，是不满意，还是怀疑？在接到售货员递过去的商品时，他们是否显示出兴趣？是面带微笑，还是表现出

失望的神色？在你同顾客交谈的时候，他的眼睛是看着你，还是被商品所吸引而注意商品？作为售货员，应当使自己的眼光始终与顾客保持接触，这样可以使顾客感到你的全部心思是放在为顾客服务上。

当你和某个人开始打交道之前，你所行事的全部依据是对方的表情，一个人的全部心理活动都可以从他的脸部表情上表现出来，精明的推销员，会依据对方表现出来的复杂表情，来判断对方对于自己话语的反应，并积极主动地采取相应的措施，把握有利时机，促成推销成功。

举个简单的例子。某位推销员到客户那里见到顾客正埋头于工作，显然无法抽出空来接待自己，此时他说一声："请别客气，你忙你的吧，我另找时间再来拜访。"或者是在与顾客交谈时间过长，发现顾客不时瞄了一眼手表，他立即起身说："今天时间不早了，我该回去了。打扰你这么多时间，真不好意思。"以及对方不经意地摸摸口袋，像是寻找什么。此时他立刻把烟递上去。他的这些反应都说明对方的所有神情表现都传递着一些信息，即对方时间很紧，没有更多的时间来接待你，或是对方一时找不着香烟。而如上的做法会给对方留下好印象，认为你善解人意，对周围的一切及人的表现观察极为仔细。

如果你向对方推销某件产品，看到对方显出稍有不快的神色，此时解开对方对产品的不解和疑惑就是你工作的要点，同时留心观察对方的手势、眼神是否在表示某种意思，仔细分析之，并请顾客自己试验产品的性能。通常情况下，顾客对产品推销的反应，都是从怀疑到半信半疑直至有试用的意愿的，此时推销员除了详细介绍产品的性能特点外，应把那些令对方感兴趣的话题加以扩展，使推销活动变成一次轻松愉快的交谈。颇懂心理学的推销员都知道，若直截了当地向客户推销产品，不但收不到预期的效果，反而会使对方产生厌倦感。因为多数顾客对推销员上门推销的活动反应冷淡，感兴趣者甚少。这不是说顾客不喜欢产品，主要是由绝大多数顾客对推销方式反感所致。

那么，一位成功的推销人员应如何做到知彼知己，使那些困难重重的工作变为富有成效，给人以启迪的活动呢？要做到这点，首先要注意生活中所发生的各种事情，并留意人们心理活动的特点及人们性情上的差异，真正做到眼观六路，耳听八方。这成为推销员在工作上取得成功的诀窍之一。推销员在工作进行过程中所承受到的压力比顾客更大，必须要留意对方的态度和心理活动等，忽略了这点，推销工作就只能是在黑暗中摸索，看不清周围的一切，听不到任何有助于自己采取对策的信息。

所以说，作为一名推销员必须具备这种良好的察言观色的技能。这种技能的培养是在实际生活中学来的。推销员能否做到这一点，要看推销人员是否心细了。

对顾客绝不要以貌取人。一个衣着俭朴的顾客或许能够负担起昂贵的价格，因而喜欢买高质量的商品；相反，有些穿着讲究的顾客却可能选择那些低档商品，因为他喜欢从经济实用出发购买商品。所以，不能凭主观感觉对待每一个顾客。尊重每一个顾客是一条最基本的准则。人的价值观各不相同，例如，一个顾客可能到信托商店买折价衣服，但却不愿意买折价的汽车轮胎；另一位顾客喜欢买高质量的衣服，却不愿为他的汽车买高质量的零件。

对顾客的观察要贯穿于整个销售过程的始终。可以通过顾客即将购买的商品来判断他的兴趣，可以通过顾客的面部表情来揣测他的内心活动，也可以通过顾客对商品的意见确定他的购买动机。通过观察就可以知道一个顾客究竟是想随便看看，还是急着买东西？对他的商品介绍，他是认真倾听，还是心不在焉？他的心情是烦躁不安的，还是异常兴奋的？是需要向他进一步提供有关商品信息，还是当机立断劝他下决心购买某种商品？

你的眼神要始终与顾客保持接触，使心灵的这扇窗户打开。这样，你肯定会找出满足顾客需要的途径。

※ 成功的推销者必须注重应酬的技巧

要想在商业场合左右逢源，就必须精通应酬的技巧。应酬的学问和艺术不是一朝一夕所能学尽，主要有赖于经验的积累。

没有经过准备而进行一项应酬，常常不仅不成，而且会遭受无可挽救的失败。尤其做推销员的，要当心这一点。美国有一个人寿保险商，就靠他的“准备”工作，成为此中之“王”。他的秘诀是：去劝服一个客人之前，先了解他究竟有没有买人寿保险，如果在别家已有人寿保险，你还要去劝他多买你公司的，这事成功的希望已减去一半。“碰着这种情形，”他说，“就一定不再提到人寿保险的事，可能提到另外一种保险，例如意外保险之类。”低能的人寿保险商，会攻击那客人所购的人寿保险，然后推荐自己的公司。

甚至在电话应酬也有这种情形，预先准备好别人说“是”或“否”时你应如何应对，就可以避免太多不必要的不快了。

两个人谈话，从“非特定话题”转入“正题”是一件相当困难的事，有许多人喜欢说一大堆题外话，然后说：“好了，好了，言归正传，我今天来找你并不为了什么，而是为了……”或者：“今天来访，无事不登三宝殿，其实是为了……”这样转入正题，表面看来似乎直截了当，但这样会使得刚才你说过的所有的题外话完全失去效果，因为对方的脑子，已把你的谈话划分为二。如果你说话有这种习惯，不懂“转题”，倒不如开门见山，一见到人就讲正题还好得多。

某洗衣机推销员去拜访朋友，目的当然是推销洗衣机，如果他首先和别人说了一大篇题外话，然后说：“今天拜访，无其他目的，实在是想来推销……”这样他多半是要失败的。但他一开头便抓着近来天久不雨，水库干涸，停水，然后说：“这几天热得很，天天要换衬衫，每天单是洗衣服就大伤脑筋了啊……”由此转入推销洗衣机，真是天衣无缝，即使对方发现了这条“缝”，也不会觉得不舒服的。

有些场合是需要声明“闲话少说，言归正传”的。比如对方已知你来意，或者彼此已约定此来是谈些什么的，来一个正式宣布，反可使对方的情绪拉紧，把精神集中一下，来谈你们之间要谈的事情。

有些事情是绝不可能立刻得到答案的。你事前要自己有一个判断才好，遇到这类事情，不要等候答复就可告辞：“你很忙，我不耽搁你了，请多多考虑吧！”这样也是讨人好感的方法。同时你也留下了下次再来的伏线。

※ 首先运用“美言”迂回地深入主题

常人都认为商业活动中语言的目的性很强，缺乏人情味，认为每句话后面都隐藏着经济利益的驱动力。其实不然。如果在商业活动中运用“美言”来迂回地深入主题，就比单刀直入、开门见山的效果要好，既自然生动又不落俗套，在有意无意间实现目的。

卡耐基曾为我们讲过这样一个故事：

美国费城电气公司的推销员在某州的乡村地区扩展业务，扩大用电客户的范围，但这位推销员显然没有受到农户们的欢迎。当他叫开一所住宅大门时，户主老太太居然把电气公司的代表关在了门外面。

推销员再次叫开门，从老太太打开的一条门缝中热情洋溢地招呼道：“我不是来推销用电的，我来买些你的鸡蛋。”

仅此一句话，这位推销员就成功了一半。他让老太太觉得自己不是冲着赚钱的目的而来的，而是对老太太本人和她养的鸡表现了强烈的兴趣。说明这位推销员已经先行揣摩过对方的心理，先避开敏感的话题和直接目标，从对方感兴趣的事物开口，消除对方的心理戒备。

老太太半信半疑地望着推销员，推销员诚恳地说："我看见你喂的明尼克鸡十分棒，准备买一打鸡蛋回去烘蛋糕用。"

老太太打开大门，问他为什么不远数里路到此处买鸡蛋。推销员回答说，买棕色鸡蛋做出的蛋糕才好吃好看，别处只有白色鸡蛋。推销员接着攀谈养鸡的经验种种，并夸赞老太太养鸡的收入很高，胜过丈夫的收入。

老太太闻听此言十分开心，让他进来参观鸡舍。这时推销员才缓缓深入到主题。他告诉老太太，鸡舍里如果加强灯照会促进鸡蛋高产。此时，老太太最初的反感已荡然无存，显然被他说服了。两周后，推销员就收到了老太太的申请用电表格。

这个事例告诉我们，以对方关心的话题开始，娓娓道来，以柔克刚，面对一些固执己见、难以接触的客户就能够大获全胜。

在推销的伊始，有经验的推销员总是尽量从顾客的兴趣着手，循序渐进，往往就能顺利地进入"正题"。因为对方最感兴趣的事，总是最熟悉、最有话可说、最乐于谈的。如对方喜欢摄影，便可以此为题，谈摄影的取景，胶卷的选择，各类相机的优劣，钻研摄影艺术的甘苦，等等。如果你对摄影略通一二，那肯定谈得投机。如你对摄影不太了解，那也是个学习的机会，可静心倾听，适时提问，借此大开眼界。

推销员在上门推销时，面对的都是陌生人，而且，他还有求于这些谈话对象。选择合适话题，缩短与客户之间的距离，使自己逐渐被客户接受，而后把话题引向自己的商品，从而开始商谈，这样才是成功之道。相反，如果打一个招呼就开始介绍自己的商品，迫不及待地反复强调购买该商品有什么好处，这样往往事与愿违。因而，有经验的推销商并不是一开始就切入正题的。

有一位著名的棒球运动员，在球场上是一个难于攻破的堡垒。他在某保险公司推销员的眼里也被当作是一个难于攻破的堡垒。因为他对保险、投保之类的事，根本就不感兴趣。他对一个个喋喋不休的推销员们很反感。

有一天，某位推销员又上门了。与别的推销员不同的是，进门后，他没唱那些令人生厌的老调，也没有对保险好处进行宣传，而是以一位相当在行的热心球迷的身份来倾听对方大谈棒球。

他的倾听、他的插话、他的问题和那些简短的议论，都给这位职业球员留下了深刻印象。他被视为一位很有棒球运动员素养的同行交谈者。在一个适当时刻，推销员向球手提出一个关键的问题："你对贵队的另一位投手利里夫的评价如何？"

"利里夫，正是有了他，我才能放手投球的，因为他是我坚强的后盾，万一我的竞技状态不佳，他可以压阵。"

"请原谅我打个比喻，你想过没有，如果把你的家庭比作一个球队，你家庭也有个利里夫。"

"利里夫，谁？"

"就是你。"推销员谈锋正健，"你想想，你的太太和两个孩子所以能'放手投球'，换句话说，能无忧无虑地生活，就是因为有了你，你是他们坚强的后盾和幸福的保证。所以你好比他们的利里夫。"

"你的意思是……"

"请你原谅我的直率，我是说人有旦夕祸福，万一你有个不测，我们就可以帮助你、帮你的太太和孩子。这样，你就更可以放心地驰骋球场，绝无后顾之忧。所以，从这种意义上说，我们也是你的利里夫。"

至此，棒球运动员才想起他的对话者的身份，然而他被感动了，这笔生意当场就拍板定案。

在这个例子中，推销员就很善于选择交谈方式和谈话内容，没话找话，从对方的职业、嗜好、家庭等方面入手，使对方容易接受，并缩短了彼此的距离，为他后来的拉客户投保这一正题打开了方便之门。试想，如果他仍采取开门见山的方式，肯定又会不获而归。

卡耐基有句名言："我喜欢吃草莓，鱼喜欢吃蚯蚓，所以，垂钓的时候，我不以草莓而以蚯蚓为鱼饵。"

也许你一下子看不出来卡耐基先生要说明什么问题吧？好，让我们讲一个故事：

在美国耶鲁大学教授威廉·菲尔普斯的童年记忆中，印象最深的是一位律师给他的启迪。

威廉小时常到姨妈家去玩。有一次，姨妈家来了一位男客，当他同姨妈谈完正事时，转过身来同他聊了起来。

两个人谈得十分投机，话题主要是小威廉当时正在玩着的小舰艇模型。这位大朋友对舰艇似乎具有丰富的知识，跟他聊天真带劲！一直到客人告辞之后，小威廉还以兴奋的心情赞扬着这位大朋友："这人有趣，我从未见过这么喜爱小艇的人。"

姨妈的回答却是出乎意料的："不，他是一位纽约的著名律师，对小艇，他一窍不通，也无丝毫兴趣。"

"那他为什么谈得那么带劲？"小威廉简直难以接受这个现实。

"因为，他是个有礼貌的人。看到你那么热衷于小艇模型，才跟你谈的啊！"

直到菲尔普斯成为名牌大学教授以后，还对此事怀念不已："那位律师给我的印象太深了，至今依然镌刻在我的记忆中。"

当你与对方进行推销时，为了使谈话愉快地进行下去，最好是获取对方的好感。这就要求我们要善于抓住人心，善于站在对方的立场上思考问题。针对对方最关心的事去做文章，才能奏效。

现在，我们该明白卡耐基名言的含义了。无论你本人多么喜欢草莓，鱼也不会理睬它；只有以鱼本身喜爱的蚯蚓为饵，它才上钩。

投其所好——在与对方愉悦的谈话中达到自己的目的，实乃推销之上策。

※ 抓住感情链中的一环，征服对方的心

推销和谈判是一个说服的过程，谈判的主体是人。而人是一个感情动物。人和人之间存在着一个感情链，如果在谈判中抓住了感情链中的任何一环，都有可能产生连锁反应，达到你所接触的感情点。这就是商业谈判活动中说服对手，达到自己的洽谈目的的基础。基于人的社会性决定了在人的感情场周围确实布满了各种各样的感情链，所以你要在谈判活动中打动对手，征服对手的心，并不是一件可望而不可即的事情。

在美国费城住着一个名叫那佛的人，几年以来他一直想向当地的一家颇具规模的连锁商店推销煤炭，但是对方却宁愿向距离他们很远的郊区业者购买煤炭，也不愿和那佛打交道。当那佛看见那些满载着煤炭的卡车从他的公司门前向连锁店飞驰而去的时候，他肺都快气炸了，他感到从没有过的沮丧，更恨自己的无能。但是即便是这样，那佛也没有灰心，他打定主意，一定要争取到这笔业务。

一天，他又来到那家连锁商店，找到了商店的老板，说："今天，我到这里来不是向你推销我的煤炭的，而是想拜托你一件事情。我们的讲席会出了个题目：'连锁商店的普遍化对国家是否有害'，要就此进行辩论。我想向你请教有关连锁商店的问题，希望能够在辩论中驳倒对方。除了你之外，我想我是再也找不出更合适的人了，所以，专门向你请教，我相信，你一定会帮我这个忙的！"

那位连锁商店的老板原来只准备花一分钟的时间接待那佛，了

解了他的来意之后，他对那佛的问题产生了浓厚的兴趣，他滔滔不绝他讲了一个多小时，还叫来了一个曾写过《连锁商店》一书的下属给那佛进行咨询。这位老板越谈越高兴，他从他的起家说起，一直谈到该店目前的经营状况，在谈话中，他一再强调连锁商店对人类的巨大贡献。最后，他又专门打电话给全美连锁商店工会，请他们寄一份有关此问题讨论的副本。

谈话在愉快而友好的气氛中结束了，那佛起身告辞，老板亲自送那佛出门。他一边走，一边亲热地拍着那佛的肩膀，说："我会为你祈祷的，我相信你会在辩论会上获得成功！当然，不要忘了，辩论会结束之后再来找我，我想向你买煤炭。"

那佛花费十年的心血，用尽了五花八门的推销术，却仍然是不见成效；最后采用关心对手所关心的问题这一招，花了不到两个小时的时间，办成了他十多年都无法办成的事情。

著名的心理学家阿尔弗雷德·阿德勒说："不关心他人的人，一定过着痛苦的日子，也给旁人以极大的困扰。人类所有的失败都发生在这种人身上。"是的，如果仅仅使对方佩服你，希望唤起他对你的关怀，这样永远也得不到自己，为自己赢得真正的友谊。在谈判桌上，即使与对手针锋相对，据理力争的时候，关心别人，体谅别人，也是必不可少的。因为，有一句古语说得好："投之以桃，报之以李。"

情感促销是赋予纯客观的推销活动以人情味，是一种最具公关意味的促销活动，它受消费市场变化的影响和经济规律的制约，是客观经济活动。促销是联系企业和用户的桥梁，销路通畅，供需满意，企业和用户才能成为亲密的合作伙伴。供和需是互相依存、互相促进的。促销过程的情感介入，将直接推动销售，是促销的"润滑剂"。企业良好的形象，优质的产品，会唤起用户心理上的信任感。推销员和用户之间的私人情谊，会大大促成供需交易。

卡耐基在他的著作中叙述了这样一个真实的故事：

有家企业的一个油漆推销员，为了扩大自己企业产品的销路，抱着发展新用户的目的，来到一个用漆大户，想找采购部经理谈谈生意，宣传一下产品，劝说他购买。推销员抱着很大的希望登门求见，可是一连几天都被秘书挡在大门外，推托经理没空。推销员实在耐不住了，就问是什么原因。秘书告诉他说，这个星期六是经理儿子的生日，这两天经理正忙着为儿子收集喜欢的邮票，所以不见客人。听完秘书的话，推销员转身就走。

第二天，他又匆匆赶来求见经理，秘书照样不让进。推销员解释说："我这次并不是推销油漆，而是来送邮票的。"秘书放行了。推销员走进办公室，把自己收集到的许多珍贵的邮票，放在采购部经理面前。

经理欣喜不已，顾不得询问来人的姓名、身份，急忙同推销员大谈起邮票来。两个小时很快过去了，推销员起身告辞，经理才如梦初醒，忙问："对不起，你贵姓，为何事而来？"等他听完推销员简短的介绍后，经理说："好！谢谢你的来访，请明天带上你的合同来见我。"

推销成功了！这真叫"踏破铁鞋无觅处，得来全不费工夫"。两小时的谈话全在邮票上，推销产品却没用半句口舌，而一笔大买卖，却拍板定音了。

这就是情感促销的力量。推销员把邮票作为促销的突破口、联系情感的纽带。

※ 先设法取得对手的心理认同感

有一次，美国《黑檀》月刊的主编约翰逊想争取到森尼斯公司的广告。而该公司的首脑麦唐纳是个非常精明能干的人。开始，约翰逊致信给麦唐纳，要求和他当面谈谈森尼斯公司的广告在黑人社会的重要性的问题。

麦唐纳当即回信说："来信已收到。不过我不能见你，因为我并不主管广告。"

约翰逊并不气馁，又致信给他，问："我可不可以拜访你，谈谈关于在黑人社会进行广告宣传的政策？"

麦唐纳回信道："我决定见你。不过，要是你想谈在你的刊物上登广告的事，我立刻就结束会见。"

在见面之前，约翰逊翻阅了美国名人录，发现麦唐纳是一个探险家，曾到过北极，时间是在汉森和比尔准将于1909年到达北极后的几年间。汉森是个黑人，他曾就本身的经历写过一本书。这是个约翰逊可以利用的条件。于是他找到汉森，请他在书上签名，以便送给麦唐纳。此外，他又想起汉森是他们写篇文章的好题材，于是他从未出版的《黑檀》月刊中抽去一篇文章，而代之以介绍汉森的一篇文章。

麦唐纳在约翰逊走进他的办公室时，第一句话就是："看到那边那双雪鞋没有？那是汉森给我的。我把他当朋友，你看过他写的那本书吗？"

"看过，"约翰逊说，"凑巧我这里有一本。他还特地在这本书上签了名。"

麦唐纳翻着那本书，显然感到很高兴，接着他又说："你出版一份黑人杂志。在我看来，黑人杂志上该有一篇介绍像汉森这样的人的文章才对。"

约翰逊对他的意见表示认同，并将一本7月份的新杂志递给他，然后告诉他，创办这份杂志的目的，就是宣传像汉森这样克服一切障碍而到达最高理想的人。

麦唐纳合上杂志说："我看不出我们有什么理由不在你的杂志上登广告。"

约翰逊并没有开门见山地讲出他的真实意图，而是讲述与广告毫无关系的话题，而这个话题，恰恰是对手所关心的，欣然接受的。于是，在取得了对手的心理认同感，谈判氛围变得和谐融洽之后，约翰逊才逐步地引导对手靠近自己的目标。约翰逊为什么取得了成功？因为他经过精心调查和准备，迎合了对方的口味，引起了对方的兴趣和支持。

※ 先交朋友，千方百计激发对方谈话的兴趣

美国优美座位公司经理亚当森来到柯达公司总部，他要面见柯达公司总裁伊斯曼先生。因为他得知，伊斯曼先生捐巨款要在曼彻斯特建造音乐厅、纪念馆和剧院。许多制造商都已前来洽谈过，而没有结果。亚当森希望能争取到这笔生意，更希望借此扩大公司的名声，树立公司在市场竞争中的形象。

他向柯达公司总裁秘书说明自己的意图后，秘书通报了，并告诫他："我知道你急于得到这批订单，但我现在可以告诉你：如果你占用伊斯曼先生五分钟以上时间，你就完了。他是个大忙人，所以你进去后要迅速地讲，讲完后马上出来。"

秘书领着亚当森进入了伊斯曼的办公室，伊斯曼正忙于桌子上的一大堆文件。亚当森环视办公室左右，静静地等候在那里。过了一会，伊斯曼抬起头来，发现了亚当森，便随口问道："先生有何事？"于是，秘书便向总裁简略地介绍了亚当森，便出去了。

亚当森环视办公室，对总裁说："伊斯曼先生，当我在这里等候你的时候，我仔细地观察了你的这间办公室。我本人长期从事室内的木工装修，但从未见过装修得这么精致的办公室。"

"哎呀！你提醒了我差不多忘记了的事情。"伊斯曼总裁高兴地说，"这间办公室是我亲自设计的，当初刚建好的时候，我喜欢极了。但是后来一忙，一连几个星期我都没有机会仔细欣赏一下这

个房间。”

亚当森走到墙边，用手指在木板上一敲，说：“我想这是英国橡木，是不是？意大利橡木的质地不是这样的。”

“是的。”伊斯曼总裁高兴地说，“那是从英国进口的橡木，是我的一位专门研究室内细木的朋友专程去英国为我订的货。”

伊斯曼总裁情绪极好，竟然站起身来，撇下那堆待批的文件，带着亚当森仔细参观起办公室来了。他把办公室内的所有装饰一件一件向亚当森介绍，从木制谈到比例，又从比例谈到颜色，从工艺谈到价格，然后详细地介绍了他设计的过程。亚当森微笑着聆听，饶有兴致，并且不时给予继续的示意和鼓励，亚当森还不失时机地询问伊斯曼的奋斗经历。伊斯曼便向他讲述了自己的苦难少年时期和坎坷经历，如何在贫困的生活中挣扎，自己发明了柯达相机的经过，以及自己打算向社会捐献巨款等。

亚当森不但听得聚精会神，而且发自内心地表示敬意。本来秘书警告过亚当森，谈话不要超过五分钟，结果亚当森与伊斯曼谈了一个多小时。伊斯曼总裁对亚当森说：“上次我在日本买了几把椅子，放在我家的走廊里，但由于日晒，都脱漆了。我昨天到街上买了油漆，打算由我自己把它重新漆好。你有兴趣看看我的油漆表演吗？好，到我家去和我一起吃午饭，再看一下我的手艺。”

午饭以后，伊斯曼总裁动手把椅子一一漆好，并深感自豪。

结果是，亚当森不仅得到了这笔工程的订单，而且和伊斯曼先生结下了终身的友谊。为什么亚当森只字未提生意，却出乎意料地成功了呢？他成功的诀窍很简单，通过谈话交朋友，千方百计激发对方谈话的兴趣，从而建立真正的朋友关系，当然生意也就好做了。先交朋友，后做生意——这就是亚当森成功的诀窍。

※ 满足对方的需要，有效说服客户

在商谈出现不一致时，便不要以硬碰硬，不要讨论分歧点；而要着重强调彼此的共同观点，取得一致后，再自然地转向自己的主张。你可以从对方的需要出发，从对方的角度提出引诱对方承认你的观点。

下面是一个购买卡车的商谈。

卖方：你们需要的卡车，我们有。

买方：吨位多少？

卖方：四吨。

买方：我们需要两吨的。

卖方：四吨有什么不好呢？万一货太多，不是挺合适吗？

买方：我们也得算经济账啊。这样吧，以后我们要时，再通知你们。

于此，双方只能说“再会”了。

但如果改用下面的诱导方法，结局会大不相同。

卖方：你们运的货每次平均重量是多少？

买方：很难说，大致两吨吧。

卖方：有时多，有时少，是吗？

买方：是的。

卖方：究竟需要哪种型号的卡车，一方面要看你运什么货，一方面要考虑在什么路上行驶，对吗？

买方：对，不过……

卖方：假如你在坡路上行驶，而且你那里冬季比较长，这时汽车的机器和车身承受的压力是不是比正常情况大一些？

买方：是的。

卖方：你冬天出车的次数比夏天多吧？

买方：是的。我们夏天生意不太兴隆。

卖方：有时货物太多，又在冬天的坡路上行驶，汽车不是经常处于超负荷状态吗？

买方：对，那是事实。

卖方：你在决定车的型号时，是不是留了余地？

买方：你的意思是……

卖方：从长远利益看，怎样才能算买了辆值得的车？

买方：当然需要看它能使用多长时间了。

卖方：一辆车总是满负荷，另一辆车从不过载，你觉得哪一辆车寿命长？

买方：当然是从不过载的了！

卖方：我们的四吨卡车正符合这个要求。

于是，终于一步一步诱使对方同自己成交。

他用了循循善诱的战略，用一些基本的常识，比如车在冬季坡路上行驶，受压力大，车长期满负荷，会使寿命减短，来促使对方顺着自己的思路走过来，让他越发感觉你所说的如此合理，于是拍板成交。

在商业场合，欲促成一项交易，在很大程度上依赖于说服别人的技巧。卡耐基从满足对方的需要的角度考虑，总结了有效说服别人的四个步骤。这四步是：

1. 揣摩对方的需要和目标

通过提问，可以引导被说服一方去发现问题症结所在，也可以引导他们提出解决问题的方案。因此，提问是相当重要的技巧。

伏尔泰说："判断一个人凭的是他的问题，而不是他的回答。"确实，问题提得好，乃是高明说客的一项标志。这类提问，有助于人们整理自己的思想和感受。

也正是通过提问，使得你对别人的需要、动机以及正在担心的事情，具有一种相当深入的了解，有了这样的答案，他人的心灵大门也就对你敞开了。

要想有效地运用提问技巧，你还得注意以下三个重要事项：

（1）清晰化。问题一般是针对对方的讲话而发的。事实上，这类提问的总意图不外是：我已听到你的话，但我想确证一下你的真实意思。以清晰化为目的提问，是反馈的一种形式。它可以使说话人的意思变得更加明了。

（2）将问题加以扩展。你提问题的目的就是想知道更多的信息，比如对方优先考虑的事情是什么。事实上，你这样提问题就等于告诉对方：我理解你的意思，但我想知道得更多些。

（3）转移话题。有一类问题在转移话题时很有用。在你这样提问的时候，你实际上是在说：我对你这方面的想法已很清楚，让我们换个话题吧。通过这样的提问，你的航船就会转舵到更加顺水的方向上去。因此，对方的回答使问题不断扩展下去，但扩展到一定程度，你就得用转向提问去改变话题。

你的见解要与他人的需要、愿望、目标相结合，要时时注意从别人那儿得到反馈，这样你就会成为一名强而有力的说客，时时揣摩那些需要，不断促使他人显露他那个需要差距，他那个“可是”，这才是至关重要的第一步。

2. 提出并选择解决办法

通常，当你试图说服他人的时候，你会发现事实上存在着多种解决问题的办法。于是，在多数情况下，你就会与对方一道，着手寻找缩小需要差距的途径。如果是大家一块商量出了解决办法，那么对方就不会袖手旁观，而你也就用不着独自苦思冥想，用不着把自己的想法费尽口舌硬塞给对方。

比方说你是一个房地产推销商，你也许能够用大套房子去满足对方家庭生活的需要，但在购物和孩子上学这些问题上却碰到了麻烦；或者你也许能满足所有这一切要求——包括购物和上学——但价格上又不行。但是，如果事先你与顾客有个商量，对他们计划中的首要事项和迫切需要解决的问题，你都心中有数，那么像上述一类的难堪局面就可以避免。

如果你把某些人召集起来，试图改变他们的关系，或者你已经激起对方的兴趣，这时候，你千万不要径直指示对方该如何如何去做。相反的，你可以问他们一些问题，比如这样做是否满意，或在他们看来，哪些做法能带来最大的改善。是帮助孩子学习？帮助修理打破的窗户？给危重病人打预防针？

这些都有助于建立相互尊重、相互信赖的人际关系。信赖，按照管理学著作家和演讲人戈登·薛的说法，乃是："有序生活中的奇迹般的因素——减少摩擦的润滑剂，游离分子的黏合剂，互助行为的催化剂。"

关键之点还在于，你需要让对方知道，这事也有他的一份，你不能对对方进行强迫和压制。强迫别人照你说的去做，可能会一时奏效，但从长时间去看，你会得不偿失。

3. 建立实施方案

如果你做的是简单的推销，一句"是"或"不是"就解决问题，此外更无须再费什么口舌，那事情当然好办。但如果问题头绪繁多，事情要分阶段分步骤去做，那你们就得在程序上取得共识。

就拿医生来说吧，他们常常抱怨说，病人之所以恢复得不好，是因为他们并没有完全遵照医嘱去做。一旦他们感觉好了一些，他们就会停止服药。就是在有医生照看的情况下，病人有时也会我行我素，事后就诉苦说病态重萌。

也许，作为医生，他得把病情和药效这方面的问题跟病人讲清楚。比如，咽喉疼痛的症状，使用抗生素后两天就可以缓和下来。但作为医生，他就应该告诉病人，以后几天内病菌可能仍然残留着，要加以控制才是。病人明白这一点之后，往往就会遵照执行了。

在有些人看来，你的观点，你的产品和你的目标都不错，但可惜都不在他们优先事项之列。这时候，做到知己知彼就很重要。你为什么觉得那样做有价值？对此你越是解释得好，你就越能拨动他人的心弦。

而且，要想说服别人，你还得帮助对方把那些他们认为最有价值的优先事项清理出来。在我们刚刚谈到过的揣摩阶段，是你调查他人优先事项的绝好时机。

只有这样，你的观点、产品和目标的内在价值，才能与顾客的优先考虑事项相互适应和相互配合。

4. 反复衡量，确保成功

事实上，一个长时间影响着人们的真正的奥秘是，对于未来之事，他们往往没有固定的看法，他们常常超出自己的预期。所以，你首先应该做的就是帮助他们把产品成功之处明确起来，投资了多少，使用寿命有多长，保修年限是多少，要尽量把它们数字化，要尽量说得具体一些。

只有等到对方点了头之后，你的说服和影响工作才算是做到家了。作为说服工作的第四步，就是要与对方经常保持接触，直到弄清楚他们需要什么，他们怎样看问题为止。

※ 巧妙解释，间接反驳

“谈判时不应该争论！”这是谈判老手向谈判新手提出的最好忠告。美国著名推销员鲁布·沃特尔经常说：“不错，你可以随时向买主和其他人证明他的话显得很无知。但这样做你能得到什么？揭穿买主的愚昧没有任何好处，他绝不会因此而感谢你；在更多的情况下他会怀恨在心，你的生意早晚会受到伤害。”谈判是一项合作的事业，而争论会激发对手的对立情绪，这对双方达成交易有什么好处呢？

有一个人寿保险员一直很纳闷，他弄不明白为什么有个男人他连续拜访了十年都没做成生意，最近却向新到该城的另一个保险员认购了价值十万美元的保险单。其中的原因细究起来其实很简单：大约在八年之前，第一个保险员在拜访了那个男人好几回之后说了句："我将来会说服你的，老家伙！"

毫无疑问，这句充满情感的话表明了他值得称赞的决心，但这话却绝不应该说出口，因为那"老家伙"当时立即嚷道："不，你做不到——绝无希望！"打那以后，他就一直信守这种立场。

旧金山一家鞋店的老板则正好与此相反，他应付顾客的手段相当高明，可是他给人的印象并不属于那种伶牙俐齿型。顾客对他抱怨说："鞋跟太高了！""式样不好看！""我右脚稍大，找不到合适的鞋子！"老板只是点头不语，等顾客说完后，他才说："请你稍等。"随即拿出一双鞋，说："此鞋一定适合你，请试穿！"顾客半信半疑地穿上鞋，随即是欣喜的回答："这鞋好像是给我定做的。"于是，很高兴地把鞋买走了。

谈判者应务必记住：不管谈判对手怎样与你针锋相对，不管他怎么一个劲地想与你吵架，你也不要争论。

争论并不等于说服，争论很少能使人真心诚服。大学辩论队的队员在辩论结束后都还会保持原有的信念，败方队员绝不会因为对手辩术高超而更改观点。说服的关键在于引导，谈判者通过一系列的努力，让对手经过自身的思想斗争做出决定，接受我方提出的交易条件。

为了防止在商务谈判中出现可怕的争论和一些有争论的话题，下面引用欧洲市场及推销咨询协会名誉主席戈德纳在其著作中所举的一个实例。从这个实例中，你可以根据情景更好地体会出各种避免争论的技巧。约翰·墨菲是一个汽车销售人员，他正在向可能买主奈特介绍一辆赛车。

墨菲：奈特先生，这辆赛车是非常舒适的。（奈特没有做出回答）

墨菲：（意识到自己的口误）请坐到汽车驾驶员的座位上试一试吧？（奈特坐进驾驶室）你坐在里面感到舒适吗？

奈特：舒服极啦！

墨菲：你觉得座位调得如何？你坐在方向盘后面舒服吗？

奈特：行，挺舒服的。不过，驾驶室太小了。

墨菲：还小？你是在开玩笑吧！

奈特：我说的完全是实话。我感觉在里边坐着有点憋气。

墨菲：但汽车前舱的空间有两英尺啊！

奈特：不管怎么样，我还是觉得有点憋气。

墨菲：（意识到他的错误，就停止了反驳。）当然了，这辆车比不上大型车辆宽敞。但正如你刚才说的那样，坐在里面还是很舒服的。你可能已注意到这辆车的装潢还是相当不错的，使用的装潢材料是皮革。还有比皮革这种材料更好的吗？（他并没有提出具体理由来进一步证实为什么使用皮革材料来进行装潢）

奈特：我不懂得什么皮革不皮革的。但我觉得皮革夏天太热了，冬天又太冷。（奈特向来不喜欢皮革）

墨菲：（墨菲本来可以，也应该在事前了解清楚顾客对各种材料做的座位外套有什么看法。不过，这仅仅是一个无关大局的细节问题。因此，他决定避开它。）对，那仅仅是个人爱好问题。其实，我明白你的意思，在炎热的夏天，皮革确实有点热。但在这个国家，夏天从来都不是太热的。应当这样看待这个问题才是，你说呢？不管怎么说，皮革肯定要比塑料凉爽得多。你同意这个看法吗？

奈特：那或许有可能。但有些时候，我要在夏天开车到其他国家去。

墨菲：（墨菲本可以进一步指出，他不可能把车开到赤道去。另外，开车到国外的时间相对来说是短暂的。但他觉得这样谈下去会把话题扯得太远，并且会引起争执。）好吧，我们来谈一下其他问题吧。你准备用这辆车来干什么？（墨菲又准备回到汽车的主要用途上，并打算以它来证明这种汽车的前舱空间还是足够的。）

奈特：我准备开着车去上班和到我们的乡村别墅去。

墨菲：路程远吗？

奈特：不是特别远。

墨菲：家里人口多吗？

奈特：我们有两个小孩，都在念书。

墨菲：那么说，你是想要一辆节省汽油的汽车了，是不是？（墨菲为了绕开汽车大小问题，又换了一个新话题。不过，他还远远没有脱离危险区，因为他又转到汽油价格这样一个人人关心的中心话题上。）你知道汽油的现价吗？

奈特：价格还可以吧。但关于节油的种种说法都是靠不住的。事实上，每一辆汽车所耗费的汽油量总要比说明书上介绍的多得多。

墨菲：当然了，耗油量的大小取决于你怎么使用你的汽车。

奈特：（很生气）你这话什么意思？

墨菲：车开快了就需要经常更换挡位，这样耗油量就大一些。

奈特：在很多情况下，宣传说明书上所说的都是不可靠的，不是事实。说明书上说，行驶 20 ～ 30 英里才耗费 1 加仑汽油。我们就按照说明书购买了一辆汽车。结果呢？还没有行驶 15 英里就耗费了 1 加仑的汽油。宣传归宣传，事实归事实。我的一个好朋友对我说……（接着，他讲了一个很长的故事。）

墨菲：（控制住自己）好吧，我们可以在试车的时候检查一下这辆车的耗油情况。奈特先生，你可以亲自开车吗？

奈特：好的。（他们开动了汽车）

墨菲：你的夫人也会开车吗？（他准备把这辆车便于操作这一点作为推销要点）

奈特：她准备去听驾驶课。

墨菲：（接过新话题）我们有自己的驾驶学校。如果你需要的话，我可以帮助你夫人联系上课的事。

奈特：不用了。

墨菲：（刚准备有所表示，但及时地控制住了自己。）不管怎么说吧，对你夫人来说，开小车要比开大车容易。你说呢？

奈特：我想是的。（奈特又想出了一条反对的理由）像这样一辆小车怎么那么贵呢？

墨菲：（从奈特这一问题，墨菲意识到车的大小问题并不很重要。所以，他不准备更多地讨论车的大小问题。如果反驳奈特的这一看法，并且指出汽车的价格不高的话，那么他们就有可能发生争论。所以，他决定不直接地讨论价格问题。）奈特先生，你开车是很有经验的，嗯？

奈特：我想还可以吧！

墨菲：那么，依你看，车的哪一方面最重要？（通过承认对方有经验，这就造就了一种融洽的气氛。并且以提问方式把话题转向一些更重要的问题上。）

奈待：嗯……当然是车开起来稳不稳、车速和车的质量最重要了。噢，还有转售价格问题。

墨菲：（谨慎地纠正对方的看法）当然也要节省，是吗？

奈特：当然了。

墨菲：所以，应该是稳、速度和节省。奈特先生，就速度而言，你认为哪一方面是最重要的，是最高速度指数还是变速器？

奈特：当然是变速器重要了。不管怎么说，人们一般不使用最高速度。

墨菲：（现在他终于了解到顾客对什么东西感兴趣）你说对了，这些才是最重要的。在决定一辆车的价值的时候，它们的作用是很重要的。在这一点上，我们的看法是一致的。

奈特：是的。

现在，墨菲知道他应该怎样进行洽谈，应该避免哪些问题。他从上述三个方面解释了这辆车的价值，并且间接地反驳了奈特认为车的售价太高的看法。在第三次业务洽谈时，他终于把这辆车销出去了。

※ 在遭到拒绝时要具有毫不退缩的精神

一位成绩斐然的推销员说，头一次提出成交要求就获得成功的买卖，在他做成的所有买卖之中只占 1/10。他在签合同前作着被拒绝一次、两次、五次、七次，甚至十次的准备。他根本不怕遭到对方的拒绝，那样反而能增加他进一步争取成交的动力。

他并不停下来去反驳对方的决定，而是设法找出促成对方成交决心的哪些因素还尚未利用，继续说：“哦，对啦，我还有一点没给你讲清楚呢！”接着便展开另一个说服要点。

在遭拒绝时具有毫不退缩的精神，是所有谈判人员争取胜利的必备素质。当对方说“不”时仍能坚忍不拔，才会有助于你的工作。

卡里森就是这种锲而不舍的人，他千方百计地要把自己的阀门出售给芝加哥的一家糖果厂，而这个厂使用另一个牌子的阀门已有 25 年的历史了。

一天，在吃午饭时，卡里森截住糖果厂的总机械师，说下午两点要会见他。

两点刚过，总机械师气冲冲地走进客厅，用愠怒的目光瞪了卡里森一眼。

卡里森慌忙请他坐下，开门见山地问：“你用的阀门漏不漏？”

“买阀门不是我的事！”总机械师高声嚷道，“你去找总工程师吧！”

卡里森装作没听见他的话，继续问：“什么设备上的阀门泄漏最多？”

“焦糖蒸汽罐上，”总机械师不情愿地承认，“但我无权购买任何阀门。”

这时，卡里森已经开始展示自己的样品，他把阀门拆开让总机械师看：由于在特硬底座和堵盘之间垫的是修剪好的薄钢片，因而阀门可以做到绝对密封。

“你们的焦糖蒸汽罐上使用多大尺寸的阀门？”他问。

“3/4 英寸的，”总机械师回答，“但我已经告诉你——我什么阀门也不能要。”

卡里森根本不听此话，却对陷入困惑的总机械师说道：“你写一张请购单，就说需要一个 3/4 英寸的实心阀门，进屋去向你们采购员要一张订单。然后你就会看到阀门的泄漏问题将会彻底解决。快去吧！”

总机械师走进屋子，为那一个试用的阀门拿来订单。

卡里森在几分钟之内做到了他们公司其他销售人员 25 年来未曾做到的事，原因是只要对方说“不”时，他的耳朵就会自动堵上。在推销商品或商务谈判中，锲而不舍、坚忍不拔往往能开辟出一片新天地！

※ 避免缺乏经验的销售人员常犯的伤害顾客的错误

著名的营销专家乔·吉拉德曾写过一本书：《如何将任何东西卖给任何人》。他说：你所遇到的每一个人都有可能为你带来至少 250 个潜在的顾客。这对想开展自己事业的人们可是个再好不过的消息了。不过，根据吉拉德的理论，从反面来看，当一个顾客由于不满意而离你而去时，你失去的就不仅仅是一个顾客而已——你将切断与至少 250 个潜在顾客和客户的联系，并有可能导致一个重大的损失以至于你的事业在刚刚走上轨道的时候就跌上一大跤。

失去一位客户，错究竟在谁？

也许，虽然你做了足以让客户开除你的举动，老天爷还是站在你这边，你运气挺好地做成了交易；可是那些跟你做生意的客户，后来会怎样呢？其中：

91%的客户从此与你老死不相往来；

96%的客户不会告诉你他不再和你做生意的真正原因；

80%的客户会再度和你做生意，如果他们的事情可以获得迅速的解决，并完全符合他们的期望。

当事件发生，而且情况颇为严重，他们不再与你做生意了，该事件发生的始末将被传扬数年之久。

那么，是什么使得销售人员们会承受这么大的损失呢？许多缺乏经验的销售人员，并没有意识到是什么致命的错误将他们的客户和潜在客户撵走；而优秀的销售人员懂得，营销者被客户“抛弃”的主要原因常常是：

1. 虚伪冷漠

机械式的服务，不诚恳的人，眼睛只看得到佣金的销售人员。

大多数顾客并不会告诉你他们的不满，只是转身离开另觅交易罢了，用你的真诚留住他们！用些额外的时间来争取他们的注意力，定下时间来进行一次私人会面，或者办一个主题讨论会，与你的客户直接电话联系，或请他们回答一些调查问题，比如：

你为什么选择我们的产品与服务？

是什么使你购买我们的产品而非其他供应商的？

你觉得我们的产品和服务还需要哪些改进？

……

找到这些问题的答案，将会有助于你的生意。你会找到哪些方面你已经做好了，哪些还存在不足。如果一个顾客不满意，你就能在他改变主意之前采取行动。当你向顾客提出调查问卷，就表明了你对他的重视，从而吸引顾客成为回头客。

2. 反应迟钝

动作太慢，让客户等太久，他们自然就找别人服务去了。为了快，为了争取时间，人们有时候宁可牺牲品质。

不管客户找的是人还是货品，告诉你一个公式：不能及时拿到我们的东西，或找不到我要找的人，就等于“我会到别处去”。

每个人都期待迅速的送货服务——至少第一次是如此。你们的送货服务如何？送货员的态度好不好？

3. 损害竞争对手的声誉

你怎么说你的竞争对手，他们也同样可以怎么说你。当有人问你贵公司是如何在与某公司的激烈竞争中累计财富的，可以用这种方式回答：

“某公司的产品的确很不错（或很有实力），但允许我告诉你，为什么顾客选择了我们公司。”然后向你的潜在客户出示一些以往顾客满意的感谢信件等。用这种方式，你不就轻而易举地将话题从竞争对手转移到你们的交易上来了吗？必要的时候，请你的老顾客对你大肆赞扬一番也未尝不可。

4. 不易做生意或下订单

电话要等很久；服务人员专业知识不够；接听电话的不是人，而是电脑总机语音系统，讲一连串三分钟左右的废话，无非是想把客户搅得分不清东西南北，或者是让客户在电话那端做永无止境的等待。顾客就会和你说“再见”。

5. 对你的顾客想当然

一旦你懈怠下来，你就输定了。不要理所当然地认为顾客在你这儿购买过一次，就会成为你的终身顾客。

※ 对顾客诚实，也同样可以促销

许多推销员为了把商品卖出去，往往信口开河，哄得顾客晕头转向，虽然做成了买卖，却使消费者有上当的感觉，从而失去了顾客。其实，对顾客诚实，也同样可以促销，关键是要摸清顾客的心理和需求。

在美国零售业中，有一家很有知名度的商店，它就是彭奈创设的“基督教商店”。

彭奈幼年时的家境很不好，中学毕业后，因无力继续升学而开始做些小生意，1903 年，他开设了一家零售商店。

彭奈虽然读书不多，但他在经营方式上却有不少创新措施：他常说，一个一次订十万美元货品的顾客和一个买一美元沙拉酱的顾客，虽然在金额上不成比例，但他们在心里对店主的期望，却并无二致，那就是“货真价实”。

彭奈对“货真价实”的解释并不是“物美价廉”，而是什么价钱买什么货。他有个与众不同的做法，就是把顾客当成自己的人，事先说明次等货品的缺点。关于这一点，彭奈对他的店员要求得非常严格，并对他们施以短期训练。比如：一条毛巾有 0.5 美元、0.6 美元、0.8 美元三种货品。店员一定要对顾客事先说明，这种货有三种，并都拿个样子给顾客看，让顾客有充分的挑选机会。有时候，店员甚至还告诉顾客，其他店里有而他们没有的货品，他们会说：“这是一种新出的牌子，我们还没有深入了解它的品质，所以还没有供应。”

当彭奈要实行这一接待技巧时，有很多人表示反对。他们认为这样做无疑是给别人的新产品做宣传。但彭奈却认为：如果事先不告诉顾客，他们回去后，万一听到别人说，新出的一种东西如何如何好，他一定会有一种后悔的感觉；但如果事先说明了，情形就大不相同了，他一定会暗笑那位告诉他的人，买了一件不知好坏如何的东西。

顾客的等级不一样，所要求的货色也完全不同。一个周薪一千美元的人和一个周薪只有几十美元的人，假如到你店里都是买毛巾，店员一定要用两种截然不同的方式来接待他们，才能把这两个顾客同时拉住。

他的第一家零售店开设不久，有一天，一个中年男人到店里买搅蛋器。

“先生，”店员很有礼貌地说，“你想要好一点的，还是要次一点的？”

“当然是要好的，”顾客有点不高兴地说，“不好的东西谁要？”

店员就把最好的一种“多佛牌”搅蛋器拿了出来。

“这是最好的吗？”顾客问。

“是的，”店员说，“而且是牌子最老的一种。”

“多少钱？”

“110 元。”

“什么？”顾客把眼一瞪，“为什么这样贵？我听说，最好的才六十几块钱。”

“六十几块钱的我们也有，”店员说，“但那不是最好的。”

“可是，也不至于差这么多钱呀！”

“差得并不多，还有 10 元一个的哩。”

那位顾客一听，面现不悦之色，掉头想离去，彭奈急忙赶了过去。

“先生，”他说，“你想买搅蛋器是不是？我来介绍一种好产品给你。”

“什么样的？”

彭奈拿出另外一种牌子来，说：“就是这一种，请你看一看，式样还不错吧？”

“多少钱？”

“54 元。”

“照你店员刚才的说法，这不是最好的，我不要。”

“我这位店员刚才没有说清楚，”彭奈说，“搅蛋器有好几种牌子，每种牌子都有最好的货色，我刚拿出的这一种，是同牌中最好的。”

“可是，为什么比多佛牌差那么多钱？”

“这是制造成本的关系，”彭奈用一种亲切的语气说，“你知道，每种品牌的机器构造不一样，所用材料也不同，所以在价格上会有出入。至于多佛牌的价钱高，有两个原因：一是它的牌子老，信誉好；二是它的容量大，适合做糕饼生意用。”

“噢，原来是这样的。”顾客的神色缓和了很多。

“其实，”彭奈接着说，“有很多人喜欢用新牌子的。就拿我来说吧，我就是用的这种牌子，性能并不怎么差。而且它有个最大的优点，体积小，用起来方便，一般家庭用最为适合，你府上有多少人？”

“五个人。”顾客的反抗意识完全消除了。

“那再适合不过了，”彭奈说，他的表情就像跟老朋友谈天一样，“我看你就拿这样的一个回去用吧，保险不会使你失望。”

彭奈送走顾客，回来对他的店员说：“你知道不知道你今天的错误在什么地方？”

那位店员愣愣地站在那里，显然不知道自己的错误。

“你错在太强调‘最好’这一个观念上了。”彭奈笑着说。

“可是，”店员说，“你经常告诫我们，要对顾客诚实，我的话并没有错呀！”

“你是没有错，只是缺乏技巧，我的生意做成了，难道我对顾客有不诚实的地方吗？”

店员默不作声，显然心中并不怎么服气。

“我说它是同一牌子中最好的，对不对？”店员点点头。

“我说它体积小，适合一般家庭用，对不对？”店员又点点头。

“既然我没有欺骗客人，又能把东西卖出去，你认为关键在什么地方？”

“说话的技巧。”

彭奈摇摇头，说：“你只说对一半，主要的是我摸清了他的心理。他一进门就要最好的，对不？这表示他优越感很强，可是一听价钱太贵，他不肯承认他舍不得买，自然就会把不是推到我们做生意的头上，这是一般顾客的通病。假如你想做成这笔生意，一定要变换一种方式，在不损伤他优越感的情形下，使他买一种较便宜的货。”

店员听得心服口服。

又有一次，他到爱达华州的一个分公司里视察业务，他没有先去找分公司经理，就一个人在店里“逛”起来了。

当他走到卖罐头的部门时，店员正在跟一位女顾客谈生意：

“你们这里的东西似乎都比别人贵。”女顾客说。

“怎么会，我们这里的售价已是最低的。”店员说。

“你们这里的青豆罐头就比别人贵了三分钱。”

“噢，你说的是绿王牌，那是次级货，而且是最差的一种，由于品质不好，我们已经不卖了。”店员解释说。

女顾客讪讪地，有点不好意思。

店员为了卖出产品，就又推销道：“吃的东西不像别的，关系一家大小健康，你何必省那三分钱。这种牌子是目前最好的，一般上等人家都用它，豆子的光泽好，味道也好。”

“还有没有其他牌子的？”女顾客问。

“有是有，不过那都是中下级品，你要是想要的话，我拿出来给你看看。”

“算了，”女顾客面有愠色，“我以后再买吧。”连挑选出来的其他罐头她也不要了，掉头就走。

“这位女士请慢走，”彭奈急忙说，“你不是要青豆吗？我来介绍一种又便宜又好的产品。”

女顾客愣愣地看着他。

“我是这里专门管进货的，”彭奈赶忙来个自我介绍，消除对方的疑虑，然后接着说，“我们这位店员刚来不久，有些货品不太熟悉，请你原谅。”

那位女士当然不好意思再走开。彭奈顺手拿过沙其牌青豆罐头，他指着罐头说:“这种牌子是新出的，它的容量多一点，味道也不错，很适合一般家庭用。”

女顾客接了过去，彭奈又亲切地说：“刚才我们店员拿出的那一种，色泽是好一点，但多半是餐馆用，因为他们不在乎贵几分钱，反正羊毛出在羊身上；家庭用就有点划不来了。”

“就是嘛，在家里用，色泽稍微差一点倒是无所谓，只要不坏就行。”

“卫生方面你大可以放心，”彭奈说，“你看，上面不是有检验合格的标志嘛！”

这笔小生意就这样做成了。客人走后，分公司经理闻讯赶来，那位店员才知道彭奈原来是总公司的老板。

彭奈说:“我看得出，你是个热心于工作的店员，只是技巧不够，只要你肯用心，很快就会学会的。现在我把刚才的情形分析给你听。

“当顾客嫌东西贵时，虽然原因各有不同。但主要的原因是想买便宜一点的。因此，遇到嫌贵的客人，你一定要巧妙地提供他一种较便宜的货物，千万不可以让人家听出‘弦外之音’——便宜的就是次等货。你应该做到让顾客心里有这样的一个感觉：他买的是一种很适合他用的东西。以刚才的青豆罐头为例，顾客既然嫌贵了，你就不应该再强调那种品牌如何如何的好，应该说：‘这种品牌的产品，定价都较高一点，我建议你用这种牌子的看看，东西也很不错，价钱则便宜了五分钱。’假如你看她有了要的意思了，你要轻描淡写地说明这种产品的缺点，就像我刚才那样，让顾客了解罐头内部的情况。你不妨这样说：‘很多客人吃了这一种罐头都说，色泽虽然稍差一点，味道一点也不错。’这样一交代，就符合我们不欺骗顾客的原则了，对不对？”

经理和店员两个人听得心服口服。

卡耐基指出：你是经营者，顾客是你的上帝，你不能欺骗他们，而是应该提高语言艺术，巧妙地劝说他们购买商品，这是你的职责，也是义务。

※ 先听顾客的抱怨，再申述自己的观点

迪特毛料公司的员工催促一个欠了公司15美元的顾客速来结账。

一天，这位顾客愤怒地冲进迪特先生的办公室，说他不但不付这笔钱，而且这辈子再也不花一分钱购买迪特公司的东西了。

迪特先生耐心地让他说了个痛快，然后对他说：“我要谢谢你到芝加哥来告诉我这件事。你帮了我一个大忙，因为如果我们的信托部门打扰了你，他们就可能也打扰了别的好主顾，那就太不幸了。相信我，我比你更想听到你所告诉我们的。”

这个顾客做梦也没想到会听到这些话。迪特先生还要他放心，告诉他会把这笔账一笔勾销，迪特说：“你是个非常细心的人，只有一份账目要管，而我们的职员则要照顾好几千个账目。因此，比起他们来，你不太可能出错。既然不再向我们订毛料，我就向你推荐一些其他的毛料公司。”

结果，这个顾客又签下了一笔比以往都大的订单。他的儿子出世后，他给起名为迪特。后来他一直是迪特公司的朋友和贸易伙伴。

一个本来对迪特毛料公司怀有满腔怒火的顾客，被迪特先生短短的几句话说动，不但没有同公司闹僵，反而更加信任这个公司，这全仗该公司的老板迪特善用后发制人之术。欠账还钱，乃天经地

义，面对怒气冲冲的顾客，迪特先生深知，如果同顾客计较，即使得到了欠款也无法留住更多的财富，可能会失去一个甚至更多的顾客。所以迪特先生等顾客发泄完后，展开了攻势：首先以一片诚心，感谢这位顾客表达了对公司的意见，继而宣布将欠账一笔勾销，同时赞扬顾客的细心和善于发现问题，结果，顾客完全被这番诚意征服了，做了这家公司的终身顾客。

这正是卡耐基所推崇的“后发制人法”。

后发制人法就是先让对方尽情表露自己的言行，然后，采取有针对性的话语或行动制服对方的方法。从心理学的角度来讲，给他一个发泄的机会，可以满足他的发泄心理，以缓其怒气，在心理上达到平静，这样可以达到不制自服的效果。摸清彼情，以此掌握更大的主动权，让他把话讲完，对他的心理状态你也就一清二楚了，这样为你后来的对策提供了可靠情况。后发者既可以从对方的破绽中找出准确的反驳点，也可从对方的话语中引出话题。但前提是要创造好的言谈气氛，听者要有耐心，千万别插话或打断对方的谈话，这种情况，急躁和慌忙会引起神经过敏和思维紊乱，对方就难吐真情了。

使用后发制人方法时，要注意方法艺术。在后发制人者的语言和行动上要同前者有必然的逻辑联系。后发制人中的前者与后者不仅仅是时间上的谁先谁后的关系，而且还是体现为内容前后的内在联系。根据不同的要求，针对先发之言或分析、或反驳、或赞许，而不要他说他的，我说我的，完全是两张皮，凑不到一起，那就失去了后发的意义了。

※ 尽量满足顾客在商品之外的心理需求

几年前，纽约的电话公司遇到了一桩麻烦事。一位苛刻的用户对电话公司的接线员的服务不满意，因此在电话公司要求他付电话费的时候大发雷霆。他认为这些费用对于他所享受到的服务而言，简直不啻于敲竹杠。于是，他怒火满腔地宣称，要把电话连根拔掉，并且到有关方面进行申诉、告状。

为了解决这一矛盾，电话公司派出一位最干练的“调解员”前去见那位无事生非的用户。在双方见面之后，那位暴怒的用户向调解员淋漓尽致地发泄着他的愤怒，而调解员则静静地听着，不时地说：“是的。”对用户的不满表示同情。

事后这位调解员回忆道：“他滔滔不绝地说着，而我洗耳恭听，整整三个小时。我先后去见过他四次，每次都对他发表的论点表示同情。在第四次会面的时候，这位用户说他准备成立一个‘电话用户保障协会’，我立刻表示赞成，并说我一定会成为这个协会的会员。这位用户从未见过一个电话公司的人同他用这样的方式和态度进行交谈，于是，他的态度变得友善起来。前三次见面，我甚至连同他见面的原因都没有提过；但是在第四次见面的时候，我们已经化敌为友，事情顺利地解决了。这位用户要付的费用全部照付了，而且还主动撤销了向有关方面的申诉。”

而那位无事生非的用户，他在与电话公司的这场矛盾中，自认为是扮演了一个主持正义、维护大众利益的角色；而事实上，他所需要的只是一种是重要人物的感觉。当调解员以耐心的倾听来面对他的控诉之后，他获得了他所需要的这种感觉，满足了他的权力欲和虚荣心之后，那些无中生有的牢骚自然就烟消云散了。电话公司的调解员成功地运用了一种从心理学角度上讲所谓的“暗示性赞美”，而这种赞美恰好是人类隐秘的通病所需要的药方。

卡耐基指出：任何人，当他受到来自他人的尊敬和信赖的时候，他都会从内心感到高兴；虽然明知道那是拍马屁，但听起来也会感到舒畅。自尊心越强的人，越会有这种倾向。在谈判桌上，自尊心很强的人往往比较难以对付，如果你希望他能够接受一项繁杂而又为一般人所难以接受的条件时，最好的办法是触及他的自尊心。

※ 推销员应该顺从地承认顾客是正确的

随便拒绝顾客的抱怨，以抱怨对抱怨是推销的一大禁忌。

推销员普遍认为“顾客总是正确的”这样的一句口号，比其他任何一句口号都难以接受。因为推销员知道顾客往往是错误的。当推销员清楚地知道顾客是错误的时候，他就极不愿意违心地承认顾客是正确的。推销员是否应该顺从地承认顾客是正确的呢？

从本身利益出发，推销员应该顺从地承认顾客是正确的。因为，顾客的抱怨提供了达成交易的良好机会。然而，低劣的推销员却往往以能够证明顾客是错误的为乐趣。

推销员不思索、不分析，就随便拒绝顾客抱怨的另外一个原因是：他可能把顾客的抱怨看作是对他本人和对他推销工作的批评。假如推销员抱有这种态度，他会马上向顾客证明，顾客的指责是毫无道理的。他这样做的目的是要把别人的批评消灭在萌芽状态。而优秀的推销员清楚，只要正确处理，顾客的抱怨并不是一件坏事。

“顾客任何时候都是正确的！”这句话可以被另外一句“让顾客正确是否值得？”来代替。

推销员或负责处理顾客抱怨的人发现，“让顾客正确是否值得？”为他们提供了一个可以接受的解决办法。在明知顾客是错误的情况下，他再也不会违心地承认顾客是正确的了。现在，他可以根据具体情况，充分考虑本公司的利益，然后做出决定，是否值得让顾客正确。一般说来，他只需考虑两个问题：其一，接受顾客的抱怨所产生的后果；其二，拒绝接受顾客的抱怨所产生的后果。

一般说来，公司对顾客的抱怨和索赔采取宽宏大量的态度和积极的解决办法是符合自己利益的。俗话说：你怎样对待别人，别人就会怎样对待你。受到别人友好热情的款待，人们是不会忘记的，他还会告诉别人。由于采取了宽宏大量的做法，许多难以处理的抱怨和索赔都顺利地得到了解决。这些都是非常有说服力的例子。宽宏大量地对待顾客的抱怨往往就像一种黏合性很强的胶水，经过黏合的部位比未经黏合的部位牢固得多。当顾客的抱怨得到满意的处理后，他和推销员或供应商之间的关系就会随之得到加强。

有些时候，推销员发现顾客的抱怨没有任何理由，因为产品完好无损，无懈可击。其实，顾客的不满并不在于产品本身，而在于产品的实际效用。

你的产品可能不符合顾客的需要，或者你的产品过去符合顾客的需要，但由于某种情况的变化，现在已经不符合了。技术专家最容易忽略这一问题。因为一旦顾客提出抱怨，他们往往从产品本身查找原因。为什么会出现上述问题，道理是难以讲清楚的。可能是推销员使用了倾力推销法；也可能在推销产品或交货时没有给顾客一些必要的技术指导；也可能是顾客本人或推销员错误地判断了顾客的需要。你可以这样坚信，无论是哪一种可能，不管产品的质地如何，顾客都不会对产品感到十分满意的。即使在这种情况下，提出“让顾客正确是否值得？”的问题，也是恰当的。

不要拒绝接受顾客对你的产品提出的反对意见。拒绝接受顾客的反对意见，会使你的整个推销工作毁于一旦。因为，如果你对顾客有反对意见时，顾客也不会相信你。记住：对顾客来说，任何一种产品都有其固有的长处和短处，他也深知这一点。只有在产品的长处大于短处时，顾客才会做出购买决定。另外，固执的推销员往往也会使顾客变得固执起来。

※　夸大不适当的抗议后果的严重性，以削弱对方的气势

卡耐基讲过这样一个故事：

一天，在某家生产乳制品的大工厂，来了一位气焰嚣张的抗议者。据他说，有一罐奶粉中竟然有只活生生的苍蝇。

在奶品的制造过程中，卫生管理程度相当严格，为了防止氧化，特将罐内所有空气抽出，然后灌入氮气再予密封。所以，若要说有只活苍蝇在内，实在不可能；但由于这位消费者言之凿凿，使得厂负责人不得不使用些说话的技巧，使抗议者无法继续逞能。

当这位来势汹汹的抗议者提出抗议时，这位负责人则静立一旁听取他的言论；待来者终于把话说完后，他才慢条斯理地开口道："哦！原来是这么回事，那怎么行呢！若真有这么回事，当然是厂方的错误，加上这问题很严重，绝不可以忽视。好的！我现在马上停下全厂的机器，以查清错误的来源！"负责人边说边皱着眉头，此时，旁边的职员听了，十分不安。但当这位负责人说下一句话时，他们才恍然大悟。

"本厂在奶品的制造过程当中，一定要把罐内的空气完全抽出，灌入氮气之后予以密封，所以不可能有苍蝇活着的情况；现在既然发生了这样的事情，我一定会调查清楚。但还是得请问你开封时的情形，及开封后的密封情形等，并且麻烦你尽量说清楚。"

这位抗议者没想到这件事竟会引起如此严重的后果，于是惊讶与困惑的表情不时浮现在脸上。由于那位负责人的提醒，他觉得，这问题或许是自己保管错误引起的，顿时，锐气大减，终于怯怯地说："我只是希望以后不要有类似的情况发生；至于这件事，我不再追究。"说着仓皇离去。

当抗议者十分理直气壮地提出抗议时，一般人反应是予以毫不客气的痛击，但这种做法往往得不到好结果，反易使事情闹得更僵。所以，在遇到这类情况时，你只需将问题看得更严重，使对方感觉势态似乎颇不妙，便不好继续闹下去，不仅原来的气焰会低落许多，而且态度也和缓了许多，甚至还会向你道歉认错。

因此，当遇到有人提出不符合实际的抗议时，不妨将对方所提的问题夸大其严重性，可以削弱他的气势。

※ 让你的热忱影响自己和别人

如果你对自己所推销的产品、提供的服务或是发表的演说产生热忱，你的“意识状态”将很明显地被所有听到你说话的人了解，他们可以通过你的语气加以判断。事实上，要使对方相信你，或使对方怀疑你，最主要的是你发表声明时的语气，而不是声明的内容。

当你自己的意识因为受到热忱和刺激而剧烈地振动时，这个振动将会自动记录在相关的所有人的意识中，尤其是那些和你有过密切接触的人。

卡耐基讲过这样一个故事：

有一次，一位推销员来拜访拿破仑·希尔，希望希尔订阅一份《周六晚邮》。他把那份杂志拿到拿破仑·希尔面前，暗示了拿破仑·希尔应该如何回答他的这个问题：“你不会为了帮助我而订阅《周六晚邮》吧，是不是？”

当然拿破仑·希尔一口拒绝了。因为，他的话中没有热忱做后盾，他的脸上充满阴沉及沮丧的神情。他急需从希尔的订费中赚取他的佣金，这是不容怀疑的。但是他并未说出任何足以打动希尔的理由，因此，他无法做成这笔交易。

几个星期之后，另一位推销员来见希尔。她一共推销六种杂志，其中一种就是《周六晚邮》，但她的推销方法则大为不同。她看了看他的书桌，发现书桌上摆了几本杂志，然后，她又看看希尔，忍不住热心地惊呼：“哦！我看得出来，你十分喜爱阅读书籍和各种杂志。”

拿破仑·希尔很骄傲地接受了这项“指摘”。当这位女推销员刚走进来时，希尔正在看手中的一份文稿，这时候拿破仑·希尔把稿子放了下来，想要听听她将说些什么。

用短短的一句话，加上一个愉快的笑容，再加上真正热忱的语气，她已经成功地中断了希尔的工作，使希尔准备好要去听她说些什么。她只用了那个短短的句子就完成了最困难的工作，因为在她当初走进书房时，希尔已经下定决心，绝不放下手中的文稿，仅礼貌地向她暗示：自己很忙，不希望受到打扰。

然后，她问拿破仑·希尔："你定期收到的杂志有哪几种？"希尔向她说明之后，她脸上露出了微笑，把她的那卷杂志展开，摊放在希尔面前的书桌上。她一一分析了这些杂志，并且说明希尔为什么应该每种都要订阅一份：《周六晚邮》可以让人欣赏到最优美的小说；《文学书摘》以摘要的方式把新闻介绍给他，像他这样的大忙人最需要这种方式的服务；《美国杂志》可以向他介绍工商界领袖人物的最新生活动态等。

但拿破仑·希尔并没有像她所想象的那般反应热烈，于是她向他提出了这样一项温和的暗示："像你这种地位的人物，一定要消息灵通，知识渊博，如果不是这样子的话，一定会在自己的工作上表现出来。"

她的话确实是真理。她的话既是恭维，又是一种温和的谴责。她使他多少觉得有点惭愧，因为她已经调查过他所阅读的材料，而那 6 种她推销的畅销的杂志并不在他的书桌上。

接着，拿破仑·希尔开始"说溜了嘴"，他问她，订阅这 6 种杂志共要多少钱。她很巧妙地回答说："多少钱？呀，整个数目还比不上你手中所拿那一张稿纸的稿费呢。"

她又说对了。她怎能如此准确地猜出拿破仑·希尔的稿费收入呢？答案是，她并不是猜的——她早已知道了。她的推销方法的一部分，就是巧妙地引导对方把他的工作性质说出来。她走进拿破仑·希尔的书房之后不久，他就把手中的稿纸放在桌上，她对此十分有兴趣，因此，便诱导他去谈论这方面的事情。在希尔谈到自己的原稿时，曾经承认说这张稿纸可以使自己获得60美元的收入。

于是，她离开时，便带走了拿破仑·希尔订阅这六种杂志的订单，还有50美元的订报费。但这并不是她利用巧妙的“暗示”和“热忱”所获得的全部收获。她征得了拿破仑·希尔的同意，又到他的办公室去进行推销，结果，她在离开之前，又招揽了希尔的五位职员订阅她推销的杂志。

当她停留在拿破仑·希尔书房的那段时间，一直不曾让他留下这个印象：希尔订阅她的杂志是在帮她的忙。正好相反，她很自然地使他有了这个感觉：她是在帮助他。这是一种极为巧妙的暗示。

当这位聪明的女推销员一进到希尔的书房，并说出那段开场白之后，希尔就从她身上感受到了那股热忱。而且他深信，她的热忱并不是偶然出现的。她已经训练过自己，知道应该从客户的办公室中，或是从对方的工作或谈话中，找出某些她可以表现出热忱的事物。

卡耐基指出：一个热忱的人，无论是在挖土，或者经营大公司，都会认为自己的工作是一项神圣的天职，并怀着强烈的兴趣。对自己的工作热忱的人，不论工作有多少困难，或需要多少的努力，始终会用不急不躁的态度去进行。只要抱着这种态度，任何人一定会成功，一定会达到目标。爱迪生说过：“有史以来，没有任何一件伟大的事业不是因为热忱而成功的。”事实上，这不是一段单纯而美丽的话语，而是迈向成功之路的路标。

第八章　努力去建立和维护持久和谐的爱情关系

一般人如果有快乐的婚姻，就远比独身的天才生活得更快乐。

——戴尔·卡耐基

男人越是成功,就越是需要一个帮助丈夫树立良好形象的妻子。

——戴尔·卡耐基

在地狱中,魔鬼为了破坏爱情而发明的总能成功的恶毒办法中,唠叨是最厉害的了。它永远不会失败，就像眼镜蛇咬人一样，总是具有破坏性，总是置人于死地。

——戴尔·卡耐基

※　学会融洽地与异性交谈是非常重要的

卡耐基指出：在任何场合，拥有良好的口才都是非常重要的。

言辞威力无穷。离开了它，求爱就不会获得成功。一对情侣在进入热恋之前，需要互相表白，这是求爱必经的阶段。即使你在向一个和你语言不通的外国女人求爱，你们仍然需要彼此交谈。因为求爱的音调在北京话里也像巴黎的法语里那样甜蜜。在求爱过程中，如何表达言辞比言辞本身的含义更为重要。

事实上,我们在求爱时说的许多话一般来讲都没有多少含义。“你好！”“你好吗？”“今天天气很好，是不是？”“怎么回事？”等都是一些应酬话。就像许多动物整理对方的软毛表示亲近一样，我们也以言辞和评价表示友善之情。

第一次与可能的异性情侣交谈是十分痛苦的。当女人意识到她是在与一个将来的亲密情人和终身伴侣交谈时，她总是存在着一定程度的紧张的矛盾心理：既想熟悉，又想避开。一方面她希望同你接近，另一方面她又害怕同你太接近，她需要在二者之间取得平衡。例如，当一名女子对一名男子说话时，她的眼神总有些紧张，她心里嘀咕着："我朝他看的时间是不是太长？"那样他也许会觉得她太风骚轻佻。或者"我向他望的时间是否还不够？"那样他也许会觉得她太孤傲冷淡。总之，一方面她在说话，另一方面她也在权衡两性的差异会有哪些影响。

许多人认为，只要开口，就得意味深长，不然就闭口不言。远在17世纪，哲学家约翰·威瑟斯庞就告诫人们："无话不要找话。"应该说，这是一个好主意，但在求爱时却行不通。"空洞的"讨欢心的交谈是求爱的宝贵武器。在诸如核科学家开会时，无话不要找话说，但一般的聚会时却不行。在聚会时，语言接触比聪明才智更为重要。

你可能认为，女性与你交谈之前，需要听到比"我喜欢您这件连衣裙"或"你的头发看起来美极了"更美妙的赞扬声，但是事实并非如此。这些揭示个人兴趣的评语比起那些"您对中东和平进程有何看法？"的"高雅"言论更为奏效。在公开的表白中，大多数话都有弦外之音。人的声音有其本身的特别性能。婴儿会自动跟着人的声音的方向转。研究表明，人的声音在婴儿的大脑中奏起了乐音。声音可以使婴儿受到安抚，变得平静，还有催眠的作用。如果你将一名啼哭的婴儿抱在胸前，紧贴着你的脸，你用轻柔、温和的声调讲上几分钟，婴儿的哭声就会止住。声音有其节奏和音调，它不仅能传递思想，还有音乐作用。声音本身就能使人入迷。

另外，在求爱中最难的一件事就是开场白。但只要你不炫耀才华或故弄玄虚，事情就容易多了，开场白是进行接触的第一步。"嘿！""这种酒味道怎样？""这次聚会真开心！"——这些简单的话就足以表达你的兴趣，打破陌生人的防护罩。人与人之间就是这样表现最初的爱慕之情。

※ 了解女性需要什么样的爱，增进和巩固爱情关系

卡耐基发现，男性和女性通常都没有意识到他们有不同的感情需求，所以，不知道该如何给对方以爱。男性通常只是给他们想给的，但可惜他们所付出的爱，她并没有感觉到，因为那些并不是她所需要的。例如，女性在难过时，你常用评论来缩小她问题的严重性以表现你的爱，但女性会因此认为她在你眼中微不足道、受到漠视。

了解女性需要什么样的爱，是增进和巩固男女爱情关系的有效秘方。

1. 需要关心

当男性对女性的感觉表示兴趣、关心她的幸福时，女性就会觉得被爱、被关心。如果你因此而让她觉得很特殊，你就已经成功地给予了她关心，这样她会自然而然地更信任你，对你更温柔更多情。如果你对她的话不肯倾听，对她感兴趣的问题就会心不在焉。比如，她刚刚在理发馆烫完发和你约会，很可能是想给你一个惊喜，你注意到了，但没有表示，她就会觉得你对她不够关心，没有爱她。

2. 需要理解

男性如果能不假判断，感同身受地倾听女性传达感觉，女性就会觉得自己被爱与被理解。女性需要你理解她，但她不会向你提出理解的要求，她相信你有这方面的能力。

有时女性很可能会向你谈起她的一些麻烦和不顺利。但你最好不要试着帮她解决，这样做是费力不讨好的和愚蠢的，因为即使你的主意再高明，那也不是她需要的。她只需要你理解她，她就感受到被爱了。此时最高明的策略是：以静制动。

3. 需要尊重

有时你的一句粗野的讨厌女性的话，也许会招她喜欢，她觉得你有点“男子汉气概”；但她希望你讨厌别的女性，并不意味着她

喜欢你不尊重自己，如果男性能认可和优先考虑她的权利、愿望和需求，她就会觉得自己很受尊重。送她一束花，对你来说可能有点不自然，但这是满足女性需要尊重的必要手段。如果她向你说起她的烦恼和不顺利，你千万不要因为她带给你难过而生气甚至责备她，那样她会觉得你不尊重她的感觉。

4. 需要忠诚

当男性优先给予女性以关心和爱护，并骄傲地承诺自己会支持她、满足她时，女性会因受到崇拜和特殊的对待感到满足。所以，你对待她的感受与要求，要比对自己的兴趣更加重视，让她感受到她是你生活中的唯一珍爱的女性。千万不要认为她的哪怕是微不足道的要求缺乏重要性，那样不能突出她的特殊之处。久而久之，她就会怀疑你好像在另觅新欢。

5. 她需要赞美

赞美女性就是以惊奇、喜悦、肯定来尊重她。切忌因为赞美无关痛痒而忽略它。对男人来说是这样，对女性来说则不然。相信甜言蜜语的力量吧，它会使女性心情愉快而更显美丽。不要同女性争吵，如果男性想表达不同的观点，你需先确定她已说完，然后在你表达之前先重复她的观点，并对其某个细节赞不绝口。当你反复向她表现关心、了解、尊重、忠诚、赞美时，女性就会相信你仍旧爱她。

※ 男女对爱情的理解和态度是有差异的

追求真正的爱情与幸福，这对于男子和女子来说，都是一样的。但是，一般说来，男子和女子对爱情的理解和态度也略有差异。卡耐基指出：这些差异主要表现在：

1. 对漂亮的异性人人都会产生好感。美，本身就有巨大的吸引力，但是男人比女人更多地为对方的外貌所吸引，“一见钟情”的男人远比“一见钟情”的女人多，这也说明在爱情上男人的识别能力比女人要低一点。

正因为以上原因，男子陷入情网比女人陷入情网要快一些。西方做过这样一个调查：研究者对 250 个青年男子和 429 个青年女子做了一项“浪漫爱情的测验”，发现有 25% 以上的男子在四天之内就匆匆地爱上了某个女子；但匆匆爱上男子的女人只占 15%。有将近半数的女子在她们的报告中写道：要让她们最后看中一个男子，20 天不够，她们需要更多的时间来考察意中人。

2. 女人对爱情的态度远比男人实际。男子对爱情往往很浪漫，而且很狂热。女人对爱情通常要考虑婚姻与将来。她们评估爱情关系时更面对现实，对经济问题与环境影响考虑比较多，当然，这是正常的，这并不能说就是“功利主义”。男子在爱情问题上却容易“不顾一切”。

3. 在求爱问题上，男子一般比较大胆、主动，富于进攻性，有时甚至过于鲁莽；而女子则往往比较瞻前顾后，欲进后止，有时甚至会有与内心相反的行为表现。

4. 在恋爱交往过程中，男子往往表现得更加狂热，甜言蜜语很多，而且“爱情的温度”一下子会升得很高；可是多数女子却喜欢“温热”，要求适度，过“热”的爱情反而可能使她们有顾虑，甚至被吓坏了。

5. 相对地说，女子更易被对方的甜言蜜语所迷惑。在坠入爱河前，女子的种种考虑比男子多，但在坠入爱河后，却更容易轻信对方。有人说，陷入热恋的男人，一半是理智，一半是热情；而陷入热恋中的女人，全部都是热情，有时就不考虑其他问题了，所以，陷入热恋的女人可能是最“愚蠢”的女人。

6. 在恋爱中，男人更容易产生冲动，女子在这方面一般都不处于主动地位，并有自然的抗拒心理。

7. 在爱情问题上，男子比女子多变。一是在恋爱过程中的角色地位易变，在男方追求女方时，男方会把对方尊为公主；在追求到手后，男方会成为女方的主宰。二是爱情在生活中的比重会变，在恋爱阶段，爱情似乎是男子生活的全部，而在婚后，爱情只是男子生活的一部分，并且往往这一部分小于事业。可是女子则可能恰恰相反，爱情在婚后所占的比重有时会比恋爱时更大。三是在婚后爱情变异的可能男子比女子大。所以，人们常有“痴心女子负心汉”之说。

8. 在爱情问题上，女子比男子更富有自我牺牲精神。

9. 对失恋的痛苦，女子远比男子大；男子由于失恋所受的痛苦在开始时虽然可能也很激烈，但持续的时间一般较女子为短。

男女在爱情心理和态度上的这些差别和气质差异、社会观念及环境要求的不同有很大关系。在这些差别中，长处和短处往往搅和在一起，了解了这些情况，就可以对爱情理解得更深，使爱情心理更健康，使恋爱行为更能正常发展。

※ 成功地进行恋爱应讲求的技巧

卡耐基说：“办事不能忽视方法，恋爱不能不讲究技巧。”那么，在恋爱中应该讲求哪些技巧呢？

1. 抓住机会，适时表明态度

在择偶问题上如果经过慎重考虑，下定了决心，那么就要勇敢、坚决地向对方表明态度。在现实生活中，有好些年轻人，面对自己的意中人，却坐失良机，放走爱神。一旦下定决心，就要勇敢地去追求，大胆地表露心迹，不要害怕拒绝，即使被拒绝，也无怨无悔。当然，敢于表露心迹并不是鲁莽从事，还要掌握分寸，要适度。在表露前，对对方要有充分的了解；还要有双方相当的感情基础、情不吐不快、意不表不快的时候才能表露；表露时，既要坦诚、直率、也要庄重得体，不要恣意放纵自己的感情，做出有失检点的事来。

2. 恋爱中的技巧主要在“谈”

谈恋爱要达到两个目的，一是增加了解，二是培养感情，从而为今后的爱情生活打下良好的基础。这都是要通过双方思想感情的交往而获得的。因此，双方的交谈起很大作用，谈恋爱之所以称之为“谈”，也就是这个道理。相爱要知心，知心要交心，这是恋爱的常识。对人坦诚、直率、交心，能博得人们的好感；相反，沉默寡言、胸有城府、处处留一手，就会使对方感到不可捉摸，难以接近。当然，对这个问题的掌握也要适度。

在恋爱交往中，必须有坦诚的态度，但是这种坦诚究竟怎样表现出来，还要掌握分寸，要适度。坦诚并不等于话多、饶舌。有些人，特别是有些女孩喜欢饶舌，如果是兴奋、快乐，话多一些也是自然的，但是如果过于喋喋不休，就会让对方蔑视与讨厌。也许出于同异性交往的审慎心理和礼貌，对方不得不硬着头皮去听。但是如果这一情况到婚后仍然没有改变，就会成为潜在的矛盾和不幸了。饶舌会失去应有的风度，打破融洽的气氛，败坏人的兴致，是男女交往之大忌。总之，要倾心交谈，但不要表白过分，无休无止。

3. 朦胧产生美，运用一些模糊语言

谈恋爱时，固然要坦诚，意思固然要明确，但是也不能过于直来直去。为了表达委婉、含蓄、微妙的感情，一定要考虑到场合、内容、目的和对方的心理等因素，有时要适当运用一些模糊语言。

模糊并不等于含混、糊涂，它的意思是明确的，而且意在言外，回味无穷。

爱情的魅力就在于它的神秘性和自发性，它虚幻朦胧，仿佛笼罩着一层烟雾。模糊语言正是为适应这种气氛而运用的。在现实生活中不可能出现这样的现象：一对男女在热恋中，男的问女的：“你爱我吗？”女的连连点头，大声地说：“是的，是的，我是多么的爱你啊！我都快爱疯啦！”如果是这样，人们会说这真太没有艺术了，毫无浪漫，味同嚼蜡。

模糊语言可以表现在许多方面，例如，恋人之间称呼对方，双方的关系越是亲密称呼越是简略，有时只叫对方名字中的一个字，或用一个什么昵称，而很少直呼其名。直呼其名是最明确的，而这里需要模糊。

4. 尽量把“真实的自我”放在对方面前

在恋人面前，人们往往有一种“显示心理”，就是刻意地装扮自己，极力地显示自己的优点、长处，同时极力地掩盖自己的缺点、短处，从而博得对方更多的好感。

这种“显示心理”虽是人之常情，但是如果过分了也不好，过分了就是伪装。至于无中生有地吹牛、骗人，那就更不对了。还是要把一个“自然的我”“真实的我”放在对方面前，这也是坦诚的一个重要表现。事实上，在恋人之间也不可能希望对方一点缺点也没有。男女任何一方要是有意地掩饰自己的缺点，都只能是弄巧成拙。有缺点，坦诚地让对方了解，缺点反而成为优点了。

尤其应该提醒恋爱中的人们，写情书不要过于雕琢，更不要装腔作势，借以吓人。虽然，爱情是美的，情书总希望写美一点，但不能刻意求“美”，有时会情不自禁地说一些高热度的话，写下一些连自己都弄不清的词句。情书要以朴素、亲切、纯真为主，人不要装模作样，文字也不要装模作样。

5. 欲速则不达，瓜熟蒂自落

爱情往往是含而不露的，含而不露实际上也是一种美。当然，有时也要热烈、明朗、大胆、开放，但是不能过分，如果过分了就会走向反面。

在恋爱过程中，双方都应保持应有的理智、冷静和自尊，在恋爱的最初阶段，不但要防守感情的防线，避免轻浮和草率，而且对对方随意流露出来的热情和亲昵的语言、行为都要冷静对待。在这个最初阶段，双方对对方来说都是陌生的，还谈不上多少感情，在这种情况下，那种热烈的举动，很难说是出自内心的爱，很可能是出自感官上的一时冲动，这种做法不会给恋爱起促进作用，反而可能酿成很大的不幸。谈恋爱有它自身的发展规律，到了一定程度，自然会“瓜熟蒂落，水到渠成”。如果为了提高效率而加快速度，实行速战速决，那只能适得其反。

※ 你必须学会对心爱的人说“不”

你心爱的人是否经常会在你工作繁忙的时候突然生病，搞得你分身乏术，手足无措？他是否经常忘带钥匙，急呼你回家开门，让你只得放下手中的工作，应声而去……

如果你的生活中出现了上述的情况，你可能就会感叹——当初他可不是这样，那时我们都能互相体谅。殊不知，正是你的体谅造就了他的这种改变。

当他以前偶尔出现上述的某种行为时，你体谅、迁就他；正是你的温情强化了他的这种行为，让他认为可以通过这样的方式获得你的体谅和温情。所以，在你由于工作繁忙，或因为其他事情不够重视他，甚至有些忽略他的时候，他就会故技重施，以吸引你的注意力，博取你的温情和关怀。

有一种行之有效的方法可以让你帮他改掉那些习惯，那就是你必须学会对心爱的人说“不”。相爱是应该互相迁就，互相体谅，但不是无条件地顺从。无论是谁，只要他提出的条件是不合理的，我们都有权利拒绝。而且，在你拒绝恋人的要求时，一定要让其明确你拒绝的是他的哪一个要求。这种做法是为了让你的拒绝更具有针对性，只消退那些过分的、不合理的要求和行为。

当然，对心爱的人说“不”也要适时适量。尤其是如果你的那个他的“习惯”已经根深蒂固，如果你一下子改变态度，他会无法承受的，很容易怀疑你对他的感情。因此，你应该由弱至强，各个击破，逐步逐条地消退他的“习惯”。

先选择你认为比较小的、不合理的要求给予拒绝，选择较晚形成的习惯进行消退。

具体的做法是：当他提出不合理要求时，你首先表现得不如原来上心，然后逐步拒绝其要求；根据“习惯”形成时间的先后，由晚到早，逐一消退。

当你感觉到这样的做法已经有了一定的效果，他的不合理要求已经减少了一些时，你就应该向他摊牌了，告诉他为什么会有那些不合理要求，习惯形成的主要原因在你，以及近一段时间为什么总是拒绝和拒绝的做法收到的效果。

当然，这样的“摊牌”会有些伤人。因此，你必须根据你自己长期以来对他的了解，选择最适宜的方式方法，向他细说事情的前因后果。

※ 宽恕和感激是获得挚爱的一大秘诀

卡耐基指出：宽恕和感激是获得挚爱的一大秘诀。

迈克先生喜欢不时地把他那一代的智慧传给下一代。

譬如谈到永浴爱河，他和他的妻子就是深信不疑的楷模。他们彼此相爱，愉快地共同生活，这样已经维持了大约 41 年。

问他有何秘诀，他总是乐于告诉别人，他是追随他父亲的榜样来的。“我爸爸早晨起床后总是照照镜子，说：‘你可不是什么美男子。’”

如果你一起床就看见自己脸上的缺陷，你在早餐之前就可能因感激而产生相当良好的胃口。你一大早已经发现自己并非天仙化身，到了晚上，你很可能因为事实上还是有个人死心塌地爱你而兴奋不已。“总算有人爱我”似乎是任何长期相爱的胶漆。

这种胶漆至少要包含两个要素：第一，你必须知道自己最大的缺点；第二，你必须找到一个人也知道这缺点，可是并不认为它那么糟糕。所谓“总算有人爱”，并不是说他把你看成十全十美，而是要他接受你的瑕疵。

这听起来并不浪漫。别的人也许希望收到情诗、鲜花和倾慕。不过坦白地说，倾慕会使我们不自在。会使我们等待露出马脚的一天。

爱丽斯有个朋友离了婚，和一个对她敬若神明的男人发生感情。那是一种令她觉得飘飘欲仙的经验——持续了大约三个月。问题是，她不能在他面前对孩子大吼大叫。问题是，她不得不天天梳洗头发。她根本无法永远维持那种标准。

如果说生活中有一个常数的话，那一定是人类生怕自己不受钟爱的恐惧。因为调皮捣蛋被逮住而问母亲“你是不是还照样爱我？”的第一个顽童，首先发现这种不安全感。

这个孩子存在于我们每个人的心里。这个孩子每天犹豫不决，不知道在隐瞒真相的暂时安全与真相被揭穿然而照样受钟爱的冒险之间如何做出抉择。

许多人告诉我们，夫妻始终相爱，是因为个性契合、气味相投，或者因为他们彼此之间始终有深厚的兴趣，因为恩深义重，因为运气好。不过其中一部分一定是宽恕和感激。那就是你并非天仙化身，但你仍旧照样爱人，并且始终被一个人爱着。

※　努力去建立一种强大的、持久的爱情关系

美国人研究的结果，爱情的保鲜期为 18 到 30 个月。爱情和婚姻属于不同的范畴。正如一首歌中所唱道的：“相爱总是简单，相处太难……”

一个人的爱情，可能因为一句话、一件事、一个眼神、一个礼物而形成。在他看来，这已经足够了，他会把一个小小的点放到无穷大，正所谓一叶障目，不见森林。

为此，而苦苦求索。婚姻却是琐碎的，当爱情进入婚姻后，就会被打回原形，这时的当事人才发现，对方身上除了那一点优点，还有那么多的缺点和不足。

真的是：“相爱容易相处难。”换个说法，就是爱一个虚幻的影子比较容易，而爱一个现实的对象则相对困难。婚姻需要磨合，婚姻需要保鲜，意思大概只有一个，即慢慢接纳一个现实的他，但

这并不容易。有的人还没有磨合就已经厌烦了，很快分手；有的人在磨合中失去了自我，麻木了，日子过得很累；有的人总也磨合不好，只剩下责任，到老彼此都不认同。当然，也有不少人，在磨合后实现了观念的认同和统一，一辈子很幸福，相约来生还要做夫妻。

卡耐基指出："一对和谐的夫妻，不是因为他们生活中没有矛盾，而是因为他们善于处理和化解矛盾。"

每个人都有自己不同于他人的价值观念，都想让对方来适应自己，说这是自私不太准确，因为他认为那是唯一正确的，这和他的观念形成过程有关，不一定是他为了自己。有句话是这样说的："不能改变对方，就改变自己。"卡耐基很赞成这句话。

良好的爱情关系不是自然产生的，它需要我们有意识地努力和行动，只怀有良好的愿望是不够的。为了发展丰富和充实的爱情关系，我们必须采取更为主动、更为积极的态度。爱情要求我们应该清楚地知道怎样才能使我们所爱的人幸福，这就需要我们怀有一颗忠诚的心，并能够真诚地奉献。最重要的是：爱情需要我们自觉自愿、轻松愉快地采取行动。没有行动而只有空谈甚至是抱怨、责备，双方就会渐渐地产生反感，最终导致爱情关系的毁灭。

爱情关系的发展绝不取决于命运，而是由爱情双方对爱情不断做出的承诺所控制的。在建立爱情关系的初期，我们都能清醒地了解自己的所作所为。但是，尽管我们怀有良好的愿望，但时间的推移使我们之中的不少人变得懒惰起来，他们对自己的行为给爱情关系所能产生的影响变得不敏感甚至是麻木了。爱情关系不是一成不变的：不是朝着加深的方向发展，就是朝着破灭的方向发展。

我们在爱情关系中所负的责任是不能间断的，因为爱情就是一种感觉，一种连续不断的、温暖的、充满活力的感觉。你应该主动采取强有力的措施，以决定爱情的命运。这样，你就不再是一个爱情行为中的被动者，而是积极地追求爱情的人。

卡耐基认为，为了获得幸福的婚姻，首先要学会与现实妥协。

表面上看，妥协多少显得有些消极和被动。但，适当的妥协还是必要的。实际上妥协是心理成熟的表现。

当我们把一个理想的爱情观念从内心套到他身上时，事情只完成了一半，剩下的任务是要把看到的结果反馈回来，用以调整自己的观念。妥协也是一种在现实条件下创造有价值生活的能力。

我们要真正体悟到平平淡淡才是真。热烈奔放的爱情是一种体验，毕竟短暂；长相厮守，在漫漫岁月中相濡以沫才是爱情的真谛。

此外，要建立一种强大的、持久的爱情关系，对于变化采取积极的态度是非常必要的。有些夫妻在爱情中遇到不少困难和障碍，其原因常常是他们顽固地抵抗爱情中应有的变化。他们害怕他们的爱情不够强韧、不够持久，不能对付无法预测的变化所带来的消极后果。但是，真正的、持久的爱情关系应该有足够的灵活性，用现实、积极的态度欢迎爱情中的变化。

随着时间的推移，爱情关系在不断地变化和更新。在爱情的初期，我们时时能体验到令人振奋的美妙感觉。在这个阶段，我们并不惧怕变化，因为我们渴望发掘所爱的人的新的、所有的特点。接着，令人焦虑的事情发生了：爱情关系达到了完美的境界，我们再也不想改变了。从这时开始，我们对爱情的新鲜感逐渐消退，但是，我们对于爱情中的变化持一种接受的态度，我们就会不断地尝试到爱情给我们带来的新鲜的活力。

我们必须正确地对待种种变化，一方面是我们自身的改变，另一方面是情人的变化。我们既不能惧怕自身的改变，也不能惧怕情人的变化。应该相信你的情人能够正确地对待你的变化，他对你的爱和信任足以抵消由于你的变化而带来的新问题，甚至是不快和恐惧。同时，当你发现情人的变化时，你也应该给予理解、尊重和自由。

人们在爱情关系的变化中经历情感上的波折是必然的。一方面，它使我们产生不适应感，但另一方面，它又冲击了我们在长时间的夫妻关系中产生的厌倦感和陈旧感。

爱情关系处于低潮并不意味着爱情关系已经无法挽救，即使是最完美的爱情关系，它也有困难的时期。爱情关系中的困难或低潮的出现，只是要求双方用灵活、积极的态度去对待变化！

※ 婚姻和事业的冲突，原本就是可以调和的

当许多人都为婚姻和事业的不能兼顾而倍感焦虑时，赛尔玛夫妇却表现得从容不迫、幸福美满。人们都感到惊奇，所以，在一次为了缓解由于事业繁忙而不能顾及家庭的内疚感的同事聚会上，大家都带上妻室，希望能缓解一下紧张关系。他们都向赛尔玛夫妇打听幸福的秘诀。赛尔玛说："你们忙碌是为了什么？"

众人都说："为了工作嘛！""不工作就不会事业有成嘛！"

赛尔玛说："我们夫妇俩也没什么秘诀，只是想通了一个道理。以前我和你们一样苦恼，现在却解脱了出来。我要说的是：难道婚姻不也是一项事业吗？"

人们恍然大悟，怎么以前没想过呢？

婚姻和事业的冲突，原本就是可以调和的。只是人们忙昏了头，不愿意多动脑筋，觉得夫妻之间可以彼此理解。可久而久之就变得不理解了。这是人性的一大弱点：人们老在拖延之中伤害最亲爱的人而不自知。

卡耐基认为，把婚姻当成事业看待是有好处的。首先，它使婚姻从屈居第二的不利境况中解脱而出，上升到和事业等量齐观的位置，有什么大不了的，大家都平起平坐。可以获得应得的尊重，一旦在态度上发生了转变，就会设法为婚姻留点时间，而人只要愿意安排时间，时间就总会挤出来一些的，这时才发觉并不缺时间，以前只是把这些时间蹉跎了而已。其次，婚姻一旦作为事业，在这方面追求成就就是理所当然。有一个很可笑的现象，在个体时代里居然还有男人害怕把精力放在婚姻上会被同事讥笑，这人大概是个极没个性的家伙，不久就该被淘汰出局。最后，婚姻地位的上升，有

利于情感的和谐。情感会使生活充满温情，温情又使人保持好的心境，好心境又使人善待他人，善待他人又使人脱离冷漠的苦海，然后，一切愉快的回报又促进了情感。真是无往而不利。

婚姻作为事业，自然要提供成就感。人们可以在这个事业中有所作为，从而解除一些焦虑，能够更好地生活，能够完善个性。

一般来说，绝大多数人都是年轻时结婚的。最初一两年其乐融融的婚姻生活之后，会适当地趋于平淡。男人和女人都开始全力以赴，希望在事业那个战场上赢得一场场胜利。而渐渐把婚姻屈居于事业之下。

经过几年社会征战之后，便会听见男人和女人的感慨声，他们抱怨期望的成就总达不到，并不能用成就感来安慰自己。

但是在把婚姻也当成事业来看的同时，就会发现一个问题：能不能把伴侣当作一项成就呢？回答可以很肯定：伴侣是一项成就。想想看，你为了追求她或他，花了多少精力，费了多少心思呀，那时为了追求，你可是一掷千金的挥霍者。既然有这么多投入，伴侣就该是一项成就，是你在取得社会成就之前做成的最有意义的一项成就。

卡耐基提醒我们：婚姻和事业的冲突，是可以很容易调和的，你只需把婚姻当作事业就可以了。

※ 男性应该表示出对女性的赏识和赞美

戴尔·卡耐基指出：如果你要维持家庭生活的幸福快乐，请记住这条规则：

要经常赞美你的爱人。

如果你要维持家庭生活的幸福快乐，就要记住这条规则，不要批评，而是要尽量去赞美。

洛杉矶家庭关系学社社长保罗·波皮诺说：“大部分的男人，在寻找太太的时候，不是去找一位能干的会办事的人，而是要找一位诱人而又愿意满足他们的虚荣心、并能够使他们觉得超人一等的人。因此，一个公司或机构的女主管，可能会有人来请她吃饭，但只是一次而已。她很可能会把她所记得的，在大学念《现代哲学主流》的时候听到的一点东西搬出来，甚至还坚持要付自己的账。结果呢，以后她就得学着一个人吃饭了。没有上过大学的打字小姐却不相同，当被人请去吃饭的时候，她会以热情的目光注视着她的护花使者，说话带着无限的深情。‘现在请你告诉我一些有关你自己的事。’结果，男人们对他人说：‘她并不十分美丽，但我从来没有遇到过更会说话的人。’”

对于女人在打扮美丽和穿着入时方面所花去的心思，男人应该表示出他的赏识。所有的男人，都知道女人非常注意衣着，但也常常会忘记这件事。例如，有一个男人和一个女人，在街上遇到了另一个男人和女人，这个女人很少会看另外一个男人，她通常会注意看另一个女人的衣着怎样。

卡耐基的祖母在98岁的高龄去世了。就在她去世前不久，大家给她看一张她在30多年前所照的照片。她的眼睛已经不太好，看不清楚照片，但她只问了一个问题：“我穿的是什么样的衣服？”一位风烛残年的老妇人久病在床，近一个世纪的时光已耗尽她的一切精力，她记忆力衰退得那么快，甚至连自己的女儿也认不出来，仍然还想知道在30年前穿的是什么衣服！

男人不会记得他们5年以前穿的是什么西装或衬衣，而且根本就没有记住这些事情的念头。但是女人就不同了。法国上层阶级的男人，对这方面的认识相当深刻。他们不但对女人穿戴的衣帽表示赞美，并且在一个晚上不止赞美一次，而是好几次。几千万个法国男人都这么做，一定有他们的道理。

过去，在莫斯科和圣彼得堡娇生惯养的上流社会的男人，表现出来的态度更好。大沙皇时代的俄国，上流社会中有一个习惯，当他们享受了一顿美好的晚餐以后，他们一定要把大厨请出来，当面加以夸奖。

你为什么不对你太太这样做呢？下次，当鸡排炸得嫩脆可口，就对她如此说，让她知道你非常欣赏她的手艺。假如你那样做的话，她就知道，她对于你的幸福快乐占有重要的地位。

在好莱坞，婚姻就是冒险，即使伦敦的鲁易保险公司也不敢保险，但是华纳·白斯特的婚姻，却是少数几个特别幸福婚姻中的一个。白斯特太太做演员时的名字是魏妮菲·布瑞荪，她放弃了如日中天的舞台事业而结婚了，但是她从来不以她的牺牲来破坏他们的幸福。“她失去了在舞台上受大众喝彩的机会，”华纳·白斯特说，“但我却尽一切努力，要使她知道我对她的喝彩。如果女人要从她丈夫之处得到快乐，那一定是得自他的赞赏和忠实的热爱。如果赞赏和忠实的热爱出自他的真心，她就会得到幸福快乐。”

※ 设法满足她的需求和欲望以获得妻子的忠诚和爱

卡耐基说：“可以确保妻子忠心的最好方法，就是设法满足她的任何需求和欲望。”

大多数妻子都是主妇，整天在家里搞卫生、洗衣、做饭，但却从未受到丈夫任何形式的赞美和承认。

卡耐基指出：把你送上离婚法庭最快捷的方法，就是忽视妻子的需求和欲望，对她想当然。

不必每天送她鲜花或糖果来表示你对她多么欣赏。卡耐基总结的方法，不让你破费一分钱，却相当奏效。卡耐基认识一对幸福结合 50 年的夫妻，实际上丈夫只在其妻子的生日、结婚纪念日和圣诞节送她礼物！

“你有什么秘诀？”卡耐基问他。

“很简单，卡耐基先生，”他说，“首先，我关注她。我经常用行动告诉她我意识到她的存在。这许多年后我还坚持说请和谢谢，她也坚持。这有助于我们互相尊重。

“每餐之后离席前我都说：‘谢谢，亲爱的，这顿饭真好。’或是：‘谢谢，亲爱的，你真是个好厨师’。当妻子的都爱听这种话。

“我们在家走对面时，我就伸出手，轻轻抚摸她的手。或者她晚上坐下看电视时我给她倒杯水。下午她做针线活或编织时，我会端给她一杯茶。你说她不想喝怎么办？你是开玩笑吗？她怎么也得喝，好让我明白她很高兴我在全身心地关注她。”

这些是小事吗？可能是小事，但如果你想和妻子保持和谐的关系，让她忠于你，那么就全身心地关注她并忠于她。

不仅她会忠于你，你还会有其他收获。一旦你开始尝试这样做，今后你永远都会穿上干净的衬衣，裤线永远都会笔直，晚餐永远都会吃上热饭菜。你的妻子会热衷于这些微不足道的小事，她希望你继续关注她。

试一试吧，你会喜欢的，你的妻子也会喜欢。

※　女性一定要学习一些和男性相处的技巧

卡耐基说，既然男性占了世界人口的一半，那么，如何与男性相处就成了每个女性面临的问题。

女性在生活中不可避免地接触到的男性包括：自己的丈夫、父亲、儿子和女婿；自己的朋友；上司、客户、追求者；还有各种职业的男性，比如，医生、律师、军人、售货员等。

不可否认的事实是，男性和女性之间存在着许多的不同点。既然如此，女性如果能够学习一些和男性相处的技巧，应该是个不坏的主意。

那么，具有哪些特性的女性容易让男性喜欢且愿意和她在一起呢？

第二次世界大战即将结束时，所有服兵役的男性接受了问卷调查，其中有一个问题：“你急切向往的婚姻生活是怎样的？”这些穿军装的硬汉的答案居然惊人的相似。既不是引人遐思的身体曲线，也不是热情火爆的刺激，而是简单平凡的舒服。这个答案和人们想象中的相去甚远，也让某些相信化妆品和香水广告解说词的小姐感到不相信。很显然，在男性心中，一盎司舒适感的分量远远超过了一磅的性感。既然他们需要，那女性为何不提供呢？但是，男性心目中的舒服究竟是什么标准？我们不妨来研究一下。是温顺贤淑的女性，还是一个让他的每个器官和全身神经都感到舒适自在的女性，抑或是玛莉莲·梦露？

经过长期的研究，卡耐基得到下面这些看上去有效的法则：

1. 随和体贴，心地善良

陶乐斯·狄克斯指出：男性选择太太的首要条件是性格乐观，让他们和一个板着脸，啰里啰唆的女性吃牛排，还不如在轻松快乐的气氛中吃粗茶淡饭。

一个单身汉坦白承认，如果有一个温和体贴、乐观向上的女性和一个泼妇，他肯定毫不迟疑地选择前者。

多年前，卡耐基雇用过一个速记打字小姐。就这份工作而言，她做得实在糟糕透顶，根本做不到准确迅速地记录和打字。但是她在这个岗位上一直工作到结婚才离开，因为她快乐天使般的性格像阳光一样照亮了办公室，哪怕有多大的牢骚、抱怨和批评，只要有她在，全部都能化解。有了这一点，即便她做不好任何事，也值得付给她那份薪水。

2. 做一个好伴侣

杰克·福利克是美国高尔夫球公开赛的冠军，他曾经为纽约《世界电信报》写过一篇短文，详细描述了他得到两座市立高尔夫球场的特许经营权的情形。当时他处在极端不利的情况下，既要保有专利经营权，又要为了比赛加紧练习，因此坚持得十分辛苦。直到他娶了芝加哥的莲恩·伯恩斯特之后才找到机会。她接管了杰克的高尔夫球场，让他有更多的时间准备比赛。

当杰克周游全国，不停地参加各地的巡回公开赛时，莲恩便负责照顾他们一岁多的儿子克瑞罗。对此杰克这样说："莲恩从不跟我上球场。你什么时候见过邮差的妻子跟在他身后！"

但莲恩总在他身边安排好一切，让他随时随地都没有后顾之忧。

佛罗伦萨·梅娜德太太是纽约州北部一个小镇上的一位普普通通的妻子。前十六年的婚姻生活中，她除了料理家事以外几乎没有别的爱好，总觉得缺了些什么。最后她发现缺少的是伴侣间的交流。梅娜德太太和丈夫极少有共同的兴趣爱好，她决心改变这种状况。

梅娜德先生的主要兴趣之一是职业曲棍球，因此她采取的第一步是培养自己对这项运动的兴趣。梅娜德太太说："在我彻底弄明白曲棍球这项运动以后，我发现自己也产生了兴趣。我跟丈夫一样热情地观看曲棍球赛，记住每一场赛事的电视转播时间。现在我不仅能够欣赏这项令人激动的运动，而且发现自己有了新的活力，当丈夫享受这项运动时，再也不会一个人无聊地坐在一边了。由于培养了对曲棍球的兴趣，渐渐我又找到了其他能够和丈夫——十六年来和我一起生活的男性——分享的兴趣。"

3. 要做一个好听众

女人的话太多——这几乎是所有男性的共识，因为他们没有说话的机会。

其实，倾听别人说话并不仅仅是默不作声，但很多女性不明白这一点。要积极地倾听，注意讲究"品质"，如果你是一个合格的听者，必定能够做到游刃有余。

聆听别人谈话，首先要集中注意力。眼神不要飘忽不定，也不要做出拘谨的举动，同时心里不能想到明天出去购物或逛街。倾听时表情要自然，让它们随着听到的内容发生变化。"训练演员表现出倾听剧中另外演员的谈话"是舞台导演面临的困难工作之一。假如你用同样的方式训练自己，就一定会在这方面取得成功。

出色的倾听者一定会做到集中和配合。以前有一种说法，一个女孩如果想要赢得男人的心，只需在男人描述自己刚做成的一笔大买卖时抬头凝视他，同时发出类似“天啊，你真是了不起，真是个天才，是我心目中的王子！”的赞叹就行了。女性表现出的愚蠢和他的满意度成正比。如今，这个理论已经有点行不通了，因为有太多的女性也非常能干，常常做成一些大交易。而且让她们从一个精明的女强人马上转变成愚蠢的小女孩有点困难，而男性也越来越精明，把真正关心他的女孩和装傻想缠住他的女孩分得很清楚。因此，如果你想要赢得一个男性的心，千万不要在他需要一个优秀的倾听者时要出装傻的把戏。

在倾听时可以偶尔提出不同的看法，把握时机发问。如果你个人非常支持他的说法，在他谈话停息的时候提出来，但是不要滔滔不绝，要注意让他掌握谈话的主导权。这样就不至于造成单调的独白，双方的思想也得到了沟通。

但事实证明，很多人都是不合格的聆听者，需要通过训练完善自己，因为他们不懂得沟通的技巧。当轮到良好的倾听者说话时，他们也会变成好的谈话者，从某种意义上说，技巧之间存在着共通点。

学会正确倾听别人的讲话，不仅会让我们与男性相处得很好，也会让我们和更多的人成为朋友。

4. 要有适应力

女性几乎不会因为一时兴起而做任何事情，这是由于某种不确定的原因。因此，男人们永远也不会了解，为什么女人去看场电影也要在几周前就计划好。当他临时决定到乡下度周末时，女性经常会说她没有合适的衣服。

虽然男性突如其来的想法会让井然有序的女性感到厌烦，但是偶尔尝试一下新鲜的做法也没有什么损失。“好的，我们一起……”比“好的，但是……”要动听得多。

玛丽是一个适应能力非常强的女性，她的丈夫尤其爱好短途旅游，常常扔下广告业务打电话给她，“亲爱的，收拾好行李，明天早上我们去百慕大度假。”已经习以为常的她将泳装放进手提箱，将小鹦鹉托付给邻居照顾，将定好的约会全部取消，就等着第二天早上出发了。她对卡耐基说，这很简单，任何一个女性只要稍微训练一下就能做到。

如果一个女孩在最后的时间才接受男孩的约会，大家都会觉得她是不受男生欢迎的女孩，因为这几乎就是坦白承认没有其他男孩子约她。作为一个不轻易接受约会的女孩或许会为她带来好名声，但同时却失去了很多乐趣。就算他先约过别人也无所谓，至少给我们提供了证明第二次选择最正确的机会。赢得一个男性最万无一失的法宝是适当顺应他的心情。

男性想到一个主意时会马上将它付诸行动，女性无法及时适应这种冲动常常令他们感到十分气恼。拥有这种适应能力的女孩，已经在如何与男性相处的问题上抢占了先机。

5. 不要太能干

有一次，一个女孩向卡耐基倾诉，由于自己的能干而失去了一个很合适的男性。这个女孩从事的工作是经理，平时发号施令、制订计划，工作非常得心应手。但在社交场合，她却不能做得如此成功。

她仔细地分析自己：“我发现，当我的男朋友刚刚打开雨伞，我已经叫来出租车；电梯的按钮由我来按；晚餐时为他点肝脏和熏肉，因为他的血压不太正常。所有的工作都是我这个能干的女性去做，他甚至从没有机会为我拉开椅子或帮我脱下外套。最后的结果是，他离开了我，一切都是我自作自受。我想自己是太能干了。”

想想现在的女孩真可怜。当一个中意的男性出现时，她既要做一个成功、独立的女性，又必须牢记自己还是个女孩。男性已经被完全惯坏了，鱼和熊掌都想兼得，要求女性既有足够的魅力，同时又有做事的头脑，必要的时候拿出收入支持他的家庭或事业。

刚开始交往的时候，做到他心目中理想的女性并不是非常困难。在上班时尽量表现出你是老板不可或缺的得力助手；当下班以后就不能以同样的面貌出现，否则你的男性朋友会觉得和他约会的是一部高效的机器，而不是一个活生生的女性。

6. 做好自己

无论任何人，假如见到一个六七十岁的女性打扮成少妇模样——穿着紧身的衣服，头发染得五颜六色，脚上穿着三英寸的高跟鞋，戴着别人一眼就能看穿的假乳——一定会觉得十分滑稽可笑。这种打死也不肯承认年龄的女性无疑是可悲的，在所有可悲的情形当中名列榜首。她认为，只有年轻的女性才有魅力，因此努力使自己看上去更年轻。这种类型的女性装出做作的媚态、抛媚眼，想以她自认为性感的姿态抓住男性的心，实在有些令人作呕。

有时候，一个文静内向的女孩忽然会做出一些怪异的举动，比如在宴会上放声大笑，很显然，她觉得这样做就会成为宴会的焦点。不过，男性并没有那么笨，他们会辨别真假。

很多平时非常聪明的女性在这方面往往会犯糊涂。她们认为改变自己的装扮风格就能让男性迷惑，让他们不清楚自己到底娶了一个什么特性的女人。这种见解是不成熟、不明智的。就连上帝也改变不了我们的性格，不如老老实实地承认它，更何况这些性格并没有什么不好，我们完全可以发扬自己的优点，克服那些不吸引人的缺点，就一定能展现最佳的风采。

※ 让丈夫从你深挚的爱情里得到安心和幸福

卡耐基曾对一位妇女说：“真的，爱在人类社会里的潜力，就像原子能那样大。爱情能够产生，而且的确每天都产生了奇迹。你给你丈夫的爱，是他成功的基本因素——因为，如果你真心爱他，你就会心甘情愿地尽你的能力去做每一件事，使他快乐；或你给了你丈夫那一种爱情，也会影响到子女的幸福。”

保罗·柏派诺博士是美国家庭关系协会会长，他在全国教师家长联谊中讲演说：“教师家长联谊会，如果愿意在年会里完全不谈小孩子的事情，而讨论如何使丈夫和妻子更加相爱，也许对小孩子的幸福会有更大的贡献呢。”

那么，我们要怎么做，才能提升爱情的深度呢？卡耐基为我们提出了下面一些建议：

1. 每天都要表现出爱心

最可悲的事情，就是在事情过了以后才发觉自己曾经享受过人生最贵重的东西。在对 1500 对以上已婚夫妇的研究里，路易斯·特尔曼博士和他的研究同人发现，男人认为在造成婚姻不合的最普遍原因里，妻子不知道表现爱情是第二大原因，仅次于妻子的唠叨、啰唆。

许多女人碰到危机的时候，都能够高明地应付自如；可是，很可悲地，她却很少知道带给丈夫最渴望的每天的爱情蛋糕。假使丈夫失业了，患上结核病或是被关进监狱里，这位女士都能够像直布罗陀海峡的岩石那么坚强，不断地帮助丈夫。但是，当生活正常平稳地进行的时候，妻子就忙得忘了告诉自己的丈夫：你在自己的心目中是何等重要。

你有没有静下心来想过这句话：据说女人可能是为了安全感、生小孩拥有自己的家，或是避免当个老处女而结婚；然而，现代有 90% 的男人结婚，只是因为他们在恋爱。

大部分的女人相信，她们是应该被爱护的、听人讲些甜言蜜语的。在卡耐基的经验里，他发觉这个说法是真的：通常，抱怨自己的丈夫忽略她们，不知道赞扬她们的女人，往往也吝于对丈夫赞赏示爱。她们时常挑剔和批评错误。她们正是一位心理学家所描述的那种神经质女人："有些人太爱自己了，她们愿意分给别人的爱实在太少。"反过来说，最能够体贴地表示出爱心的女人，也能从丈夫那里得到最多的注意力。

一位对婚姻关系颇具影响力的专家说道："妻子们总是抱怨说，她们的丈夫把自己的存在看作理所当然，从来就不赞美她们，或注意她们身上所穿的衣服，或是给她们任何在外表看得出来的爱的表示。但是，这些女人对待她们丈夫的态度也是同样冷淡。然后，她们才感觉奇怪，为什么自己的丈夫会追求那些懂得称赞他们英俊、雄伟、健壮与奇妙的迷人的女人。爱情的饥渴并不是女性专有的一种疾病。男人也会患这种病的。”

曾经有人把夫妻间对爱情的冷淡叫作“精神食粮不足”。这是一个很恰当的比喻。因为，男人不是只靠面包就活得下去；有时候，他也需要一块爱的蛋糕——还要在上面加一点糖霜。

2. 培养一种好心情

有责任心的妻子，常常会患有一种完美主义者的毛病。孩子们的行为总是要管教好；晚餐要做得美味可口；家里要一尘不染。完美主义者常常过分注重细节，而忽略了重要的大事。事情发生的时候，要以好的心情去接受，不要把小事搅得天翻地覆，这样就可加强夫妇间的爱情。

乔治·吉恩·纳杉指出：“我从经验里发现……爱情和整理完好的家务常常是无法并存的。当我看到一个家庭整理得太谨慎时，通常我会觉得，而且接着就发现，他们夫妇相互之间的爱情就像他们机械化的家庭那样，已经达到冰冻的程度了。温暖的爱情，以及随之而来的幸福，总会造成不注意和凌乱，至少在某种程度上会如此。真可惜，从来没有一个深挚而热情地爱着丈夫的女人能够做个完美的家庭主妇。”

听了这些话，我们马上可猜到纳杉先生是个单身汉。但是，他所说的话是值得深思的，尤其对那些注视着树木，而忽略掉整片森林的妻子。

3. 要有宽大的胸怀

没有其他的事情，能够像互相深爱的人结婚那么迷人。爱情就是给予，要给得丰富与慷慨。有些妻子愿意在许多事情上面做个牺牲；但是却常常在许多小地方缺乏精神上的慷慨——例如，嫉妒丈夫从前的女朋友。

如果你的丈夫无意间提及他今天碰见了一个过去的女友，而如果你问他，那个女孩子是不是还扎着辫子、说着不成熟的话，那你就太吝啬、太不够慷慨了。你应该赞美她的好处，如果你能够想出一些；如果你想不出来，也应该编造一些。

4. 对于每一件小事，都要表示谢意

男人在结婚以后，带妻子到戏院过了一个愉快的晚上，送给妻子一束紫罗兰，甚至只是每天早晨倒个垃圾，他也很希望听到妻子的道谢的。如果他所做的每件事情，妻子都视为理所当然而不加致谢，无疑地，这个丈夫就会停止取悦他的妻子。我们之中有些人，不知道丈夫每天为我们做了多少小服务，这只是因为我们习惯于让丈夫为我们做这些工作。美国一位成功的女士说："我曾经认为我丈夫没有帮过我什么忙。我以为要他去弄杯水来喝，也是个大工程。他不会换小孩子的尿布，或是弄紧一只漏水的水龙头。然而，有个夏天他到欧洲去了，我才很惊讶地发现，他每天都为我做了许许多多的琐事——我却没有向他说过一声谢谢——现在我必须自己去做那些事了。"

5. 要互相谅解和体贴

当丈夫想要换上拖鞋休息一会的时候，我们却穿好衣服想要出门，这是不行的。具有深挚爱心的妻子，应该先了解她丈夫每天在外面工作后的需要，然后才跟着盘算自己的需要。

如果没有爱情，成功又有什么意思呢？缺乏爱情，财富和权势也就等于废物和灰烬了。如果你的丈夫从你深挚的爱情里得到了安心和幸福，那么，他带给你更高的生活水准的机会也就大大地增加了。

※ 成为一个温柔、贤惠的妻子

"贤妻良母"，这是世人对已婚女子的高度赞赏，也是绝大多数的女性不断追求的目标。可是，作为一位已婚女性，怎样才能获得这一高尚美好的头衔呢？如果你真的想成为一个温柔、贤惠的妻子，不妨接受卡耐基夫人的几条建议：

1. 帮助丈夫决定目标

做妻子的应该了解丈夫的目标。尽管夫妻双方在一些具体问题上意见发生分歧，但目标则应始终保持一致。妻子不但要了解而且要实际参与丈夫的远大计划。“爱不是看着对方的眼睛，而是观看同一方向。”这不知道是谁说的，但是应该将它赠给渴望“成功”的夫妻。

贤惠妻子的第一步是：帮助你丈夫决定目标。

2. 要使丈夫工作专心

那么，即便其他毫无所得，你的目的也算达到了，因为你已经引导他走向成功之路。

与你丈夫谈谈对将来的希望吧，劝劝他不要幻想那些不可能实现的梦，应该脚踏实地去追求那实在的目标。

3. 充当丈夫的最佳听众

会做最佳听众的妻子，不仅使她丈夫加速成功，而且也会使自己更令人喜爱，显得更美、更贤淑。

什么叫作最佳听众呢？大体说来有三个条件：

（1）不止用耳朵，也用眼睛、脸、全身来倾听。

（2）问题要提得好。如果妻子会把自己要想知道的事，用很巧妙的话提出来，就能收到一举两得之效。

（3）保守秘密。

4. 情愿嫁给两个丈夫

任何人都有双重性格，你丈夫也不例外。既自私、又博爱；没有胆量，却希望勇敢；没有人缘，但常常盼望别人喜欢他；缺乏自信，又企图事事有把握。这种现象不足为怪，正常的人都是这样。作为妻子，应适应丈夫的这种“两重性”，情愿嫁给“两个丈夫”。

丈夫有理想，妻子要协助他去实现，不要只是啰唆，或和别人比较。要鼓励他，称赞他，这才是真正的帮助。

做妻子的，一定要自信，可以使好的丈夫出头，不让坏的丈夫作祟。

5. 信赖和鼓励失意的丈夫

鼓励你丈夫，尤其当他失意的时候，就像引擎需要燃料一样重要。鼓励，能使心灰意冷的人重振雄风，把失败变为成功。

命运常使人绝望，甚至有时叫人不能再爬起来？如果此时有人对你说："不要灰心，你不能停止，你一定会成功的。"那么，这几句话能把你的将来完全改变。《圣经》上也说："信心就是所望之事的基础，是未见之事的依据。"

妻子对丈夫的信心也是一样，你要用特别的眼光观察丈夫，使他的潜在能力得以发挥。因为：你是用爱来测量他，你要常用语言、行动表示对你丈夫的依赖。

6. 千方百计帮助丈夫

丈夫把大部分的精力放在工作上，妻子可以为丈夫的工作提供自己的帮助。这不仅是一种享受，也是做妻子的一项特权。难道你愿意放弃这项特权吗？若想成为贤内助，请记住，千方百计帮助你的"他"。

7. 与丈夫的女同事和睦相处

丈夫的女同事，尤其是秘书小姐，除了获得应有的金钱酬劳，更应该获得你付与她们的尊重和友谊。

8. 鼓励丈夫进修

如果你丈夫不断地在认真进修，你要感谢，要常常鼓励他，更要以"爱"的毅力，来克制生活上一时的寂寞与孤单。

9. 你要准备万一

不怕一万，就怕万一。不知道什么时候，灾难会降临到家中。做妻子的更要为万一的时刻准备一切。

10. 忍耐暂时的寂寞

丈夫忙碌的时候，妻子应该用宽容的态度——有时像护士，有时像母亲一样——一边鼓励他，一边忍耐暂时的寂寞和不自由的生活。

11. 绝不轻易打扰他

丈夫的工作是在家里做，你一方面要忘记他的存在，绝不打扰他；一方面要记住他的存在，随时给他适当的照顾和帮助。

12. 不要做一个落伍的女人

不能跟上时代的步伐，也不能和丈夫谈得来的妻子，不仅不能帮助她丈夫成功，而且，永远无法获得婚姻生活的美满。

13. 千万不要啰唆

啰唆的妻子，比贫穷、不信任等更使丈夫不幸。

14. 不要管丈夫的闲事

管丈夫的闲事，丈夫一定失败。爱丈夫，加上不管丈夫的闲事，你便成了丈夫的最好帮手。

15. 不要强求丈夫成功

每一个人都不同于他人。在每一个人身边，应该画一个圈子。他应该停在圈中，磨炼自己的天分。

16. 鼓励丈夫去冒险

我们要使丈夫成功，应该鼓励丈夫去冒险；而你自己也要毅然地接受因冒险而发生的各种危难。

17. 和丈夫志同道合

丈夫的成功，在于幸福的婚姻生活；而幸福的婚姻生活，不在于夫妇间的兴趣或气质完全相同，而在于怎样跟随对方的兴趣。

18. 创造一个好的家庭环境

不要太注意家庭的外观及形式，最主要的，是要注重家庭里特有的，充满了爱、温暖与明朗的气氛。别忘了：家是最好的避难所。

19. 保持充沛的精力

任何丈夫，都比较喜欢精神饱满的妻子。对那因疲劳过度而毫无生气的妻子，实在感到头痛。

20. 使丈夫讨人喜欢

男人越是成功，就越是需要一个帮助丈夫树立良好形象的妻子。妻子要努力帮助丈夫建立人缘，要为丈夫捧场，要随时弥补丈夫的缺点。

21. 帮助丈夫扬长避短

丈夫给人的印象，不一定就是他的写照。但人们都习惯于凭印象来衡量对方，故你必须帮助丈夫，使他给人以良好的印象。

22. 要有更大的爱心

没有爱，怎么会有成功？没有爱，什么富贵、名誉，都是徒然。如果丈夫满足在你的爱里，你便可以期望他的成功。

※ 要把配偶当成你生活中最重要的人

在人的五种基本需求和欲望之中，最主要的便是成为地位显要人士的欲望。所以，就把对方当成大人物，你将常胜不败（在下面的例子里全用了“他”。如果你是男性，把“他”变成“她”即可）。

卡耐基指出，要把配偶当成你生活中最重要的人。这样做，你便可支配他、完全控制他。以下是三种方法：

1. 把对方想象成全世界最重要的人

要让自己相信你的伴侣是你生活中最重要的人。这样做不必虚情假意。即使你不刻意努力，他也会明白你的态度。

不仅如此，你也不必玩花样耍把戏。你和伴侣的关系就是忠诚的基础。总是这样想，你就会相信；一旦相信了，事情也就成真了。像真的一样去做，事情就会是真的。

2. 密切关注他的言行

丈夫和妻子最常有的抱怨是：“他从来不注意我，认为我理当如此，把我当作一只旧鞋对待。”

你妻子做了新发型吗？告诉她这发型看起来是多么漂亮。她穿新衣服了吗？称赞她的选择。谢谢她准备的可口的晚餐。

3. 经常表扬，永不批评

表扬是实现他人自我，让他感到自身价值最有力的方法。由此看来，批评则会起反作用。批评可毁人，可树敌。批评破坏爱情和婚姻，批评让人失掉友谊。事实上，我们想不出批评对他人能有什么价值。

假如你想支配和控制伴侣，千万不要批评他，而要表扬他。表扬能产生能量。表扬让人工作更努力、效率更高、热情更高。因为表扬让人对自己和自己所做的事有一种自豪感。

只需对你的伴侣说“我真为你骄傲”。他听后就会为你赴汤蹈火。对方做了什么你千万不要忘记表扬他。

※ 不要因猜忌而破坏幸福的婚姻

卡耐基指出：对夫妻关系影响最大的不良做法之一，就是猜忌。猜忌往往造成婚姻的悲剧。他还经常列举莎士比亚的作品作为佐证。

莎士比亚是一位描写爱情的好手。但如果把他的 37 部剧本作一浏览，我们便会发现，尽管每部剧作中都有爱情的闪光，然而凡是他的侧重描写了夫妻关系的剧本，不管结局是悲剧还是喜剧，其间都充满了痛苦与磨难。而原因大都是由于丈夫的嫉妒、无端猜疑自己清白的妻子。

嫉妒的典型自然当推奥赛罗，为了“伸张正义”，惩罚自己想象中的奸夫淫妇，狂怒中，奥赛罗竟活活掐死了自己贤淑的妻子。真相大白后，悔恨地举剑自刎。

在《冬天的故事》中的里昂提斯是西西里国王，他只因妻子根据他的愿望，热情地招待了他的挚友波力克希尼斯，便怀疑妻子与挚友有私，进而信以为真，横加迫害，逼走朋友、遗弃女儿，迫使妻子隐姓埋名 20 年。

《温莎的风流娘儿们》中的福德则是另一类型。作为乡村中的一个普通绅士，他性情没有奥赛罗那样暴烈而且更为现实。他虽然相信妻子正在背地里使自己变成“王八”，但却不像奥赛罗那样大喊大叫，而是“还要仔细调查一下”，暗中“侦察我的妻子的行动”。目的是“打破他们的好事”，“向福斯塔夫出出我胸头这一口冤气”，同时把另一个乡绅培琪“取笑一番”。然而他两次三番地捉奸，其结果只是一番徒劳，几番闲气，以及最后的醒悟：“我以后再不疑心我的妻子了。”

类似的情节一再地出现在莎士比亚这样的世界超一流的戏剧大师手中，不能不使人深思。显然，这不仅仅是个构思的问题，深层的原因还应到其生命史中去探寻。

人的一生，事业与爱情能够两全的，并不太多。作为戏剧家莎士比亚是成功的，但作为丈夫却并不得意。他 18 岁时与安·哈瑟维结婚。但据教堂记录，此前不久，他曾与一位名叫安·韦特利的姑娘领过结婚证书。其中的原因比较复杂。作为年轻小伙子，莎士比亚真心喜爱的是年轻貌美的安·韦特利，但他的爱情带着强烈的肉欲成分。而安·韦特利是个贞淑的女子，不愿在婚礼之前满足他的非分要求。于是莎士比亚从安·哈瑟维处寻求满足。

安·哈瑟维是一个富裕农民的女儿，比莎士比亚大 8 岁，与莎士比亚交好时，她父亲已经去世，她与继母及同父异母的弟弟住在父亲留下的农庄里，生活得不自在，加上年岁已大，一直在费尽心机地寻找婆家。对于莎士比亚这样的英俊健壮的小伙子的献媚，她自然是求之不得。不久，安·哈瑟维怀了孕。倒霉的情人于是不得不想起自己应尽的责任，放弃与安·韦特利的恋情，转与安·哈瑟维结婚。婚后六个月，安·哈瑟维便生一女，取名苏珊娜。一年多后，她又生了一对双胞胎，一男一女，分别起名为哈姆涅特与裘迪斯。此时，莎士比亚才 21 岁。婚姻既不如意，生活的重担却又早早地压在他的肩上，前途却一片渺茫。为了摆脱家庭的烦恼，博取美好的前程，双胞胎生下不久，莎士比亚便背井离乡，跟着一个到外地巡回演出的剧团到了伦敦。20 多年后才重返故乡定居。

根据有关记载，莎士比亚绝不是一个循规蹈矩的人。然而愈是如此，他愈是放心不下家中独处的妻子；愈是与别的女人相处，他愈是怀疑安·哈瑟维背着他与别的男人鬼混。

自然，如果莎士比亚对妻子的所作所为并不在乎，他当然也不会猜疑与嫉妒。然而他虽然对妻子感情不深，却对她的行为非常关注。这一是因为荣誉观念。在什么时候，妻子不忠都不是什么光彩的事。二是因为他的浓厚的家庭观念。莎士比亚是个现实感很强的人。他在经济上的发达与此密切相关。然而正因为如此，他不敢抛弃自己并不满意的妻子，组建新的家庭。

因此，莎士比亚时常考虑到妻子的贞节问题。然而安·哈瑟维虽然婚前有过不轨行为，但那只是不得已而为之，其本质却是贞节的。婚后她严守妇道，不越雷池一步。不管丈夫如何费力，总找不到她的错处。这样，莎士比亚的每次窥探，只能给他带来新的惭愧。这种心理现象的日积月累，逐渐形成一种局势，使他在创作中不知不觉地选用这一方面的主题。

这从他的作品中可以得到两个旁证：一是他的涉及这方面内容的剧本都是他中晚期的创作；二是上述的“奥赛罗现象”虽然各个有别，但却有几个共同的特点，即丈夫嫉妒并无真凭实据，妻子的忠贞不贰、委曲求全，以及最后的真相大白。这正好符合莎士比亚本人的情况。

作为剧作家，莎士比亚是成功的，但作为一个猜忌而又负疚的丈夫，他的生活并不怎么成功，从这个意义上来说，他的生活是一种悲剧——因猜忌造成的悲剧。

由此，卡耐基感悟道：夫妻之间必须充分地相互信任，猜忌是幸福婚姻的大敌。

※ 要维护家庭生活的幸福快乐就绝对不可以唠叨

卡耐基指出：除了猜忌，唠叨也是幸福婚姻的大敌。

林肯一生的大悲剧，也是他的婚姻，而不是他的被刺杀。请注意，是他的婚姻。布斯开了枪以后，林肯就不省人事，永远不知道他被杀了；但是几乎23年来的每一天，他所得到的是什么呢？根据他律师事务所合伙人荷恩所描述的，是“婚姻不幸的后果”。“婚姻不幸”说得还是婉转呢！几乎有四分之一世纪，林肯夫人唠叨着他，骚扰着他，使他不得安静。

她老是抱怨这，抱怨那，老是批评她的丈夫；他的一切，从来就没有对的。他老佝偻着肩膀，走路的样子也很怪。他提起脚步，直上直下地，像一个印第安人。她抱怨他走路没有弹性，姿态不够优雅，她模仿他走路的样子以取笑他，并唠叨着他，要他走路时脚尖先着地。

他的两只大耳朵，呈直角地长在他的头上的样子，她不喜欢。她甚至还告诉他，说他鼻子不直，嘴唇太突出，看起来像痨病鬼，手和脚太大，而头又太小。

亚伯拉罕·林肯和玛利陶德，在各方面都是相反的。教育、背景、脾气、爱好，以及想法，都是相反的。他们经常使对方不快。

举一个例子来说，林肯夫妇刚结婚之后，跟杰可比欧莉夫人住在一起——欧莉夫人是一位医生的遗孀，环境使她不得不分租房子和提供膳食。

一天早晨，林肯夫妇正在吃早饭，林肯做了某件事情，引起了他太太的暴躁脾气。究竟是什么事，现在已经没有人记得了。但是林肯夫人在盛怒之下，把一杯热咖啡泼在她丈夫的脸上。当时还有许多其他房客在场。

当欧莉夫人进来，用湿毛巾替他擦脸和衣服的时候，林肯羞愧地静静坐在那里，不发一言。

林肯夫人的嫉妒，是如此的愚蠢、凶暴，和令人不能相信，只要读到她在大众场合所弄出来的可悲而又失风度的场面，都叫人惊讶不已。她最后终于发疯了。对她最客气的说法，也许是说，她之所以脾气暴躁，或许是受了她初期精神病的影响。

这样的唠叨、咒骂、发脾气，是否就改变了林肯呢？在某方面说，的确使林肯有所改变。确实改变了他对她的态度。确实使他深悔他不幸的婚姻。以及使他尽量避免和她在一起。

当时春田镇的律师一共有11位之多，要赚取生活费并不容易。因此，当法官大卫·戴维斯到各个地方开庭的时候，他们就骑着马跟着他，从一个郡到另一个郡。这样，他们才能在第八司法区所属各郡郡政府所在的各镇，弄到一些业务。

每个星期六，其他的律师都想办法回到春田镇，和家人共度周末。可是林肯并不回春田镇——他害怕回家。春天3个月，然后秋天再3个月。他都随着巡回法庭留在外面，而不走近春田镇。

他每年都是这样。乡下旅馆的情况常常很恶劣；但尽管恶劣，他也宁愿留在旅馆，而不要回到自己家里去听他太太的唠叨，和受她暴躁脾气的气。

这就是林肯夫人唠叨所得到的后果。她带给了生活什么？只有悲剧！她毁坏了一切本该属于她的最珍贵的东西。

贝丝·韩博格在纽约市关系法庭任职11年，曾经审判了好几千件遗弃的案子，她说男人离开家庭主要原因之一是——因为太太唠叨不停；或者如《泰晤士邮报》所说的："许多太太们不停地在慢慢挖，自掘婚姻的坟墓。"

因此，如果你要维护家庭生活的幸福快乐，请记住："绝对绝对不可以唠叨。"

※ 处理好婚姻中必然要遇到的人际问题

每个人的生活中必然要有这样或那样的问题，同样，在人际关系中，也会遇到大量的问题，因而关键是你应该如何处理必然要遇到的问题，即对待问题应抱何种态度。

有的人看见问题就感到恐惧和厌恶，被问题所吓倒，使人际关系受到破坏；有的人则用批判思考者的自信来对待问题，把问题看成是澄清事实，改善与他人关系的机会。尼采曾经说过：“未被逆境摧垮的人会变得更坚强。”这句话也能用来说明人与人之间的关系。

在人与人的关系中，最强大和最有活力的关系是那些经过考验，战胜逆境，患难与共的关系，而最脆弱的关系则是那些未经过考验的关系。因此，在后者这样的关系中，人们很难具备处理问题的技能和自信，所以一遇挫折，双方的关系就出现裂痕甚至中断，也就不足为奇了。只有不断地努力去解决或大或小的问题，才能对自己解决问题的能力产生自信，与他人建立健康的关系。

在任何一种人际关系中，都要涉及解决问题这个环节。如在家庭关系中，有的问题是容易解决的：电视坏了；冰箱里没有储存的食品了；你俩应邀参加一个你们谁都不想去的婚礼……而有的问题则较严重：你或你的配偶在另外一个城市找到了一份很好的工作；你不同意对你的孩子灌输那种宗教信仰……而有的问题则是致命的，它们对双方之间的关系能造成严重的损害，直接威胁到你与对方关系的存亡，如你和你的配偶之间没有了爱；你们俩只有一个人想要孩子；你与配偶之间经常互相谩骂、动手动脚……

虽然并非所有的这些问题都能得到妥善的解决，但是，你可以努力去找到问题的症结，提出许多可能的解决问题的方案，并对它们进行评价，得出明智的结论，并用决心和灵活性去实施你的方案。

即使我们最熟识和亲密的人，偶尔都难免会引起我们的不满。在夫妻之间，过多的批评、指责所引起的后果往往是消极的，而且会产生对立心理和抵触情绪。那么，应该怎么做才是正确的呢？

1. 要反躬自问

当自己对爱人产生不满情绪并想在爱人面前暴露出来的时候，要问自己三个问题：第一，我对对方的要求合理吗？如果对方达不到这些要求，是主观方面的原因还是客观方面的原因？第二，不要光是想对方没有满足自己的要求，而首先要检查：我满足对方的要求了吗？第三，如果一定要表露自己的意见，那么要考虑：这种方式恰当吗？

2. 从自己做起

在夫妻相互之间是否满意的问题上，应该树立三种态度：一是我不能够通过直接的行为改变他人，二是我只能改变自己，三是我改变时，他人也会相应地改变。

有这么一位妻子，她喜欢读书，也喜爱社会活动，但是不善于整理家务，丈夫再三埋怨她、指责她都没有结果，丈夫说："批评也没有用，真不知道该怎么办。我并不是追求尽善尽美，但是每个星期至少也该整理一次屋子呀！看到家里乱七八糟，想到妻子邋里邋遢，真使人难受。"后来，丈夫决定自己动手整理屋子，因为他检查了自己做得也不够，而指责妻子的地方实在太多了。

这个办法确实有效，妻子逐渐克服了不良习惯，承担起整理收拾的事情。有时也有些反复，每当妻子不整理屋子时，丈夫总是悄悄地干起来，直到妻子正当地负起责任来。这种做法比较好，因为最好的改变是发自内心的。如果你想令一个人改变，一定要使对方确实感到这是自己的需要。在这方面，要了解对方，绝不要有任何勉强。

3. 不要计较小事情

在夫妻之间，不可能在大大小小的一切问题上都使双方那么称心如意、相互配合得严丝合缝。每个人都可能有某些小缺点或某些小习惯惹人厌烦。但是在夫妻之间因为挤牙膏的方法不同而闹矛盾，那就太可笑了。

如果你认为非改变对方不可，就要先去寻找为什么对方这个习惯会如此干扰你的原因，真正的问题可能在自己。一位著名的心理学家说过："我对自己和别人内心的真实世界越是开放时，我发现自己越没有那股改变事情的冲劲。"这是有道理的。

因此，要有耐心，耐心是建立良好婚姻关系的基础之一。人和人之间必须要有必要的妥协与让步，在夫妻之间也是同样。如果看不惯对方有些缺点，要想想这些缺点对家庭生活并没有太大影响，而且谁还没有一些缺点呢？即使要向对方提出，也要等待适当时机，不要夫妻一见面就唠叨不休。不管自己是否习惯，要试着热情地和对方打招呼、谈话，这样做很有好处，是会得到回报的。

4. 明确地表达自己的意见

唠叨和正式提意见是不同的，向配偶正式提意见是使配偶明确地知道自己的不满，从而引起注意，进行改正；而唠叨则主要是一种情绪宣泄，并不考虑这样做会产生什么效果，而且也不会产生什么好的效果。有的人只是一味地对配偶做无原则的迁就，并不把自己的不满明确地告诉对方，而事后再唠叨、抱怨，这样反而使事情复杂化了。

有一位丈夫 20 年来一直耐着性子听妻子唠叨，有一天他终于忍耐下住，一本正经地对妻子说：“你听着，我下班回来很累，要休息休息，然后我才有兴趣听你唠叨，我已经忍了 20 年了！”妻子听了不胜惊讶地说：“你忍了 20 年了？我真不知道你是太客气、太体贴人，还是太笨，连句话都不会说。你要先休息一下，就休息好了，可你为什么不说呢？”

是啊，如果这位丈夫早点明确地表示自己的意见，也许这个问题早已解决了。

再如，有位丈夫对妻子不够尊重，有时甚至在朋友面前使妻子难堪，如果妻子当时忍让，事后发发牢骚，实在于事无补。在丈夫当着朋友的面使她难堪时，她应该冷静而坚决地对丈夫说：“你不该说这种没有礼貌的、欺负人的活，我想朋友们也和我同样地不安。如果你有什么对我不满意，可以回家再说。”如果丈夫还是不改变态度，妻子可以理直气壮地说，“我已经提醒你不要这样无礼了，我不愿意在朋友面前和你争吵，但是我不能容忍你的行为，我回家去了，以后再谈。”妻子一次两次这样明确地表明自己的态度，抵制丈夫的不良行为，最后会迫使丈夫做同样的改变。

5. 不要说使对方受伤害的话

原则要坚定，但态度还是要灵活，说话方式方法要讲究。丈夫不应该批评妻子易受伤害的方面，例如，是否找了个好妻子，能否料理家务，能否生孩子，是不是不如别的女人等；同样，妻子也不应该批评丈夫易受伤害的方面。例如，是否有出息，工作能力是不是强，是不是个好丈夫、好爸爸等。

在夫妻关系中，批评是免不了的，但是，同样的一种情绪、同样的一种意思，可以用不同的方式来表达。例如，丈夫说："你没有发现我们每天吃的菜差不多都是一样的？你不能换换花样吗？"这种批评肯定会使妻子十分反感。

如果换一种说法："你的菜烧得很好吃，很合我的口味。但是我记得我小时候，每个星期的菜都是一样的，妈妈做菜的手艺不很好，所以我总希望小菜能换换花样。你看，这是我的怪毛病吗？"这样说，妻子会明白丈夫的意思，而且会心情舒畅地接受这个意见。

6. 对配偶要多肯定、多赞扬

人都有自尊的需要，赞扬是一种肯定的诱导，就是对人的自尊心的满足。因此，能使人十分愉快，愿意上进，愿意向积极的方向改变，其效果是指责、唠叨所不能比拟的。莎士比亚写道："赞美即报酬。"马克·吐温曾说："别人说我一句好话，我会乐上两个月。"

事实上，从来没有人不需要诚实、真挚的赞扬和赏识，夫妻之间也是同样的。

有个妻子怒气冲冲地嚷道："我恨死我丈夫了，我要和他离婚，我要叫他日子不好过。"一位心理学家向她建议："你要没完没了地赞扬他，迁就他，当他觉得不能没有你的时候，你就和他离婚，他就会难过得彻底垮了。"

这位妻子按建议做了。半年以后，这位心理学家又遇到了这位妻子，问道："结果怎么样，离婚了吗？"这位妻子说："哦，没有。我按照你的意思去做了，结果他从来没有待我这样好，我们从来没有这样舒心过，我现在把心都给了他啦！"

对于人类的心灵，赞美就像阳光。夫妻之间应该多赞扬，少责备。但是赞扬应该恰如其分，而且应该有感情基础，出自内心，以上所举的例子从表面上看似乎只是一种策略手段，但是实际上也还是有感情基础的，否则，如果变成无原则的奉承，那就不好了。

要改变爱人，应该先从自我检视、改变不良的习惯做起。

※ 在发现对方不算十分严重的过失时最好不要去责备

从恋爱的时候起，一对恋人互相说过多少爱情的誓言是难以计数的。但是结婚以后，要真正实现"长相知""永相守"，夫妻间还要经历多少感情的波折也是无法预料的。

某研究机构的一项专题调查表明，目前的夫妻关系中，关系较好的占40%；关系一般，有些矛盾的占30%；关系恶化，经常吵架甚至闹离婚的占30%。自然，这几个数字所描绘的，绝不是美妙的图画，应该引起新婚夫妇们的警惕。

心理学家曾对80例夫妻间的争吵进行分析，发现75%以上是由于一方的责怪引起的。这些责怪往往是发现了对方的某些过失，因疏忽而犯的错误，或无意间说的错话。在被责怪者不服而辩解或反过来责怪对方时，夫妻间的别扭就闹大了。这种由责怪引起争吵，由争吵引起感情破裂的事情，真是不胜枚举。

心理学家说，在受到别人的指责或责怪时，大多数人都会产生辩白心理，除非是做了明显的绝对无可推诿的错事。所谓"辩白"心理，就是想为自己辩解，说明自己错得无意，或者因为情况复杂，错误难免等，无非是想找点"情有可原"的依据，来减轻一下自己受责怪时的心理负担。

值得注意的是，这种心理现象几乎是本能的，可以说是一种"自然防卫”心理，也可以说是人的自尊要求。在很多情况之下，并不表示受责怪者想推卸责任。实际上在辩解之后，他（她）的心理渐趋平衡，接着便开始自责，承担责任了。只有一向骄傲或虚荣心太重的人，才会一味地推卸责任。

了解了这一点之后，在你发现爱人的过失而责备他（她）的时候，不妨听他（她）辩解几句，让他（她）心里好受些。不可一味地责备，不好将他（她）辩解的言辞一句句地反驳，叫他（她）没有一个下台之处。否则必然会使他（她）更激动，声音高起来，强硬的、不很理智的话就会冒出来。争吵这时就会发生。

也许，对方的某一过失并不值得你去加以责怪，因为那只是一个小过失，或者在那种情形之下，换上你去经历，那过失也是照犯不误的。即使对方的过失不小，这种道理也同样存在。因此心理学家主张，为了减少过失进一步给双方带来不快，夫妻间在发现对方不算十分严重的过失的时候，最好不要去责备他（她）。如果你能够安静地听他（她）讲述事情的经过，听他（她）为自己辩白，然后带一种宽慰对方的语气说一声：“啊，今后注意一些就是了！”或者：“罢了。算我们不走运吧。”这是最好的处理方式。此时有过失一方定能如释重负。虽然他（她）还在自责，然而他（她）的心理压力减轻了，而且深深地感激你。

事实上，过失是难以避免的，因为我们大多数人都不是谨小慎微的（而且谨小慎微有时会成为一种过失）。很多时候，人们都免不了犯下过失，例如，不留神打烂了玻璃，递茶时却烫了对方的手等。且不说这些过失一般人并不会为它们生气，就是发生了更大些的过失，在对生活有着开朗豁达态度的那些夫妻中，也不会大惊小怪，互相指责吵架的。因此夫妻关系中，还是心胸宽广、能够互相体谅的为佳。倘若彼此性情狭隘，斤斤计较，得失观念太重，家庭生活是难得太平的。

在那些对婚姻生活思想准备不足、理想色彩很浓的新婚小夫妻中，因一方的小过失而引起双方不快，也是经常发生的事。

不要随便指责对方也是问题的一个方面，与此同时，为了维持婚姻的和谐，还应该注意，少犯或不犯有损对方自尊心或伤害双方感情的那些过失。这些过失不同于打碎物件或丢失东西，可以用几元几角钱来计算，伤害了感情就会在夫妻间微妙的关系中投下阴影。比如，妻子好几次嫌丈夫出门穿得不够整齐，衬衣扣子老不扣，今天丈夫还是老样子，就有点生气地说："你总是不像个样子，早知道就不跟你结婚了！"此话说得过头，很容易伤害他的自尊心。碰上脾气差的，马上还你一句："你后悔了？那我们就离婚吧！"这样就两败俱伤了。在相互的评价问题上，夫妻双方都是很敏感的。

一般来说，妻子最不希望发现丈夫有如下行为：

1. 戒烟之后，又偷偷抽起来。

2. 饮酒过量。

3. 结交不三不四的人。

4. 动辄打骂孩子。

5. 家务很多也不帮忙，却坐在客厅里看电视。

6. 很晚才回家。

7. 工作不顺心，回家后向妻子发火。

8. 在外多花钱，大大影响家庭计划。

9. 有事不商量，在家庭里独断专行。

10. 跟女同事来往过密。

11. 自己态度不好，却说妻子不温柔。

12. 粗暴干涉妻子的社交。

丈夫最不希望妻子发生的行为有：

1. 晚回家。

2. 过分打扮。

3. 跟男同事来往过密。

4. 丈夫心烦时唠唠叨叨。

5. 不顺心就哭闹。

6. 把家里的事都告诉娘家。

7. 一本正经追问丈夫用钱。

8. 多疑和爱嫉妒。

9. 冷淡和不耐烦。

10. 挑剔和鄙夷丈夫。

一旦有了这些过失，犯过失者应该大胆认错。认错态度诚恳，可以使对方不好意思再责怪下去。坦率地认错在一定程度上可弥补过失带来的损失。最好这样想：对方发现你的过失时，发出一两句怨言也是难免的。你为自己辩白，也是可以的，但话说完也就行了，不要再反复说个不停，好像你更有理，这样就会使对方加重火气，以为你企图开脱自己。除非你的过失并没有发生，而是对方对你的误会，需要解释清楚，即使是这种情况，也不一定要马上跟他分辩清楚，可以等对方冷静下来，再作解释。避免了激动时的争吵，效果当然好得多。

因此，互相谅解和忍让是对待夫妻间的过失的良好精神。但这需要夫妻有共同的奋斗目标，共同的思想基础，融洽的感情关系，还要有较好的修养，包括自我克制能力，善于运用“合理化”的方式进行心理调适。

对爱人的过失要有合乎情理的态度：不是为了在一场争吵中分个高低胜负，而是帮助对方认识过失和改正过失，今后不再重犯或少犯类似的过失。只有这种妥善的解决办法，才能在一方有过失的时候，仍然保持夫妻关系的和谐，保证爱情更长久。

※　积极化解夫妻间的矛盾，维持家庭和谐

曾经有人说过，争吵是这个世界上的盐。夫妻唇齿相依，因而就免不了唇齿相啮。处理得好，争吵会在平静的生活中激起波澜，过后双方相互更加了解和体谅，乃至回味无穷。但是，这种化解艺

术并非人人都能掌握，弄不好家庭的破裂就会由小小的争吵而产生。还是小心避免，少去尝试为好。

不幸的家庭现在正在与日俱增，我们应该引起重视、警觉，设法找些解决矛盾、恢复关系的办法。

1. 找出争吵的原因

心理学家指出，引起争吵的原因也是多种多样的：

（1）说谎。信任是两性结合的黏合剂，特别是婚姻成为现实，双方的性吸引力趋于平缓后，夫妻感觉到最多的是对家庭的共同责任，一旦发现对方说谎，就会觉得对方不负责任，信任感消失，裂痕会马上出现。

有的人说谎还是出于好心，怕引起对方的怀疑，结果是欲盖弥彰，不能自圆其说。如听到关于对对方不利的消息，怕伤害对方的感情和增添对方的心理压力，而不愿将真情相告。有的人当然是出于不信任，怕对方不同意自己的一些做法而不敢将事实说出。无论哪一种，处理不好，都会引起对方的不愉快。

（2）揭短。夫妻相互最了解对方的缺点，揭起短来最顺当，最中要害，也就最伤感情。体格、行为、品格等方面都可以挑出短处，都是本人最不愿提起的，夫妻间因爱而宽容、而避讳。一旦入攻心头，心照不宣的心理默契被撕破了之后，那就会利剑所指，伤痕淌血，使各自的自尊心受到严重的损害，爱的纽带也就被割断。

（3）任性。恋爱时双方为缩短交往距离，往往伪装自己，迁就对方，容易相互和谐。婚后，空间距离消失，相互掩饰和协调的心理减退，往往变得随意任性。丈夫多花了几个钱，过去大方的妻子这时也许会唠叨个没完，好性子的丈夫也会忍不住甩几句硬邦邦的话，矛盾就会出现。

2. 积极化解矛盾

矛盾出现了，该怎样化解呢？

（1）多忍让。夫妻间的争吵、矛盾常由小事引起，不一定非断出个是非，声音大点、态度硬点，就算把对方压下去了，又哪里会赢得喜悦？态度温和，语调低缓，或者干脆不吭气，以沉默相对。对方人力发射无目标，也就气焰减弱，吵不起来了。

在家庭生活中，总会遇到一些矛盾。尤其在夫妻双方都很忙碌、很疲劳的时候，发脾气是常见之事。这种情况下，多忍让可以避免许多无谓的争吵。

（2）常说理。争吵起来，常忘了说理，无理搅三分，得理不让人。如果能稳定一下自己的情绪，心平气和地讲道理，对方的情绪不再被激怒，所讲的道理就能入耳了。

（3）少发泄。窝在肚里的怒气一直憋着并不好，适当地发泄可调节情绪。任意地无节制地发泄，就让对方难以接受。一般说来，自我消怒和转移消怒，或注意力转移，比发泄怒气要好。

（4）学点幽默。幽默总会令人忍俊不禁，启齿而笑。面对的是自己的妻子或丈夫，怎不喜欢他（她）化怒颜为笑容？

有一对老夫妻吵架后，彼此不再开口了。过了几天，先生忘记了吵嘴的不愉快，想和太太说话，可是太太就是不理他。

后来，先生在所有的抽屉、衣橱里到处乱翻，弄得老太太忍无可忍，她问道：“你到底找什么呀？”

“谢天谢地，”老先生说，“我总算找到你的声音了。”

老先生这一番举动，着实令人佩服。他通过这样一种巧妙的方式，达到了重新和好的目的，而在这种情况下，用一般说理的办法是很难奏效的。

任何一个成了家的人，都应当用幽默来保护自己的家庭，如果没有根本性的重大的分歧，幽默能使家庭生活在最佳状态。

※ 努力防止产生“爱情厌倦”心理

许多人都有过这样的体验，人若长期接触同一事物或从事同一工作，就会产生疲劳感。即使是一幅很美的画、一首很动听的乐曲，如果反复看、反复听，原先的美感也会逐渐消失，而代之以单调乏味的感觉。同样，对于毫无变化、索然无味的婚姻生活也会产生这样的心理反应，这就是“爱情厌倦”心理。

婚姻问题专家加里斯莫里指出：孤独感、生活单调、缺乏情感交流和吸引力的消失是产生“爱情厌倦”心理的主要因素。

孤独感常是产生“爱情厌倦”心理的主要原因。一个人如果没有人与他分享生活中的乐趣与感受，就会产生孤独感。由孤独感又转而成为对婚姻的失望乃至愤怒，原先的情感也就随之消失殆尽。

长期单调贫乏的生活是促成“爱情厌倦”心理的第二个重要原因。家庭生活如果总是在同样的时间以同样的方式进行，就会失去乐趣。而外遇却能提供新鲜感和刺激性，并带有许多吸引人的冒险因素，这对于不甘单调的一方自然构成了巨大的诱惑，继而对原有的婚姻更为不满和厌倦。

夫妻间若长期地缺乏感情交流是滋长“爱情厌倦”心理的第三个因素。事实上，夫妻间的和谐关系是靠思想信息的交流而形成并维护的，它包括互相的尊重与欣赏。夫妻若缺乏情感交流，其隔阂便会浸渗到生活的各个方面，使双方渐渐疏远，由相互看不惯直到相互厌倦，“爱情厌倦”心理便由此而生。

至于吸引力，这是夫妻双方保持相互爱慕所不可缺少的重要因素。而不少做妻子的却认为，自己同丈夫一起生活多年，互相熟悉也无什么生理上的秘密可言，就无须保持端庄的仪态，因而失去了女性特有的魅力，使丈夫逐渐产生厌倦心理。

卡耐基指出：若要防止产生“爱情厌倦”心理，可从以下几个方面来努力：

1. 尽量使家庭生活丰富多彩

我们可以经常地举办一些诸如结婚纪念、生日纪念之类的活动，共同回忆初恋与新婚时的情景，以唤醒爱的柔意，加深夫妻间的感情。形式可以是家宴或野餐，也可以参加某项社交活动或外出旅游等。

同时，不断地了解对方和表达自己的精神需求，及时进行爱的滋润，并使性生活成为有意义的示爱行为。这样，双方就会燃起对爱情、对生活的新的追求。

2. 经常地赞美对方

不要认为对方的长处是应该具有的、短处却是不可容忍的，而要使他（她）感到他（她）在你的生活中占有重要的地位，以激起他（她）使生活幸福的愿望和行动。事实上，夫妻双方都是对方的精神支柱，都是对方获得幸福的源泉，交流情感为什么要吝啬赞美之词呢？

3. 努力提高自己的修养

这是保持吸引力的重要手段。别林斯基说："爱情是两个相似的天性在无限感觉中和谐地交融。"夫妻既是一个共同生活的整体，又是两个独立的人，它不会因为一方的提高而"带高"另一方。只有双方共同提高，才是婚姻稳固和谐的基础。

4. 找出配偶最强烈的需求是什么并满足之

芭芭拉 18 年的婚姻看样子即将步入离婚法庭。有一天她流着泪绝望地给卡普特打电话，看他能否帮她一把。

"我不知道该怎么办，"她说，"不管我干什么，比尔好像都不满意。事实上，好像我做的一切都是错的。他不喜欢我那样收拾屋子，不喜欢我做的饭、我的穿着，说我在床上表现冷淡。他总是对我挑剔，批评我做的一切。

"我们去咨询了一位婚姻顾问，但那根本不起作用。卡普特，你能帮帮我们吗？我不想麻烦你，但你是我最亲近的朋友，而且我想凭你在应用心理方面的经验，你或许能想出些办法。我真的很爱比尔，不能失去他，况且也得为孩子们着想。"

卡普特问芭芭拉是否知道或清楚大家都有的基本欲望。她说不知道，他便让她到自己的办公室，给她列出如下问题：

他是否需要感受自我价值？那就对他加以注意。让他拥有价值感，满足他的自我。

他是否希望有机会做些有意义的事？给他提供机会，给他一项具有挑战性的任务去完成。

他是否需要情感保障？用你力所能及的方式满足他。

结果是芭芭拉的婚姻保住了。自从了解到丈夫最想从她那里得到什么并保证让他得到以后，他们的婚姻危机也就不复存在了。

如果你的家庭存在问题，这一方法也可帮你。只需记住基本原则：找出配偶最强烈的需求是什么并满足之。再强调一次，这就是人际关系中第一准则，夫妻间也不例外。

5. 接受伴侣的本来面目

不要试图改变配偶，将对方修正为第二个你。不要责骂或批评。那样永远不可能改变一个人。不仅如此，你也不可能通过批评掌握全家，让家人按你的意志行事。

就拿你丈夫举例吧。这些年的婚姻生活中你通过责骂和挑毛病使他改变了多少呢？你可能认为自己是好意，你以为可以把他改变成想象中的那样，但是你成功了吗？

假如你想通过批评把妻子变成符合你的标准，就不要梦想了。

记住这一点对你最有价值。你一生中可以改变的只有一个人，那就是你，你自己，你本人——别无他人。因此要按伴侣的本来面目接受他或她。这样做，你会更加幸福。

例如，曾有一位妇女，她有5个孩子和一年来一直醉醺醺没工作的丈夫。大部分时间都靠她在百货商店工作养家。她的丈夫真是有些问题，她迫切地希望改变丈夫。

所有想让丈夫戒酒的方法均告失败，无一能持久。出于特殊的宗教原因，她不想和丈夫离婚，但同时，她不能接受他那种样子。既然她无力改变他，她的痛苦和失望也就越来越深。

后来，有一天她有了婚姻生活中的最大发现。“我根本就没办法改变我的丈夫，解决不了他的酗酒问题，”她告诉自己，“但那是他的事，不是我的事。我无力改变他，也不能解决他的问题。我不能替他活。他是个病人，是个酒鬼，我马上就放弃努力让他戒酒的想法。从现在开始，我不再用他的问题来折磨自己。事情是什么样，我就怎样接受。

“我当然会照顾他，因为他是我丈夫，无论如何我爱他，但我不会再尝试改变他了。我将按他的本来面目接受他，并在这种条件下，尽我所能把自己和孩子们的生活安排好。”

太太最终向自己承认她无力改变丈夫。她的新观念对自己和孩子们都创造了奇迹。这种新观念没能让丈夫把酒戒掉，只有他自己可以戒。但是，除了他仍酗酒外，太太和孩子们又都过上了相对正常和幸福的日子。

认识到不大可能改变你的丈夫或妻子也同样能帮助你。事实上，只有按本来面目接受配偶，你的婚姻生活才能幸福快乐。

6. 经常浇灌爱情的花朵

有一位女青年老是抱怨婚后生活单调乏味，她除了喜欢养花，对家中其他事漠不关心，就连夫妻间温柔亲昵的谈话和性生活都变成了一种例行公事。一天，她向一位女友倾诉了心中的孤寂与空虚。女友望着她养的菊花问她：“这菊花开得这么鲜艳，你是怎么照料的？”她说：“我除了按时浇水施肥，每年还给它们剪枝，换盆。天气好时，搬到屋外面，让它们吸收阳光，逢上刮风、暴雨，我又把它们搬进屋里……”女友打断她的话又问：“那么你为你的婚姻做了些什么？”这句问话使她受到震惊。后来这位聪慧的女人开始像滋养菊花那样去滋养他们的婚姻，她主动帮丈夫擦皮鞋、洗衬衣，还买了一摞丈夫喜欢阅读的诗集。丈夫也好像变了样，一有空就帮她择菜，打扫屋子，星期天还常带她出去散步、游泳、打保龄球。现在他俩有滋有味地在享受甜美的夫妻生活。

因为爱情和任何有生命力的生物一样，也需要浇灌，也需要滋润。

7. 积极选择幸福

我们每个人都拥有一种权利，却常常不能正确运用。那就是选择的自由。很多人应选择财富时却选择了贫穷。有些人不选择成功却选择了失败。有些人选择了惧怕生活，然而事实上他们只需勇敢地迈出一步，就能抓住本应属于自己的幸福。

家庭生活也是如此。你有权选择你想要的生活。你可以选择充满乐趣的生活：充满激动、欢乐和幸福；你也可以选择经常充满愤怒、不满、争执和口角的家庭生活。一切全凭你。

沃伦·罗兰去世时已和老伴结婚六十多年了，他们俩一贯非常幸福。邻居从来未听过一方对另一方吆五喝六，也从来没见过两个人怒目而视。

罗兰的侄子结婚前，沃伦叔叔把他叫去闲谈。“你想听听我这个老叔叔的一点忠告吗？”他问。侄子说很愿意，以下便是罗兰告诉侄子的话：

“如果你想让婚姻幸福，你就能做到。多年前和你婶婶结婚时我就是这样做的。我们选择了幸福。如果你希望婚姻成功，我建议你也这样做，选择幸福。这很简单，不要把幸福搞得很复杂。

“当然，有欢乐也有痛苦，你不可能每天都生活在山顶上，没人能做到。中间会有些谷地，充满了悲伤、心痛或悲哀。你婶婶和我也有过那样的坏日子。但是我们克服了困难，因为从一开始我们就决心无论发生什么事情都要保证婚姻幸福。

“因此，如果你一开始就选择幸福，你的妻子也同样选择，那么无论发生了什么，你们都有一个幸福的婚姻。”

即使你结婚已经很久，选择幸福总还不嫌太晚。不论有时看起来多糟，如果你做出那个简单的决定——选择幸福，事情总会好起来的。

选择幸福的一个小小忠告是：不论内心感觉多么不爽，总要对家人高高兴兴。因你沮丧而让家人痛苦毫无意义。

家人在一起时，养成欢乐、高兴的谈话习惯特别重要。进餐时尤应如此。不要让人倒胃口——包括你自己在内——不要把家宴当成倾吐困难、忧虑、担心、警告和责备的机会。进餐时不宜管束。让每一餐都快乐，都像过节一样。